à Johanne
mai 2008

Mémoires d'un quartier

• TOME 1 •

Laura

Du même auteur chez le même éditeur :

La dernière saison Tome 1 : Jeanne, roman 2006

La dernière saison Tome 2 : Thomas, roman 2007

Les sœurs Deblois Tome 1 : Charlotte, roman, 2003

Les sœurs Deblois Tome 2 : Émilie, roman, 2004

Les sœurs Deblois Tome 3 : Anne, roman, 2005

Les sœurs Deblois Tome 4 : Le Demi-frère, roman, 2005

Les années du silence Tome 1 : La Tourmente, roman, 1995

Les années du silence Tome 2 : La Délivrance, roman, 1995

Les années du silence Tome 3 : La Sérénité, roman, 1998

Les années du silence Tome 4 : La Destinée, roman, 2000

Les années du silence Tome 5 : Les Bourrasques, roman, 2001

Les années du silence Tome 6 : L'Oasis, roman, 2002

Entre l'eau douce et la mer, roman, 1994

La fille de Joseph, roman, 2006 (réédition de *Le Tournesol*, 1984)

L'Infiltrateur, roman basé sur des faits vécus, 1996

« Queen Size », roman, 1997

Boomerang, roman en collaboration avec Loui Sansfaçon, 1998

Au-delà des mots, roman autobiographique, 1999

De l'autre côté du mur, récit-témoignage, 2001

Les demoiselles du quartier, nouvelles, 2003

Visitez le site Web de l'auteur :
www.louisetremblaydessiambre.com

LOUISE TREMBLAY-D'ESSIAMBRE

Mémoires d'un quartier

• TOME 1 •

Laura

De 1954 à 1958

Guy Saint-Jean
ÉDITEUR

Catalogage avant publication de Bibliothèque et Archives nationales du Québec et Bibliothèque et Archives Canada

Tremblay-D'Essiambre, Louise, 1953-
Mémoires d'un quartier
Comprend des réf. bibliogr.
Sommaire: t. 1. Laura.
ISBN 978-2-89455-263-6 (v. 1)
I. Titre. II. Titre: Laura.

PS8589.R476M45 2008 C843'.54 C2008-940607-9
PS9589.R476M45 2008

Nous reconnaissons l'aide financière du gouvernement du Canada par l'entremise du Programme d'Aide au Développement de l'Industrie de l'Édition (PADIÉ) ainsi que celle de la SODEC pour nos activités d'édition. Nous remercions le Conseil des Arts du Canada de l'aide accordée à notre programme de publication.

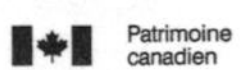

Gouvernement du Québec — Programme de crédit d'impôt pour l'édition de livres — Gestion SODEC

Conception graphique : Christiane Séguin
Révision : Hélène Bard

Page couverture : Toile peinte par Louise Tremblay-D'Essiambre, « L'auto à Marcel », inspirée des pastels d'Anne-Marie Ruggeri (Bonnieux, Provence)

Dépôt légal — Bibliothèque et Archives nationales du Québec, Bibliothèque et Archives Canada, 2008
ISBN : 978-2-89455-263-6

Distribution et diffusion
Amérique : Prologue
France : Volumen
Belgique : La Caravelle S.A.
Suisse : Transat S.A.

Guy Saint-Jean Éditeur inc. 3154, boul. Industriel, Laval (Québec) Canada. H7L 4P7.
(450) 663-1777. Courriel : info@saint-jeanediteur.com • Web : www.saint-jeanediteur.com

Guy Saint-Jean Éditeur France 48, rue des Ponts, 78290 Croissy-sur-Seine, France.
(1) 39.76.99.43. Courriel : gsj.editeur@free.fr

Imprimé et relié au Canada

Pour Alain, tendresse et amour

NOTE DE L'AUTEUR

Je viens tout juste de déposer ma plume, à peine le temps de dire *ouf!* et voilà que je me retrouve devant l'écran de mon ordinateur, un crayon à portée de la main et des tas de feuilles autour de moi. Pourtant, ce n'était pas vraiment ce que j'avais prévu. Je pensais plutôt m'offrir quelques jours de vacances. « Bien mérités », m'étais-je dit. La semaine dernière, j'ai remis le second tome de *La dernière saison* à mon éditrice et j'en suis satisfaite. À moi le repos ! Pas d'ordinateur, pas d'écriture, pas de recherches. Rien ou plutôt, rien d'autre que le plaisir de lire à mon tour. Toute une rangée de ma bibliothèque, lourde de livres en tous genres, attend que je m'y mette pour être soulagée.

Stephen King, Annie Proulx, Dan Brown, Marc Lévy, Gilles Archambault, Joy Fielding, Amin Maalouf, James Patterson...

J'adore lire. Un peu de tout. Thriller, policier, biographie, science-fiction, littérature...

Je salivais à l'avance à la perspective de tous ces jours de lecture.

C'était sans compter la présence d'Évangéline, de Bernadette, d'Adrien, de Marcel, de Laura, d'Antoine... Depuis des mois, ils rôdent autour de moi, fantômes de vies qui n'espéraient que ma bonne volonté pour prendre forme. Quand ils ont vu que je déposais mon crayon parce que le dernier livre était fini d'écrire, ils ont aussitôt envahi mes pensées, sans attendre d'y être invités.

Comment voulez-vous que j'arrive à lire ?

C'est impossible, je ne peux me concentrer sur les histoires que d'autres ont inventées, alors qu'une dizaine de personnages me frôlent, m'interpellent ou me murmurent à l'oreille.

Quand les personnages se font insistants à ce point, je n'ai d'autre choix que de m'installer au pupitre pour répondre à leurs exigences, sinon, je tourne en bourrique !

Voilà, c'est fait ! Je reprends la plume... façon de parler ! Aujourd'hui, si l'on dit *plume,* on pense *ordinateur.* L'exercice reste cependant le même. Le syndrome de la page blanche ou celui de l'écran vide découlent d'une même sensation. D'une même angoisse. Saurai-je raconter l'histoire que les personnages vont m'offrir ? Saurai-je trouver les mots, les bons mots, qui rendront justice à leur vécu, à leur époque, à leurs émotions ? Je l'espère, tant pour moi que pour vous.

Je ferme les yeux un instant, je me laisse emporter par ces personnages que je ne connais pas encore très bien. Je leur demande de me prendre la main et de m'emmener là où ils souhaitent que j'aille.

Vient d'apparaître un quartier de ville, disons que c'est Montréal, puisqu'il faut bien situer l'intrigue quelque part. Mais cela aurait pu être Québec, New York ou Paris ; l'important ne se joue pas à travers ces détails… Je constate que c'est le printemps, c'est facile à deviner. Le soleil est haut dans le ciel, les arbres sont couverts de petites feuilles d'un beau vert tendre, comme une dentelle très fine, les rues résonnent des voix des passants qui ne semblent pas pressés. Il n'y a qu'au printemps que les gens s'accordent le temps de souffler un peu.

Vous me suivez toujours ? Le voyez-vous, ce quartier de ville avec ces immeubles à logements, ces escaliers de fer forgé en colimaçon, ces balcons accrochés aux façades de briques brunes ou rouges ? C'est un cul-de-sac. Au fond de l'impasse, une maison un peu plus grande que les autres, à première vue, mieux entretenue que les autres. Le propriétaire doit probablement y habiter. Devant, en biais avec l'allée qui mène à la maison, un arbre immense, juste au bord du trottoir. Je ne m'y connais pas tellement, mais je crois qu'il s'agit d'un chêne.

J'ai toujours les yeux fermés pour mieux voir et sentir ce monde que je suis en train d'inventer, et qui m'entoure. Les femmes que je croise portent des chapeaux de paille, l'ourlet de leurs robes descend sous le genou. Les hommes sont drôlement vêtus. Plusieurs portent des salopettes. À la main, une boîte de fer-blanc au couvercle rebondi. Des ouvriers, sans doute, qui reviennent du travail. À voir ces vêtements, tant ceux des femmes que des hommes, je dirais que nous sommes dans les années cinquante.

Quelle merveille que la magie de l'écriture ! Me voilà transportée dans le temps et l'espace. C'est bien. Même si je suis en pleine ville, il y a, dans l'air, un parfum de fleurs. Du lilas, je crois. C'est un parfum tout léger et doux, comme on n'en retrouve plus aujourd'hui au cœur des villes. Dommage.

C'est curieux, tout à l'heure, en approchant du quartier qui m'intéresse, j'ai croisé de nombreux camions remplis à ras bord de meubles, de cartons, de valises. Heureusement qu'il ne pleut pas, sinon, tout serait détrempé ! Mais où vont-ils donc, tous ces camions, chargés comme des mulets ?

Ça y est ! Je me souviens. À cette époque, on déménageait le premier mai. En fait, au Québec, comme un rite établi, tout le monde déménageait le premier mai, sans se soucier des enfants qu'on devait parfois changer d'école. Autre temps, autres mœurs. L'ère de l'enfant-roi n'était pas encore née. Cette fois-ci, par contre, je n'ai pas envie de dire que c'est dommage.

Ce que je vois tout autour de moi concorde avec ce que j'avais cru comprendre des confidences que ces personnages ont commencé à me faire. Le temps, l'époque, l'endroit... Nous sommes dans un quartier populaire, d'une ville que nous appellerons Montréal, le premier mai 1954. J'ai un peu triché et j'ai regardé l'année sur la plaque d'immatriculation de l'un des camions.

Sur le trottoir, sous les branches du gros chêne, une fillette blonde, non, plutôt châtain, aux lourdes boucles souples. Elle porte une robe courte à fleurs mauves sur fond jaune et des chaussettes blanches. Pour l'instant, les yeux à demi fermés, elle saute à la corde. C'est une corde à sauter faite de coton tissé, rouge et blanc, avec des poignées en bois teint, comme celles que j'ai déjà eues quand j'étais petite.

— Trois fois passera, la première, la dernière. Trois fois passera...

Je sais qu'elle s'appelle Laura. C'est elle qui m'a approchée la première, car elle a envie de me raconter son histoire. Elle me l'a chuchoté à l'oreille. Mais son histoire, c'est aussi celle de sa famille, de sa rue, de son quartier. Ici, tous les voisins se connaissent, et régulièrement, les destinées s'entrecroisent.

Laura a peut-être senti ma présence, car elle vient d'arrêter de sauter. Elle regarde autour d'elle, comme si elle cherchait quelque chose ou quelqu'un. Elle lève la tête et aussitôt elle fait la moue, en fronçant les sourcils, avant de recommencer à sautiller, un pied après l'autre. Sur le trottoir, se faufilant à travers les branches du chêne, le soleil dessine un casse-tête d'ombre et de lumière. Un casse-tête aux pièces mouvantes, un kaléidoscope géant, et Laura en est le centre. Autour d'elle, une famille, des amis, des voisins. Autour d'elle, des gens que vous avez peut-être déjà rencontrés. Vous souvenez-vous de Cécile[1], de Jérôme et de leur famille ? De Charlotte[2], de Blanche, d'Antoinette ? Je devine qu'à un moment ou à un autre, maintenant ou plus tard, tous ces gens traverseront la destinée de Laura. J'en ai l'intuition.

Je m'approche lentement pour ne pas effaroucher la petite. Nous ne nous connaissons pas beaucoup. Il faut du temps pour s'apprivoiser. Je pense que je vais m'asseoir au pied de l'arbre. Comme cela, je vais pouvoir observer tous ces gens sans déranger le cours de leur existence. Je suis à l'ombre, c'est parfait, car aujourd'hui, il fait pas mal chaud. C'est même surprenant pour un premier mai.

Je vais rester là, sans bouger, me contentant d'être aux écoutes de ce monde que je ne connais pas encore.

Quand Laura sera prête à me parler, elle saura bien où me trouver.

P.S. : J'aimerais attirer votre attention sur un petit détail qui risque de heurter certaines personnes. Cette histoire se déroulant dans un quartier populaire des années cinquante, j'ai dû adapter les dialogues. Vous trouverez donc du joual dans ce livre, n'en déplaise aux puristes, et je vous avoue bien candidement que je trouve cela absolument délicieux ! Bonne lecture !

---

1 Louise Tremblay-D'Essiambre, *Les années du silence*, Laval, Guy Saint-Jean Éditeur, 1995-2002, 6 tomes.

2 Louise Tremblay-D'Essiambre, *Les sœurs Deblois*, Laval, Guy Saint-Jean Éditeur, 2003-2005, 4 tomes.

PREMIÈRE PARTIE

La vie comme un jeu d'enfant

CHAPITRE 1

J'attendrai
Le jour et la nuit, j'attendrai toujours
Ton retour
J'attendrai
Car l'oiseau qui s'enfuit vient chercher l'oubli
Dans son nid
Le temps passe et court
En battant tristement
Dans mon cœur si lourd
Et pourtant, j'attendrai
Ton retour

J'attendrai (Louis Poterat / Dino Olivier)
Par Tino Rossi, 1939

1er mai 1954

À la fenêtre du salon, un doigt boudiné tenait le rideau entrouvert. Évangéline Lacaille observait la rue. Sa rue.

Quarante-trois ans aujourd'hui qu'elle y habite, cela donne certains droits. Celui de la scruter et de la critiquer en fait partie.

C'était même devenu, au fil du temps, un réel plaisir que d'observer cette rue et ses habitants, de jauger leurs destinées, d'analyser leurs habitudes et leurs manies.

C'était, depuis quelques années, le passe-temps préféré d'Évangéline. Il rendait l'attente tolérable.

Elle comprit qui seraient ses voisins à l'instant précis où ils débarquèrent du camion rouge vif, très propre, qui venait de se ranger contre le trottoir, tout juste derrière un autre camion de déménagement, noir, celui-là, et définitivement moins reluisant. Elle détourna vivement la tête.

— Bedette, viens voir ! On va avoir des couettes comme voisins. Maudit qu'y' ont l'air niaiseux !

À la cuisine, Bernadette leva les yeux d'exaspération. Elle détestait qu'on l'appelle Bedette. La main qui tenait le couteau à éplucher accéléra le mouvement sur la pomme de terre.

Clic, clic, clic...

Pas question de répondre et encore moins de se déplacer quand sa belle-mère l'interpellait de ce sobriquet ridicule, même si sa curiosité avait été piquée. « C'est un petit jeu qui se joue à deux », pensa Bernadette. Elle s'était juré de ne pas céder la première. De toute façon, elle aurait bien d'autres occasions de rencontrer ces nouveaux voisins qui arrivaient dans le quartier !

Au salon, Évangéline tendit l'oreille, espérant une réponse qui ne viendrait probablement pas. À ses heures, Bernadette était une vraie tête de mule.

Comme pour lui donner raison, le cliquetis du couteau à légumes lui sembla plus vif, plus rapide qu'à l'accoutumée. Évangéline en déduisit que c'était là la réponse de sa belle-fille. Elle soupira, par principe, avant de reprendre son étude des allées et venues de la rue.

Toute la journée, elle avait analysé, supputé et commenté ce qui se passait. Le va-et-vient des camions l'avait occupée et intriguée. Cela faisait longtemps qu'il n'y avait pas eu autant de changement dans le voisinage. Les Carrier étaient partis hier, de soir, comme des maudits voleurs, et les Nadeau avaient quitté la rue ce matin, en saluant tout le monde. Pas de surprises, les uns comme les autres, ils en parlaient depuis des semaines. Les Giguère, sur la droite, avaient filé après le dîner, bon débarras, juste avant les Tremblay, dont elle allait s'ennuyer. Présentement, c'était au tour des Martin de quitter le quartier et c'étaient justement eux qui croisaient les couettes dans l'escalier. Les uns partaient, les autres arrivaient.

— C'est quoi, l'idée de louer à des étrangers ? cria Évangéline à travers le logement, espérant que, cette fois-ci, Bernadette lui répondrait. Ça pense pas comme nous autres, c'te monde-là.

Nouveau silence, soutenu cette fois par des chaudrons que l'on manipulait avec brusquerie.

— Viarge qu'a' peut être bête, des fois ! bougonna Évangéline. J'ai jamais compris c'que Marcel y' trouve.

Puis, fixant de nouveau la rue où deux hommes habillés de noir sortaient une commode du camion, elle murmura, toujours pour elle-même, puisque de toute façon personne ne l'écoutait :

— Y' s'en fiche ben, le vieux Gamache, de louer à des importés. C'est pas lui qui va les endurer.

Une moue dédaigneuse durcissait la figure d'Évangéline, ombrageait le regard de ses yeux noisette, qui avaient oublié depuis longtemps qu'ils pouvaient briller de malice et de joie. En fait, un rien dévisageait ses traits anguleux, taillés en lame de couteau, sans harmonie, et qui juraient avec l'ensemble de sa personne au demeurant bien enveloppée. Il suffisait parfois d'une pluie persistante, d'un soleil trop chaud, d'un accroc à ses bas, d'un rôti trop cuit pour déclencher une crise de mauvaise humeur chez Évangéline Lacaille, bien connue dans le quartier pour son tempérament capricieux et instable, auquel il valait mieux ne pas se frotter.

Sur la rue, Évangéline Lacaille était l'un des rares propriétaires occupant l'un de ses logements. Une vraie propriétaire, selon l'entendement qu'elle en avait, ayant vu elle-même à la construction de la maison avec son mari. Elle y habitait depuis. Au coin, il y avait bien la veuve Sicotte qui vivait dans le duplex construit par son père au début des années vingt, mais ça, pour Évangéline, ça ne comptait pas. La veuve Sicotte n'avait aucun mérite à être propriétaire, elle avait reçu la maison en héritage. C'était un peu comme les Gariépy qui habitaient à gauche, quelques maisons plus loin. Ils se cédaient un bâtiment de trois logements de génération en génération. Le petit-fils du vieux Grégoire, Pierre-Paul de son prénom, était venu s'installer l'an dernier et ne s'était pas gêné pour raconter que, maintenant, c'était lui le propriétaire.

— Mon père sait que chus un gars vaillant, c'est pour ça qu'y' m'a vendu la maison, comme son père avait fait avant lui. Mon paternel avait pus envie de s'occuper des locataires pis de l'entretien.

Pierre-Paul avait passé plus de deux semaines à se promener sur le trottoir, tous les soirs après le souper, les pouces coincés dans sa ceinture, conquérant du quartier, arrêtant ses voisins pour se présenter. Ce qui avait fait dire à Évangéline, accoudée à sa fenêtre et prenant son fils Marcel à témoin :

— Un maudit prétentieux, comme son père pis son grand-père ! Y'a l'air ben engageant de même, mais regarde-lé ben aller. Ça va vivre icitte pendant quatre, cinq ans, pis après, y' va s'en aller dans un autre quartier comme si on était pas du monde assez ben pour lui pis on le reverra pus jamais. C'est de même qu'y' font dans c'te famille-là. Des maudits frais chiés ! Tu dois ben te rappeler d'la grosse Arthémise, non ? Imagine-toé qu'a' se disait mon amie. Ben oui ! mon amie, toé ! Maudite menteuse ! Est partie pis a' m'a jamais donné de ses nouvelles. Pas une maudite fois.

Évangéline avait même tenté d'interdire à Laura de jouer avec la fille des Gariépy, une jolie brunette aux yeux pétillants, au rire facile.

— Y' vont juste réussir à monter la tête à ta fille, Bernadette. C'est ça que tu veux ? Avoir une fille qui va lever le nez su' toé ?

— Vous pensez pas que vous exagérez un peu ?

Évangéline avait haussé les épaules.

— Pas une miette ! Tu feras ben à ton aise, Bedette. C'est ta fille après toute, mais tu sauras m'en parler dans pas longtemps. Anyway, pas question de voir un seul Gariépy dans ma maison, ça règle le problème pour moé.

Bernadette n'avait eu d'autre choix que de plier devant la volonté de sa belle-mère. Francine, la fille de Pierre-Paul Gariépy, ne mettrait pas les pieds chez eux.

— T'auras juste à jouer avec elle à l'école, avait tenté d'expliquer Bernadette à sa fille, qui ne comprenait pas pourquoi sa grand-mère en voulait à Francine, une fillette de son âge avec qui elle s'entendait si bien. Quand ta grand-mère décide de quoi, c'est pas facile d'aller contre.

Cependant, après un court silence, Bernadette avait ajouté, tout en faisant un petit clin d'œil complice à sa fille :

— Si jamais tu revenais pas tusuite après l'école, m'as vite comprendre que t'es allée chez Francine. Pis moi, ça me bâdre pas pantoute que tu jouses avec elle. Entre toé pis moé, ta grand-mère a pas besoin de toute savoir.

Laura s'était contentée de soupirer avant d'esquisser un petit sourire à l'intention de sa mère.

Tout comme elle, Laura avait vite appris à se taire devant sa grand-mère.

Évangéline faisait la pluie et le beau temps dans la maison. C'était sa maison, non ? À ses yeux, cela lui conférait tous les droits. Depuis onze ans que Bernadette vivait sous le même toit que sa belle-mère, elle avait appris à garder pour elle les réflexions que l'attitude belliqueuse de celle-ci suscitait. Sa bouche en gardait même la trace d'un pli amer, comme une ride au coin des lèvres. Pourtant, Bernadette Lacaille, née Gingras, n'avait pas encore trente ans.

Relevant le châssis de bois, Évangéline appuya ses bras sur le rebord de la fenêtre et, profitant du fait que la moustiquaire n'était pas encore installée, elle se pencha pour mieux détailler ceux qui allaient être ses voisins pour la prochaine année.

— On dirait des corbeaux, murmura-t-elle, dédaigneuse. C'est quoi c'te manie de porter juste du noir pis du blanc, pis de se boudiner les cheveux comme une comtesse ? Ça va être le fun encore de croiser ça dans rue. Des vrais croque-morts.

Elle détourna la tête, méprisante, ne trouvant subitement et radicalement aucun intérêt supplémentaire à surveiller des gens qui, de prime abord, lui déplaisaient souverainement.

À travers les branches du chêne, c'est alors qu'elle aperçut Laura sur le trottoir. La fillette sautait à n'en plus finir, les yeux mi-clos. Autre sujet de désaccord, cette enfant qui ne pensait qu'à jouer. Autre moue pincée, précédant de peu un profond soupir qui souleva son opulente poitrine.

— Maudite perte de temps ! Voir qu'a' pourrait pas aider sa mère pour une fois. Ça pense rien qu'à s'amuser. Dans mon temps, on savait garder les enfants à leu' place. Une fille de dix ans, c'est ben assez vieux pour donner un coup de main. Astheure, les enfants font juste à leu' tête !

Évangéline profita de l'occasion pour se plonger dans

l'une de ses réflexions préférées : le bon vieux temps, où elle avait habituellement le beau rôle. Le bon vieux temps où tout allait bien, où aucune catastrophe n'était encore venue assombrir son horizon.

Et Dieu sait que, des malheurs, il y en avait eu dans sa vie. De toutes les sortes... Habituellement, Évangéline s'obligeait à faire autre chose quand sa réflexion l'amenait jusqu'au départ d'Adrien, son fils aîné. Parti pour la guerre, il n'était toujours pas revenu, préférant s'installer aux États-Unis chez une certaine Maureen, rencontrée à Paris lors de la Libération.

Évangéline ne parlait jamais de ce fils, ce qui ne l'empêchait pas d'espérer son retour un jour.

Sur le trottoir, voyant sa grand-mère lever les yeux au ciel, les coudes appuyés sur le rebord de la fenêtre, Laura soupira à son tour à fendre l'âme, tout en continuant à sautiller pardessus la corde, un pied après l'autre. Quand sa grand-mère avait ce regard vague, tourné vers le ciel, c'était qu'elle en avait pour un moment à jongler sans bouger. Laura soupira une deuxième fois, encore plus fort.

Peut-être bien qu'elle avait l'air de perdre son temps, la petite Laura, mais en réalité, tout ce qu'elle attendait, c'était que sa grand-mère disparaisse du cadre de la fenêtre pour pouvoir filer chez Francine sans être vue. Même si la question avait été réglée entre sa mère et sa grand-mère — « Tu feras ben c'que tu voudras, Bedette, mais viens jamais dire que j't'ai pas prévenue ! » —, Laura préférait agir en douce, sinon elle aurait droit à un long sermon à l'heure du souper, et c'était très désagréable.

Elle revint face à la maison. Évangéline s'était transformée en statue. D'où elle était, Laura n'arrivait pas à voir si sa grand-mère avait les yeux ouverts ou fermés. Elle soupira une troisième fois. Elle n'aurait jamais dû revenir ici après l'école, aussi. Elle aurait dû s'en aller directement chez son amie. Mais il faisait si chaud que l'idée de quêter cinq cennes à sa mère pour acheter un popsicle à deux bâtons avait annihilé son habituelle prudence. Un *pops* qu'elle pourrait partager avec Francine. Cela faisait un an aujourd'hui qu'elles se connaissaient, ça méritait bien un petit quelque chose de spécial et elle savait fort bien que la mère de son amie n'avait jamais d'argent pour les friandises.

C'est au moment où Laura était en train de ressortir du logement, sur la pointe des pieds, le cinq cennes caché dans sa chaussure, puisque sa robe n'avait pas de poche, espérant passer inaperçue, que sa grand-mère était intervenue.

— Où c'est que tu t'en vas comme ça, ma fille ?

— Juste en bas.

— Pas de nananne avant le souper, hein ? Pis surtout, pas de Francine sur mon parterre.

Et, dans le lexique personnel d'Évangéline, le trottoir face à sa maison faisait aussi partie de sa propriété !

— Ben non. J'vas juste jouer à corde avant de faire mes leçons.

Avant que le questionnaire de sa grand-mère ne devienne un inquisitoire, Laura avait claqué la porte et dévalé l'escalier qui menait au trottoir.

Son amitié pour Francine lui valait des heures d'attente, des tas de stratagèmes pour filer à l'anglaise. Madame Gariépy n'en revenait tout simplement pas.

— Mais que c'est que ma fille a ben pu y' faire pour qu'a' l'haïsse de même ? M'en vas t'y' parler dans l'nez, un de ces jours, à grosse Évangéline…

Gaétane, la mère de Francine, lançait régulièrement que ça avait assez duré et qu'elle s'en allait de ce pas chez

Évangéline pour lui dire sa façon de penser. « Ent'quat'-z'yeux ! » Laura, horrifiée, avait réussi, jusqu'à maintenant, à l'en dissuader.

— S'il vous plaît, madame Gariépy, faites pas ça ! Ça serait ben assez pour qu'a' l'oblige mon père pis ma mère à m'garder dans maison pour le reste de ma vie ! Pis là, c'est vrai que j'aurais pus le droit de voir Francine. C'est déjà ben assez plate qu'a' l'aye pas le droit de venir jouer chez nous.

— T'enfermer dans maison ? Ça serait ben l'bouquet ! C'est pas à ta grand-mère de décider des affaires de même. C'est à tes parents.

— Ben, pas chez nous. Pas tout le temps, en toués cas.

— Pauvre Bernadette ! Obligée d'endurer ça !

Invariablement, les menaces de Gaétane Gariépy s'arrêtaient là. Une bouffée de colère envers la grosse Évangéline, atténuée par un élan de compassion pour Bernadette qu'elle croisait parfois chez des voisines. Puis, débordée, elle passait à autre chose ; élever une famille de cinq enfants n'étant pas particulièrement une sinécure.

Laura, qui commençait à en avoir assez d'attendre, tourna encore une fois sur elle-même en levant la tête vers la maison.

— Trois fois passera...

Elle s'arrêta net. Enfin ! Le rideau de la fenêtre du salon pendait, immobile. Évangéline avait quitté son poste d'observation. Au même instant, les garçons du voisinage envahissaient la rue pour jouer au hockey, bruyants, excités, courant partout et s'interpellant joyeusement, tout en empilant les vieilles caisses à beurre qui délimitaient les buts.

— Parfait, murmura Laura tout en repliant vivement sa corde. Si jamais grand-mère revient, j'vas passer inaperçue à travers la gang de gars.

Elle partit au pas de course, traversa la rue en zigzaguant, fendit la foule des garçons. « Salut, Bébert, ta sœur est-tu là ? » et fila entre deux maisons étroites, sans attendre une réponse qu'elle connaissait déjà. Elle déboucha sur le carré de terre battue qui tenait lieu de cour aux Gariépy. Chez son amie, on passait toujours par la porte d'en arrière qui ouvrait sur un tambour, qui lui, donnait directement dans la cuisine.

La famille de Pierre-Paul Gariépy avait la chance d'habiter au rez-de-chaussée, et non au deuxième plancher, comme celle de Laura. Par contre, le logement habité par les Lacaille était passablement plus grand que celui des parents de Francine et toutes ses amies l'enviaient d'avoir une chambre bien à elle.

L'habituel fourbi des Gariépy l'accueillit dès l'entrée. Pressée de rejoindre son amie, Laura trébucha sur une paire de godasses maculées de boue, et se rattrapa de justesse en saisissant la manche d'un imperméable qui pendait à un vieux clou au-dessus d'une botte de caoutchouc esseulée. Elle fit donc une entrée bruyante et remarquée dans la cuisine où elle se retrouva face à celle qui régnait en reine sur ce drôle de domaine : Gaétane Gariépy, une femme démesurée, plus grande que nature, aux mains larges comme des battoirs, aux épaules carrées comme un réfrigérateur, à la voix grave et sévère, mais dotée d'un cœur de guimauve, comme le disait Francine, chaque fois qu'une nouvelle amie était impressionnée par l'allure de sa mère. À peine quelques semaines à fréquenter cette nouvelle amie, et Laura avait vite saisi l'image qu'elle avait employée. Gaétane Gariépy avait le cœur aussi grand qu'elle était imposante, et quand elle parlait aux filles, on avait la nette impression qu'elle fondait comme du chocolat au soleil tellement elle était gentille.

Gaétane n'avait pu faire autrement que d'entendre Laura

arriver et, les poings sur les hanches, elle l'attendait en souriant. Elle prit même le temps de lui dire bonjour avant de se remettre à plier le linge qui encombrait la table de formica gris liséré de rouge et gainée de métal nickelé. La grande fierté de Gaétane, d'ailleurs, cette grande table toute neuve.

— Bonjour, ma belle Laura ! Comment ça va ?

Laura répondit à son sourire avant de répliquer joyeusement, tout en ébouriffant sa frange d'un long soupir :

— Ça va pas pire, même s'y' fait chaud en pas pour rire ! Francine est-tu là ?

— Dans sa chambre. J'pense qu'a' fait ses devoirs. T'as juste à y aller.

— Merci.

Avant de quitter la cuisine, Laura eut le temps d'apercevoir la vaisselle du déjeuner et celle du dîner qui surchargeaient le comptoir. Si sa grand-mère mettait les pieds ici, elle en ferait une syncope et l'interdiction de voir Francine serait effective dans la minute. Chez les Lacaille, un minuscule bout de papier sur le plancher suffisait à déclencher les hostilités ! Mais comme le risque de voir Évangéline Lacaille atterrir dans la cuisine des Gariépy était à peu près inexistant, Laura oublia aussitôt cette pensée un peu folle et complètement inutile. Contournant la chaise haute de Serge, le petit frère de Francine, elle fila au bout du corridor en regardant où elle mettait les pieds, puisque de nombreux jouets encombraient le plancher.

Une joyeuse pagaille régnait dans la chambre de son amie, à l'avenant du reste de l'appartement. Des vêtements sales ou propres, Laura n'aurait su le dire, s'emmêlaient allègrement sur le prélart à larges ramures vertes et orange ou défiaient la gravité, en piles chancelantes, sur le dessus des deux commodes d'un blanc jauni, que Francine partageait avec ses sœurs Louise et Yvonne. Les tiroirs entrouverts laissaient voir un fouillis indescriptible. Contre le mur, un drôle de lit à trois étages, fabriqué par le père de Francine, et ressemblant à un escalier. Sous la fenêtre, une ancienne table à cartes en carton bouilli tenait lieu de table de travail. Les trois sœurs s'en disputaient férocement et régulièrement l'utilisation à coup d'engueulades et de cheveux tirés.

La tête penchée sur son cahier, mordillant le bout de son crayon, Francine n'avait pas entendu son amie arriver. Elle sursauta quand Laura l'interpella depuis la porte, puisqu'elle ne voyait pas où mettre les pieds sans marcher sur un vêtement.

— Salut, Francine ! Ça te tente-tu de venir au coin avec moé ? Finalement, ma mère a' me l'a donné, le cinq cennes pour le popsicle.

Francine tourna la tête vers Laura en fronçant les sourcils, n'ayant rien compris au discours de son amie, l'esprit complètement empêtré dans un monde mathématique où les autos s'amusaient à changer de vitesse chaque fois qu'elle essayait de la calculer. Pourtant, sœur Ste-Agnès, la titulaire de cinquième année, n'arrêtait pas de dire que les problèmes raisonnés, c'était simple comme bonjour quand on se donnait la peine de bien les lire. Alors, Francine lisait et relisait le texte, allant même jusqu'à épeler les mots un par un, consciencieusement. Rien à faire, elle ne comprenait jamais rien à ces problèmes d'autos qui se croisaient, de trains qui ne devaient surtout pas se rencontrer ou de robinets qui fuyaient tellement vite que, selon ses calculs, une heure aurait suffi à remplir trois cents bassines. « Les problèmes raisonnés, c'est le calcul le plusse difficile et le plusse plate », lançait régulièrement Francine, une gamine pragmatique dans l'esprit de qui les subtilités mathématiques ne faisaient pas écho. Une gamine qui ne voyait surtout pas l'intérêt qu'il y avait à savoir si le train de Toronto allait frapper celui de Québec à Drummondville. « Sainte bénite ! J'reste à Montréal ! Comment veux-tu que ça m'intéresse un accident qui arriverait à Drummondville ? »

Donc, l'esprit coincé entre deux autos, une rouge et une bleue, qui devaient se rencontrer à Trois-Rivières et dont elle devait trouver la vitesse respective pour que l'heureux événement se produise, Francine avait tourné un regard confus vers Laura. La chaleur humide de la journée faisait friser ses cheveux, qu'elle portait plutôt courts, et contre la lumière de la fenêtre, on aurait dit une auréole. Laura éclata de rire.

— Quand tu frises de même, tu ressembles à l'ange de l'image au-dessus du tableau dans not' classe.

Quelques mots en apparence banals, mais ils furent suffisants pour que, dans l'esprit de Francine, l'auto rouge vienne télescoper la bleue avant de se fondre dans un vide absolu ! Elle détestait la moindre remarque sur ses cheveux. Elle darda aussitôt sur son amie un regard noir, chargé de fiel.

— Pis toi, on dirait la statue de la Sainte Vierge dans le coin de la chapelle, répliqua-t-elle du tac au tac. Avec tes boudins, c'est fou comme tu y' ressembles. Ça fait qu'on est quittes, Laura Lacaille. De quoi tu parlais avant de rire de mes cheveux ?

— Je parlais d'un popsicle. À l'orange ou à la cerise, comme tu voudras. J'te laisse choisir. Ma mère m'a donné le cinq cennes.

— À la cerise, trancha Francine, une lueur gourmande remplaçant dare-dare la colère qui assombrissait son regard. Je finis mon problème pis on y va.

Laura leva les yeux au ciel.

— Comment ça, ton problème ? demanda-t-elle, incrédule, en se dandinant, pressée de s'en aller. T'as pas encore fini tes devoirs ? Tu m'as dit, t'à l'heure, que tu te dépêcherais en arrivant de l'école. T'es ben lambine, toé ! Que c'est t'a faite, coudon, pour que ton devoir soye pas fini ?

— Ben, j'ai travaillé.

Francine avait l'air de s'excuser.

— On dirait que t'as oublié comment j'trouve ça dur, les problèmes raisonnés. J'fais pas par exprès, tu sauras. J'ai beau lire, pis lire, pis lire encore, j'vois rien en toute.

Ce fut au tour de Laura d'avoir l'air désolé. Pour elle, les problèmes étaient d'une telle limpidité qu'elle avait beaucoup de difficulté à imaginer qu'on puisse ne pas les comprendre à la première lecture.

— S'cuse-moé, Francine, j'avais oublié. J'avais même oublié qu'on avait un devoir, vu que j'l'ai faite juste avant de partir de l'école. Si chus de mauvaise humeur, c't'à cause de ma grand-mère, aussi ! A' m'watchait depuis le châssis du salon pis j'avais l'impression que ça faisait des heures que... Fais-moé une place, lui ordonna-t-elle subitement, tout en enjambant quelques vêtements, m'en vas t'aider. Comme ça, on va partir plus vite. Lequel que t'arrives pas à faire ? Celui des deux autos, la rouge pis la bleue, ou celui de la rivière Outaouais ?

Cinq minutes plus tard, bras dessus, bras dessous, les deux amies remontaient l'avenue en direction du casse-croûte de monsieur Albert qui, dès les premières vraies chaleurs, installait année après année, dans un coin de son restaurant, un gros congélateur qu'il remplissait de popsicle, de fudgesicle et de crème glacée à la vanille.

Hier matin, en se rendant à l'école, Laura avait aperçu

quelques petits bâtons de bois qui jonchaient le bord du trottoir. C'était le signal attendu : le congélateur avait repris sa place dans le coin arrière du restaurant, près du juke-box. C'est pourquoi, dans quelques instants, Francine et elle allaient pouvoir se régaler.

— Wow ! T'as-tu vu, Laura ? Y' en a une nouvelle sorte ! Sont d'un rose plusse pâle que ceux à la cerise. On essaye-tu ?

Rien de mieux pour deux amies de dix et onze ans qu'une belle journée de printemps, à déguster un popsicle à deux bâtons, coupé bien net sur le bord du comptoir par monsieur Albert lui-même, pour célébrer une amitié qui devrait durer au moins toute la vie et pour oublier tout ce qui n'est pas la douceur du moment présent.

— À la fraise ! J'en r'viens pas comme c'est bon !

Laura avait croqué le bout de son *pops* et le faisait rouler dans sa bouche pendant qu'il fondait délicieusement contre sa langue. Une longue coulée rose se mêlait déjà aux fleurs mauves de sa robe.

— On va-tu s'assire su' l'bord du trottoir ? On pourrait regarder les garçons en mangeant not' *pops*.

Francine avait fait sa proposition en fixant son amie avec une curieuse lueur au fond du regard. Une lueur faite d'un mélange particulier de bravade, d'admiration et de gêne, que les deux filles réservaient uniquement aux garçons qu'elles connaissaient très bien, les garçons de leur rue. Laura comprit sans la moindre hésitation que Francine avait envie de voir la partie de hockey, ce qui n'était pas nouveau depuis le temps qu'elle rêvait d'y jouer, mais cette fois-ci, elle pourrait faire d'une pierre deux coups en narguant son frère et ses amis avec son *pops*. Ce serait là une douce vengeance à saveur de fraise fondante, pour toutes les fois où les garçons se jetaient dessus à bras raccourcis et les chassaient impitoyablement en les traitant de *fifilles à maman*...

Laura glissa un bras sous celui de Francine en pressant le pas.

— Et comment, qu'on va regarder les gars ! Ça leur apprendra, une bonne fois pour toutes, à jamais vouloir qu'on jouse avec eux autres. Croque pas ton *pops* trop vite, Francine, faut qu'y' dure longtemps.

Les deux filles s'installèrent sur le bord du trottoir, les jambes étendues dans la rue, à l'ombre d'un orme immense, et surtout à une distance convenable, pour ne pas recevoir la balle par la tête, mais assez proches pour ne pas passer inaperçues.

Contre toute attente, le popsicle résista à la chaleur suffisamment longtemps pour que Robert, surnommé Bébert par ses intimes et tous les autres à l'exception du frère Jasmin, son titulaire, finisse par apercevoir sa sœur Francine qui braquait les yeux sur lui avec ce petit sourire frondeur qu'il détestait au plus haut point. L'adolescent tout en jambes noueuses, déjà de fort mauvaise humeur parce que sa mère l'avait obligé à porter des culottes courtes — « T'es-tu malade, Bébert Gariépy ? » avait-elle lancé à l'instant où il traversait la cuisine en coup de vent, son bâton de hockey à la main. « T'as-tu vraiment l'intention d'aller jouer au hockey avec tes culottes longues d'école ? Su' l'asphate, en plusse ! Des plans pour me revenir avec les deux genoux troués ! Envoye, va te changer. Mets tes culottes courtes ou ben reste en dedans. » — Bébert, donc, de mauvaise humeur, sentit la moutarde lui monter au nez. Il darda sur sa sœur un premier regard chargé de colère. Qu'est-ce que Francine fichait là à le surveiller ? Avec Laura, en plus ! Puis, il l'assassina d'un regard envieux. L'effrontée, elle mangeait un *pops* ! D'un geste rageur, sans même vérifier où il lançait, Robert envoya la balle de caoutchouc bleu, blanc, rouge directement entre les jambières de Ti-gus, et sans mêler sa voix aux cris de joie des autres garçons qui faisaient équipe avec lui, il empoigna son bâton comme une lance et piqua une course vers les filles qui le regardaient foncer sur elles avec un sourire angélique, tout rose de popsicle aux fraises.

— Chenaille ! Fichez l'camp d'icitte. Le hockey, c'est pas une affaire de filles. Vous nous dérangez.

— La rue est pas à toé, Bébert Gariépy.

Francine avait baissé les yeux et s'appliquait à sucer bruyamment le peu de jus qui restait dans le petit morceau de glace, en équilibre précaire sur le bâton, question de tourner un peu plus le couteau dans la plaie. Même si le soleil avait commencé à baisser, désertant la rue, à l'exception de quelques zébrures lumineuses qui balafraient l'asphalte, il faisait toujours aussi chaud, et son frère suait à grosses gouttes. Robert fulminait.

— Pis ça ? Là, pour astheure, c'est les gars qui jousent au hockey, fait que la rue est pour ainsi dire à nous autres. Toé pis ta p'tite amie Laura, laissa-t-il tomber sur un ton dédaigneux, vous viendrez jouer plus tard, quand on sera partis. Pas avant ! En attendant, tu ferais mieux de filer à maison avant que j'me choque.

Francine était imperturbable.

— La rue, a' l'appartient à tout l'monde, tu sauras, pis est en masse grande pour tout l'monde, s'obstina-t-elle sans se départir de son calme, laissant tomber négligemment son bâton à ses pieds, tout en levant les yeux vers son frère. Pis toé, tu m'fais pas peur, articula-t-elle en essuyant sa bouche du revers de la main, pas peur pantoute !

Robert ne le savait que trop ! De quatre ans sa cadette,

Francine était déjà presque aussi grande que lui. L'hérédité maternelle avait joué en sa faveur. À tout juste onze ans, elle avait des allures de femme, avec ses seins qui commençaient à poindre sous son chandail et ses longues jambes qui se perdaient sous ses jupes courtes, alors que lui, à bientôt quinze ans, il rêvait encore du jour où il aurait du poil au menton et aux mollets. À croire que son corps avait oublié de grandir ! Sa frustration n'avait d'égal que l'agacement suscité par la présence de Francine. La voir, ainsi arrogante et si sûre d'elle, faisait généralement déferler en lui une vague d'exaspération qui le mettait hors de lui, comme une démangeaison chronique. Les disputes entre eux, régulières et bien nourries, prenaient invariablement des proportions titanesques, se transformant rapidement en lutte sans merci, sans égard à l'étincelle qui avait mis le feu aux poudres. Comme présentement ! Le ton avait monté, et de part et d'autre, on avait oublié les droits de propriété sur la rue. Pour l'instant, Francine reprochait à son frère la dernière toast du déjeuner, qu'il avait chipée sous son nez avant de filer à l'école. Elle s'était levée et soutenait le regard de Robert, nez à nez, les yeux dans les yeux.

Dès le début de l'affrontement, les garçons avaient laissé tomber la partie de hockey. Une dispute entre Robert et Francine était toujours un moment de choix, surtout quand ils en venaient aux coups. Ils s'étaient regroupés en demicercle à quelques pas prudents derrière eux et ils observaient la scène avec intérêt, y allant de quelques réparties susceptibles d'encourager Robert, ce qui ajoutait de l'huile sur le feu, puisque Laura, elle, ne disait rien pour soutenir son amie.

Au même instant, fort à propos, l'Angélus laissa échapper sa première note du clocher de la paroisse, sonnant par le fait même l'arrêt provisoire des hostilités. Les cloches de l'église, c'était un signe unanimement reconnu, d'une ponctualité redoutable et dont faisaient usage les cuisinières de la rue. Si l'on ne voulait pas passer sous la table, comme elles disaient toutes, il valait mieux rapatrier rapidement quand sonnait l'Angélus !

Au premier son de cloche, Laura sautait sur ses pieds, heureuse de se soustraire à la dispute. Elle détestait les cris et les accrochages, estimant que subir la mauvaise humeur tenace de sa grand-mère était bien suffisant.

— Faut que j'rentre, Francine ! lança-t-elle, soulagée. M'as venir chercher ma corde à soir. Je l'ai laissée su' l'bord d'la porte en arrière de chez vous. On s'voit t'à l'heure !

En quelques instants, la rue s'était vidée. Après le claquement des talons et les promesses de se retrouver rapidement, on n'entendait plus que les moineaux qui piaillaient, cachés sous le feuillage des arbres. En sourdine, deux ou trois postes de radio, posés sur le bord des fenêtres, laissaient échapper quelques notes ou une voix monotone. Au loin, comme appartenant à une autre ville, à un autre monde, il y avait le bruit des autos et des camions. Contre le bord des trottoirs, quelques vieilles caisses à beurre attendaient le retour des enfants.

Quand Laura arriva dans la cuisine, toute la famille était déjà attablée, en train de manger la soupe. Sans dire un mot, elle fila vers sa place.

— Menute, toé là ! Que c'est ça ?

Les sourcils froncés et le regard perçant, Évangéline pointait une cuillère inquiétante en direction de Laura.

— C'est quoi c'te tache-là ? On dirait du jus.

Laura se sentit rougir jusqu'à la racine des cheveux. Quand sa grand-mère l'apostrophait de la sorte, elle en perdait tous ses moyens. Une main posée sur le dossier de sa chaise, elle baissa la tête. Effectivement, une ombre d'un rose suspect s'était glissée entre les fleurs mauves. Laura déglutit péniblement tant sa gorge était serrée. Pourquoi n'avait-elle pas fait attention ? Elle savait pourtant qu'il suffisait d'un rien pour mettre sa grand-mère hors d'elle. Devant le silence qui se prolongeait, Évangéline se leva en ahanant et repoussa bruyamment sa chaise.

L'affolement avait transformé Laura en statue, muette et immobile. Quand Évangéline se donnait la peine de se lever, ce n'était jamais bon signe. Qu'allait-elle inventer, cette fois-ci, pour la punir ? La causticité de Francine, qu'en temps normal, Laura désapprouvait vivement, lui sembla tout à coup un réflexe de première nécessité. Le temps que sa grand-mère contourne la table, Laura s'était persuadée qu'il lui faudrait demander à son amie comment elle faisait pour avoir la répartie facile et surtout comment développer le bagout essentiel pour répondre sans frémir. Elle revoyait la dispute de l'après-midi. Francine avait le menton fier, le regard brillant et la langue bien pendue, tandis qu'elle-même, à l'instant, elle était plutôt tremblante et aphone.

La claque reçue derrière la tête ramena Laura dans la cuisine. Deux grosses larmes jaillirent aussitôt, plus de stupéfaction et d'incompréhension que de douleur. Jamais, jusqu'à ce jour, sa grand-mère n'avait levé la main sur elle. Fallait-il qu'elle soit en colère ! Et tout cela à cause d'un popsicle dégusté candidement avec la bénédiction de sa mère ! Laura détourna furtivement la tête vers l'autre bout de la table, espérant y trouver une alliée. Peine perdue ! Bernadette semblait hypnotisée par sa soupe qu'elle brassait du bout de la cuillère, la ride au coin de ses lèvres agitée d'un curieux tic nerveux. Quant à son père, impossible de savoir ce qu'il pensait, il avait le visage enfoui dans le journal du matin qu'il n'avait pas eu le temps de lire au déjeuner. Évangéline, à deux pas, les mains sur ses larges hanches et bien campée sur ses courtes jambes, n'avait, quant à elle, que Laura pour cible.

— Me semble que j't'avais dit de rien manger avant l'souper, toé ! À croire que t'es aussi sourde que t'es muette, viarge ! C'est quoi c'te maudite tache-là ? Vas-tu finir par répondre ? Non ?

Évangéline leva les yeux au ciel avant de reporter son impatience et l'ensemble des frustrations de sa journée sur Bernadette, qui s'était enfin décidée à manger sa soupe à petites lapées.

— Bedette, ta fille est rendue muette. Si c'est pas maudit ! C'est peut-être héréditaire, après toute ! Ou bedon c'est la p'tite Gariépy qui a commencé à déteindre su' elle, pis ta Laura trouve qu'on est pus du monde assez ben pour nous répondre. J'te l'avais dit, Bedette, j'te l'avais don' dit ! Les Gariépy, c'est juste des faiseux d'marde. L'idée d'manger des nanannes avant l'souper, ça doit venir d'la Francine encore.

Bernadette leva enfin la tête et se heurta au regard de sa belle-mère qui filtrait à travers ses paupières mi-closes. Elle lui trouva un air porcin et méchant. À quoi ou à qui avait-elle pensé, accoudée à la fenêtre du salon ? Ce n'était pas la première fois qu'une longue séance de réflexion amenait une flambée de mauvaise humeur.

Cette fois-ci, cependant, Bernadette trouvait que sa belle-mère était allée trop loin. Elle s'obligea à soutenir son regard.

— Non, l'idée vient pas de Francine, a' vient d'moé, annonça-t-elle enfin, très calmement, tout en ramenant les yeux sur son assiette et la cuillère dans sa soupe, comme si la question ne méritait pas qu'on s'y attarde. Y faisait assez chaud après l'école pour avoir envie d'un p'tit quèque chose de frette. C'est moé qui a donné cinq cennes à Laura pour s'acheter un *pops*, c'est pas son amie. La tache que vous voyez su' l'devant d'sa robe, c'est du jus de popsicle, à la fraise, on dirait ben. Pis moé, ça m'fait rien en toute que ma Laura a' mange avant l'souper. A' l'a toujours eu un bon appétit, ma fille. J'pense que ça règle le problème pour astheure.

Bernadette avait laissé les derniers mots traîner en longueur. L'intonation qu'elle avait prise, sèche et articulée, était aussi puissante qu'un index accusateur. Évangéline en resta sans voix pour un instant, consciente qu'elle était en train de perdre la face. Et dans sa propre maison en plus ! Le calme inné de Bernadette l'avait toujours exaspérée. Aujourd'hui, il se révélait sous un tout autre jour. La placidité de sa belle-fille avait bien caché son jeu, ce n'était pas juste de l'indifférence ! Évangéline subodorait à quel point elle pouvait se montrer redoutable. « Il faut se méfier de l'eau qui dort », pensa-t-elle aussitôt.

La grosse femme ouvrit la bouche pour lui répondre vertement, se ravisa, serra les lèvres avant de prononcer quelque parole regrettable qui pourrait se retourner contre elle. La Bernadette était peut-être bien plus rusée qu'il n'y paraissait à première vue. Instinctivement, Évangéline revint face à Laura, un adversaire qu'elle devrait n'avoir aucun mal à terrasser.

— Quand on est pas capable d'ouvrir la bouche, on est pas capable de manger, argumenta-t-elle, fort à propos, au grand désespoir de Laura qui entendait son ventre gargouiller. Là-dessus, ta mère pourra toujours ben pas m'ostiner. C'est-tu plate, on mange du pâté chinois, c'que t'aimes ben gros ! Tant pis ! Profites-en pour te changer pis te laver. À soir, c'est l'mois de Marie qui commence. On va t'y aller ensemble. T'en profiteras pour demander au bon Dieu de te r'donner la parole, pis moé, j'vas prier pour toé, ma p'tite-fille. J'trouve ça ben triste de te voir de même ! Envoye, déguerpis avant que j'me choque pour de bon, on part dans une demi-heure. Pis essaye donc de trouver ton chapeau d'paille. Y' fait assez chaud pour le mettre.

Les derniers mots d'Évangéline étaient accompagnés d'un rictus qui aurait pu passer pour une véritable affliction, mais qui se transforma rapidement en un sourire vainqueur ; elle comprenait enfin que Bernadette ne répliquerait rien.

Finalement, elle avait eu le dernier mot !

Évangéline reprit sa place bruyamment, l'appétit aiguisé par ce petit interlude. Au bout de la table, Marcel tournait bruyamment les pages de son journal. Sans lever les yeux, il demanda :

— J'prendrais ben mon assiettée tusuite, Bernadette. J'ai faim.

* * *

— Me semble que t'aurais pu t'en mêler, Marcel Lacaille. Après toute, c'est ta mère pis ta fille.

Bernadette était assise sur le couvre-lit. Quand ils avaient à discuter, Marcel et elle, c'était toujours dans leur chambre qu'ils le faisaient, et Bernadette s'asseyait invariablement au pied du lit. Quand elle avait vu son mari se diriger vers leur chambre, après avoir bu son café, elle lui avait aussitôt emboîté le pas. Évangéline venait tout juste de partir pour l'église, traînant derrière elle une Laura boudeuse, toujours aussi muette, sous le regard humide d'Antoine, que sa grand-mère avait obligé à sortir jouer dehors avant qu'il ne file dans sa chambre pour finir le dessin commencé avant le souper. Par la fenêtre ouverte, on entendait les reniflements de dépit du petit garçon de six ans qui, par moments, étaient suffisamment bruyants pour enterrer les cris de joie des garçons qui avaient repris leur partie de hockey. Antoine détestait les sports en général, et le hockey en particulier, au grand dam de son père.

— Me mêler d'quoi ? demanda Marcel dans un soupir impatient, succédant aux pleurnichements de son fils.

Il tournait le dos à sa femme et fouillait dans un tiroir de la commode pour sortir la chemise qu'il porterait le lendemain. Une chemise blanche à manches courtes, comme celle qu'il avait enfilée ce matin et celle qu'il endosserait après-demain. Pour un boucher, il n'y avait que le blanc qui puisse convenir. À cause du sang qui tachait tout. Le blanc, on pouvait le passer à l'eau de Javel. Puis, il plia les genoux pour ouvrir un autre tiroir, celui du bas, plus profond, qui contenait les tabliers que Bernadette faisait tremper dans l'ancien seau à couches des enfants avant de les frotter, le lundi, quand elle faisait la lessive. Malgré le savon et le bleu à laver qu'elle utilisait systématiquement, le parfum persistant du javellisant s'incrustait dans les plis des tabliers ; la senteur se faufila jusqu'à Bernadette quand Marcel ouvrit le tiroir. Elle plissa le nez, agressée par l'odeur et détourna la tête un instant.

— Comment, te mêler d'quoi ? reprit-elle en se frottant le dessous du nez avec l'index. Me semble que c'est clair, non ? Te mêler de c'qui s'est passé au souper, verrat ! Tu trouves ça correct, toé, que ta mère varge sur Laura comme a' l'a faite ?

Marcel lui opposa un dos indifférent, tout en haussant les épaules. Bernadette leva les yeux au ciel avant de s'emporter. Il n'y avait qu'au sujet de ses enfants qu'elle arrivait à tenir tête à son mari.

— Bâtard, tourne-toé vers moé quand j'te parle, Marcel, ça m'énarve de discuter avec un dos !

Marcel prit le temps de déposer ses vêtements sur la petite chaise en bois qui jouxtait la commode avant de se retourner vers sa femme. Son visage impassible ne laissait paraître aucune émotion. Le regard de ses yeux bleus, trop pâles, presque translucides, était inexpressif, comme trop souvent hélas ! Bernadette croisa machinalement les jambes, déstabilisée. Pourtant, c'était ce même regard, un peu particulier, qui l'avait séduite. Les yeux de Marcel ressemblaient à ceux de Paul Newman. « En mieux », disait-elle en riant quand ils se fréquentaient. Aujourd'hui, ceux-ci la mettaient mal à l'aise. Marcel soupira avant de répondre, agacé par cette discussion stérile qui ressemblait finalement à toutes leurs discussions.

— Varger, varger ! Tu y vas un peu fort. Une p'tite mornifle su' l'bord d'une oreille, ç'a jamais faite de mal à personne.

— Une mornifle que tu mérites pas, ça fait toujours mal, tu sauras.

— Bon ! Te v'là encore montée su' tes grands chevaux ! Madame la psychologue, se moqua-t-il en modifiant le timbre de sa voix, qui habituellement, portait dans les graves. Chus toujours ben pas pour dire à ma mère quoi c'est faire dans sa maison. On a parlé de t'ça des dizaines de fois, calvaire ! À croire que t'as pus rien d'autre à dire. Pis c'est pas une p'tite claque en arrière de la tête qui va changer le monde. Si Laura a désobéi à sa grand-mère, ben la mornifle, a' l'a méritait.

— C'est là que chus pas d'accord avec toé, Marcel. Ta mère a pas d'affaire à se mêler d'élever nos enfants. A' l'avait pas à dire à not' fille de pas manger avant le souper. C'est pas de ses affaires. J'y' demande rien, moé, à ta mère.

— Non, c'est ben certain que tu y' demandes rien, mais ça change pas grand-chose au fait que ma mère peut ben penser comme a' veut. Icitte, c'est chez eux, pis ça, tu sauras, ça y' donne certains droits que même moé chus pas prêt à discuter avec elle. Est de même, ma mère. Que c'est que tu veux que j'y fasse ? Chus pas mort d'avoir eu des claques pis laisse-moé te dire que j'en ai eu un lot pis une barge. Laura en mourra pas non plus. Même que, des fois, ma mère devrait en donner un peu plus, des taloches. Antoine apprendrait petête à devenir un vrai gars au lieu de passer son temps dans sa chambre à dessiner pis à regarder les images de ses livres comme une fille.

— Bon ! Antoine, astheure !

— Ouais, Antoine ! C'est pas un gars que t'as faite, c'est une fille déguisée. Voir que ça s'peut un gars qui aime pas le hockey !

— Ça m'a tout l'air que ça s'peut, rapport que ton gars, c'est pas une fille déguisée, pis qu'y' aime pas le sport. Y' est comme mon frère Bernard. Tu viendras toujours ben pas me dire que Bernard y' a l'air d'une fille ! Avec ses six pieds trois pouces, ses trois cents livres pis ses huit enfants !

Marcel sentit qu'il avait mis le doigt dans l'engrenage d'une discussion qu'il ne maîtrisait pas. Avec Bernadette qui manipulait les mots comme un jongleur s'amuse avec ses balles, cela pouvait être dangereux.

— O.K., j'ai rien dit, admit-il, conciliant pour une fois. Anyway, on parlait pas d'Antoine, on parlait de Laura.

Bernadette haussa un sourcil, l'air sarcastique.

— Non, on parlait pas de Laura, on parlait de ta mère.

— Ben justement, ma mère.

Marcel se retrouvait en terrain connu. Depuis le temps que Bernadette se plaignait de sa belle-mère, il était aussi à l'aise que sa femme sur le sujet. Il s'élança.

— Faudrait pas oublier qu'a' nous charge pas une calvaire de cenne pour le loyer. Ça pèse lourd dans balance, ça, ma fille. Ben lourd.

Marcel s'arrêta brusquement et se mit à se gratter la tête. C'est à le regarder faire que Bernadette prit conscience qu'il commençait à perdre ses cheveux, des deux côtés du crâne, juste au-dessus des sourcils. Trente et un ans, c'était quand même un peu jeune pour caler ! Elle se demanda si Marcel s'en était aperçu, ouvrit la bouche pour le lui demander, la referma aussi sec, jugeant que ce n'était vraiment, mais vraiment pas le temps d'en parler.

— Ouais, le loyer, reprenait Marcel après un court silence, on est des maudits chanceux de pas avoir de loyer à payer. On dirait, des fois, que tu t'en rends pas compte. Pis, pas payer de loyer, ça donne petête des possibilités qu'autrement on aurait pas. Fait que demande-moé pas de parler à ma mère, pis dis-toé qu'une p'tite taloche une fois de temps en temps, c'est pas ben, ben grave.

Bernadette avait froncé les sourcils, et le pli au coin de sa bouche était plus profond, accentué par une grimace d'incompréhension. Marcel n'était pas reconnu pour ses talents oratoires, mais là, il dépassait la mesure. Une mèche de cheveux lui retombait sur l'œil, cachant ce début de calvitie que Bernadette avait déjà oublié.

— Que c'est que t'essayes de dire, toé-là ? J'te suis pas pantoute, Marcel. Tu parles du loyer, là, chus d'accord avec toé, on est ben chanceux. Mais j'te ferai remarquer que ta mère est pas mal chanceuse, elle avec, de nous avoir. L'entretien, ici d'dans, c'est moé qui m'en charge. Les repas pis le lavage avec. C'que j'comprends pas, c'est ce que les taloches viennent faire là-dedans.

Marcel soupira, empêtré dans ses explications. Il fut sur le point de lever le ton, comme il le faisait habituellement pour clore les discussions avec sa femme. Lever le ton, la menacer, lui serrer un bras un peu trop fort... La plupart du temps, cela suffisait à terminer une discussion qu'il ne maîtrisait pas et il n'était pas rare que Bernadette finisse par dire comme lui. Cependant, ce soir, il se retint à la dernière minute, les mots s'arrêtant brusquement à la commissure de ses lèvres. La situation lui déplaisait, même s'il aimait bien, finalement, user de son autorité pour avoir le dernier mot. Ici, dans la maison, il n'y avait qu'avec Bernadette qu'il pouvait user de cette autorité. Si elle n'était pas contente, elle n'avait qu'à aller crécher ailleurs, comme il le disait parfois. Quant aux enfants, ils étaient encore trop petits pour qu'il perde son temps à discuter avec eux. Marcel soupira, revenant brusquement au propos qui l'occupait. Il n'y avait que Bernadette pour oser croire qu'une taloche de plus ou de moins pouvait faire une différence dans une vie.

Marcel recommença à se gratter le crâne avec énergie. En quelques secondes à peine, il avait jugé que, ce soir, il valait mieux se montrer conciliant. Un projet qu'il caressait de longue date venait de prendre forme et il aurait fort probablement besoin de l'appui de sa femme pour le faire accepter par sa mère. Il prit donc une longue inspiration, puis lança à toute allure :

— J'essaye juste de dire qu'avec ma prochaine paye, m'as avoir assez d'argent pour donner le cash su' un char.

Voilà, c'était dit ! Un long silence succéda à ses paroles. Par la fenêtre grande ouverte, on entendait Antoine qui reniflait encore, et plus loin, sur la rue, les garçons qui jouaient toujours bruyamment au hockey.

Bernadette regarda Marcel, comme si elle le voyait pour une première fois ou comme si elle venait d'avaler une mouche, les yeux exorbités. Elle était sans riposte, même si au départ, cette discussion tournait autour de sa fille. Marcel en profita pour motiver sa position, redorant bien involontairement au passage le blason de sa mère.

— Si on avait un loyer à payer, je pourrais jamais penser à m'acheter un char avec mon salaire de boucher. Ça fait que ma mère, y' faudrait pas y' tomber d'sus à cause d'une mornifle que not' fille a petête méritée !

Bernadette devait avoir fini d'avaler sa mouche et même de la digérer, car elle était déjà debout, les poings sur les hanches, le regard furibond et la bouche entrouverte. Pour une fois que Marcel ne la secouait pas comme un prunier, elle allait pouvoir lui dire le fond de sa pensée.

— Un char ? demanda-t-elle, la voix étranglée. J'ai-tu ben entendu ? Tu veux t'acheter un char ? T'es-tu malade, Marcel Lacaille ? Voir qu'on a besoin d'un char. C'est pour les riches, ça, pas pour nous autres. Que c'est tu veux qu'on fasse avec un char ? Faire les frais chiés à messe le dimanche matin ?

En temps normal, Marcel n'aurait rien eu à répondre, car Bernadette n'avait pas tort. Alors, en temps normal, il aurait levé la voix et peut-être même la main pour imposer le silence à sa femme. Il détestait les discussions, ne s'y sentant jamais à l'aise. Mais cette fois-ci, il connaissait le sujet par cœur. Cela faisait au moins trois mois qu'il préparait ses arguments. Il savait qu'il n'y échapperait pas et qu'il devrait les utiliser.

— Non, la messe, on va continuer d'y aller à pied, vu que c'est juste à côté, précisa-t-il. Mais…

Marcel se ménagea un moment de plaisir en laissant planer un court silence. Il reprit son discours dès qu'il vit Bernadette ouvrir la bouche :

— Mais j'avais pensé qu'on pourrait petête aller su'

Steinberg, su' Saint-Laurent, le samedi matin, quand chus t'en congé, au lieu de faire ta commande su' Perrette au coin de la rue. Depuis le temps que t'en parles, de Steinberg, que tu veux y aller comme ta sœur Monique. Pis on pourrait monter à Saint-Eustache voir ta famille ben plusse souvent. On va même amener Monique avec nous autres, si tu veux. Pis on pourrait faire des pique-niques le dimanche. Pis, je pourrais amener ma mère à Sainte-Anne-de-Beaupré faire son maudit pèlerinage qu'a' parle tout le temps ! Petête que ça y' radoucirait le caractère pour un boutte.

Bernadette avait oublié qu'une minute plus tôt, elle était fermement décidée à arracher la promesse que Marcel parlerait à sa mère. Tout ce que son mari avait suggéré, les images qu'il avait fait apparaître dans son esprit, elle les endossait. Sa famille, sa sœur, les pique-niques, Steinberg… Et pas nécessairement dans cet ordre ! Elle leva des yeux dubitatifs.

— T'es ben sûr qu'on peut ?

Marcel paradait comme un jars de basse-cour, de long en large au pied du lit, soulagé d'avoir repris le contrôle de la discussion.

— Ouais, on peut, pronostiqua-t-il avec un large sourire. J'ai toute ben compté. Si on fait pas de folleries, on va arriver à joindre les deux bouttes.

— Ben là, j'en reviens pas. Un char…

Bernadette s'était laissée retomber sur le lit et regardait fixement devant elle. Sur le mur blanc de sa chambre défilaient langoureusement quelques images bucoliques comme elle en voyait parfois au cinéma du quartier. Le rideau de la chambre battait mollement, soulevé par la brise, et curieusement, Antoine ne reniflait plus.

— Viarge ! T'es encore là, toé ? Ma grand foi du bon

Dieu, y' a pas bougé d'un poil. Mais que c'est qu'y' ont toute dans c'te famille-là ? Y' en a une qui parle pus, pis l'autre, y' bouge pus. Ça parle au yable ! Que c'est que j'ai faite au bon Dieu pour mériter des p'tits-enfants d'même ! Bedette...

Bernadette avait sursauté aux premiers mots d'Évangéline, toute velléité d'escapade champêtre abandonnée. Machinalement, elle tourna les yeux vers le cadran.

— Verrat, déjà huit heures, pis la vaisselle est pas faite !

Dehors, Évangéline Lacaille continuait de vociférer contre Antoine, Laura et la terre entière. Toute la rue devait l'entendre. Antoine s'était remis à pleurnicher. La porte d'entrée claqua. Laura venait d'entrer dans l'appartement, visiblement d'aussi mauvais poil qu'elle en était partie. Bernadette se leva d'un bond.

— Ta mère a pas l'air de ben bonne humeur. Quand a' va voir que la vaisselle est pas faite, ça va être encore...

— Laisse faire ma mère, interrompit Marcel, bon prince pour une fois. La mère, je m'en occupe.

Trop heureux de voir que Bernadette n'avait pas protesté plus fort à l'idée d'avoir une auto, Marcel était prêt à lui promettre la lune.

— M'en vas garder ma mère su'la galerie, le temps que tu ramasses la cuisine. M'en vas y' parler de mon char. Juste à l'idée d'aller à Sainte-Anne, chus sûr que la bonne humeur va y' revenir tusuite ! Pis j'vas garder le p'tit avec nous autres su' la galerie. Petête ben qu'y' va aimer ça, les chars, même si y' aime pas le hockey. Que c'est t'en dis ? Si j'me rappelle ben, ton frère Bernard aime ben ça, les chars, lui avec. Antoine doit être comme le beau-frère.

Bernadette se contenta d'un sourire en guise de réponse avant de filer à la cuisine. Par la fenêtre du salon, elle l'entendit apostropher sa mère, l'invitant à s'asseoir avec lui.

Bernadette esquissa un sourire. À bien y penser, Marcel était un bon gars. Un peu mou devant sa mère, oui d'accord; un peu dur parfois envers elle-même, c'était évident; indifférent face à ses enfants, fort probablement, mais c'était un bon gars quand même. Elle détestait quand il passait des soirées à la taverne ou qu'il la bousculait un peu, mais elle ne disait rien parce qu'avec lui, elle avait une vie confortable, une vie bien meilleure que celle de plusieurs de ses amies, et que cela n'avait pas de prix à ses yeux. Élevée à la dure par un père qui trimait de l'aube à la nuit et par une mère qui ne disait jamais rien, Bernadette considérait que sa vie actuelle était bien meilleure que tout ce qu'elle avait espéré.

Après tout, ce n'était pas la faute de son mari si Évangéline avait si mauvais caractère; tous les petits inconvénients de leur vie en découlaient, de cela Bernadette était convaincue.

« Pis en plusse, jubila-t-elle intérieurement en faisant couler l'eau dans l'évier pour la vaisselle, on va avoir un char, verrat! M'en vas enfin aller su' Steinberg pour ma commande. C'est Germaine qui va en faire, une tête. Attends que j'y' raconte ça demain. A' va être verte de jalousie! »

CHAPITRE 2

Sous le ciel de Paris
S'envole une chanson
Hum Hum
Elle est née d'aujourd'hui
Dans le cœur d'un garçon
Sous le ciel de Paris
Marchent des amoureux
Hum Hum
Leur bonheur se construit
Sur un air fait pour eux

Sous le ciel de Paris (J. DRÉJAC / H. GIRAUD)
PAR JACQUELINE FRANÇOIS, 1954

22 septembre 1954

Cette année-là, l'été avait décidé de passer son tour. Le printemps lui avait damé le pion et avait élu domicile sous l'enseigne de la chaleur, mais cette même chaleur avait plié bagage dès la fin de juin et avait attendu la rentrée des classes pour se manifester de nouveau. Des trois pique-niques que Marcel avait prévu organiser, un seul avait eu lieu, à Pointe-Calumet sur le bord du lac des Deux Montagnes. Les autres dimanches, ou bien il pleuvait, ou bien il faisait trop froid pour la baignade. Par contre, le vingt-six juillet, la chaleur avait battu des records. De mémoire d'homme, on n'avait jamais connu une telle canicule, affectant une seule journée, comme un incident de parcours dans un été maussade, un petit cadeau de la nature pour célébrer la toute-puissance du Très-Haut. En tout cas, c'est ce qu'Évangéline avait dit en quittant la maison, à l'aube, admirant la boule de feu qui chauffait déjà au-dessus du toit de la maison de la veuve Sicotte, au coin de la rue, et qui annonçait la journée à venir :

— S'y fait beau de même, c'est à cause du bon Dieu, avait-elle fait remarquer en se signant. Y' veut juste des belles choses pour la fête de Sainte-Anne.

Gantée, chapeautée et chaussée de ses souliers de cuir verni qu'elle ne portait habituellement qu'à Noël, Évangéline avait descendu l'escalier prudemment et ne s'était retournée qu'une fois sur le trottoir.

— Ben l'bonjour, Bernadette, on se revoit à soir ! R'garde-moé c'te beau soleil ! J'te l'dis, c'est le bon Dieu qui nous l'envoye !

Elle s'était assise dans l'auto de Marcel en fredonnant la dernière chanson entendue la veille à la radio.

— Sous le ciel de Paris…

Bernadette l'avait regardée partir en souriant. Toute une journée à elle toute seule !

Le lendemain matin, Évangéline était entrée dans la cuisine en fredonnant le même air. Puis, elle avait répété, alors qu'elle déjeunait, de fort bonne humeur après son escapade à Sainte-Anne-de-Beaupré en compagnie de Marcel qui avait pris congé pour l'occasion :

— Y' a-tu faite beau, viarge ! C'est ben pour dire ! Même

le bon Dieu Y' a pensé à sa grand-mère ! J'aurais pas cru ça possible ! N'empêche qu'Y' nous a envoyé une vlimeuse de belle journée hier ! T'aurais dû voir ça, Bernadette, comment c'était beau ! L'ostensoir tout en or, pis les grands robes blanches brodées de fils dorés pis rouges. Y' étaient au moins douze curés pour dire la messe, tu sauras. J'avais jamais vu ça. Avec les servants en belle soutane eux autres avec, toute le chœur de l'église était rempli de monde. On savait pus où r'garder. Même la grand-messe du curé Ferland à Noël est pas belle de même. Pis laisse-moé t'dire que ça m'a reviré les sens quand les curés ont béni les malades. J'aurais ben aimé ça en voir un se lever deboute, guéri par miracle. Ben non ! Faut croire que c'était pas pour c't'année. Pis l'orchestre, toé ! J'ai jamais entendu des beaux cantiques de même. Les anges descendus du ciel auraient pas faite mieux ! Ben d'valeur que t'ayes pas pu venir, Bedette, ben, ben d'valeur ! Chus sûre que t'aurais aimé ça, toé avec.

Ce matin-là, Évangéline mélangeait allègrement Bernadette et Bedette avec une même intonation presque gentille. Ravalant un sourire malicieux qui aurait pu être mal interprété, Bernadette s'était dit que le miracle tant espéré avait eu lieu. La grâce du Saint-Esprit avait touché sa belle-mère !

— J'vous envie. C'est vrai que ç'a dû être une belle journée. Mais avec Antoine, ç'aurait pas été une ben bonne idée, avait-elle dit en guise d'excuse. C'est loin, Québec, pour un p'tit de six ans.

En entendant ces mots, Marcel avait baissé la feuille de son journal. On voyait à l'œil nu que son évaluation de la journée se différenciait légèrement de celle de sa mère. Sans lui laisser le temps de répondre, il avait tranché le débat.

— Loin, tu dis ! C'est l'boutte du monde, calvaire !

Québec, c'est rien ! C'est les trois heures après, pogné dans le trafic, qui sont les pires. À croire que toutes les chars de la province de Québec roulaient su' la côte de Beaupré en même temps. J'avais quasiment peur que le moteur nous saute dans face.

Évangéline avait levé les yeux au ciel, qu'elle devait probablement apercevoir à travers le plafond de la cuisine, car sa bonne humeur ne semblait nullement altérée par la réplique cinglante de Marcel.

— Nous sauter dans face ! T'exagères toujours, Marcel. Y' en a pas eu de problèmes avec le char. Y' est neu', viarge, y' est pas supposé nous lâcher de même. Mais si t'as trop peur, on pourra aller au Cap-de-la-Madeleine, la prochaine fois. J't'en ai parlé hier su' l'chemin du retour. C'est ben moins loin, pis y' font un pèlerinage, eux autres avec. C'est petête pas aussi beau qu'à Sainte-Anne, mais...

— Comptez pas su' moé pour faire le tour des églises de la province, la mère, j'ai pas assez de jours de congé pour ça. Pis, vous saurez, c'est long toute une après-midi à rôtir au soleil. R'gardez-moé le nez à matin ! Un vrai phare à bateaux ! Y' avait pas un calvaire d'arbre su' leu' stationnement.

— Ben t'avais juste à rentrer prier avec moé, avait noté Évangéline, toujours aussi conciliante. Ça t'aurait pas faite de tort pantoute, de prier un peu, pis t'aurais pas attrapé de coup de soleil.

— Pis le char, lui ? Que c'est que vous en faites, du char ? J'pouvais toujours ben pas le laisser tuseul. J'avais pas envie de le r'trouver plein de grafignes. Y' est flambant neu', la mère, vous venez juste de le dire. Pis imaginez-vous donc que moé, j'veux qu'y' reste de même pour un calvaire de boutte !

C'est à ce moment qu'Évangéline avait commencé à froncer les sourcils en respirant bruyamment.

Bernadette, elle, n'avait plus du tout envie de sourire. Marcel était en train d'anéantir les efforts déployés pour rendre sa mère de bonne humeur. Le plus surprenant, c'était qu'il osait répondre à Évangéline lui qui, jusqu'au mois dernier, se contentait habituellement de l'écouter. Et tout ça pour une auto ! Pour une fois, Bernadette penchait en faveur de sa belle-mère. Depuis qu'un Dodge beige et brun était stationné devant leur porte, Marcel ne voyait plus clair. Il n'était plus le même homme. Ce qu'Évangéline était en train de confirmer.

— Ton char, ton char ! T'as pus juste c'te mot-là dans bouche. J'te reconnais pus, Marcel Lacaille ! Pis j'te ferai remarquer que prier, c'est ben plusse important qu'un char. Chus d'accord avec toé que c'est ben pratique pour se promener, mais ça restera toujours ben rien qu'un tas de tôle avec un moteur, tandis que l'bon Dieu…

— Un tas de tôle avec un moteur !

Marcel avait rabattu bruyamment son journal sur la table, interrompant sa mère. Il fulminait. On osait traiter son auto de *tas de tôle* !

— Vous connaissez rien aux chars, la mère, ça fait que parlez-en pas, O.K. ? Vous saurez que c'est pas juste un tas de tôle. C'est de la mécanique, ça, madame ! Mais on sait ben, de la mécanique, c'est ben trop compliqué pour une femme.

— Prends pas le mors aux dents, mon gars. On parlait juste pour parler.

— Petête ben que vous parliez juste pour parler, mais pas moé. Chus sérieux. J'ai pas envie de parler de mécanique avec vous autres. C'est-tu clair ?

Marcel était hors de lui. Non seulement il avait gaspillé une de ses précieuses journées de congé à trimbaler sa mère d'un bout à l'autre de la province, mais en plus, celle-ci se permettait de lever le nez sur son auto, la merveille des merveilles !

Exaspéré, Marcel avait jeté machinalement un regard sur l'horloge et sa colère avait grimpé d'un cran. Maudit placotage inutile ! À cause de sa mère, il allait être en retard à l'ouvrage. Il s'était levé d'un bond, bousculant sa chaise derrière lui.

— Faut que j'parte travailler... pasqu'imaginez-vous donc qu'y' faut que j'travaille pour payer les traites du tas de tôle qui vous a amené à Québec, la mère ! Que c'est vous dites de ça ? Pas de char, pas de pèlerinage à Sainte-Anne. C'est-tu plate ! Salut ben. On se r'verra à soir !

Le claquement de la porte avait fait vibrer la maison. Marcel en avait même oublié sa boîte à lunch sur le bord du comptoir.

— Veux-tu ben me dire quelle mouche l'a piqué ? avait alors demandé Évangéline en se tournant vers sa belle-fille.

C'était bien la première fois qu'Évangéline demandait l'avis de Bernadette sur ce ton de complicité désolée. Celle-ci en était restée bouche bée. Habituée depuis toujours à ne recevoir de réponse qu'une fois sur deux, Évangéline avait enchaîné, sans se formaliser du silence de sa belle-fille :

— Ma grand foi du bon Dieu, mon fils est en train de r'virer fou ! Son char est en train de le rendre fou. C'est pas des maudites farces. Que c'est qu'on va faire avec ça, Bernadette ? Mais que c'est qu'on va faire avec ça ?

Ne trouvant rien à répondre, Bernadette s'était contentée de soupirer, en gage de solidarité.

Évangéline était restée un long moment songeuse, une gamme de sentiments de plus en plus sombres se lisant sur son visage, puis, machinalement, elle avait porté sa tasse de café à ses lèvres.

— Y' est frette, avait-elle constaté de sa voix des mauvais jours, en grimaçant ; ses sourcils broussailleux traçaient un trait ombrageux au-dessus de ses yeux.

— Voulez-vous que j'vous en prépare un autre ? s'était empressée de proposer Bernadette, se levant à demi, espérant ainsi obtenir un sursis. La bombe est encore pleine d'eau chaude. Ça prendra pas...

— Laisse tomber. Marcel m'a coupé l'appétit.

Évangéline s'était relevée bruyamment, les pattes de sa chaise égratignant allègrement le prélart, puis elle s'était approchée de l'évier en traînant les pieds. En arrière-fond, étayant sa mauvaise humeur, la pluie jouait des castagnettes contre les carreaux de la vitre.

— Pis en plusse, viarge, y' mouille à siaux !

C'est à cet instant bien précis que la bonne humeur d'Évangéline avait disparu dans le tuyau de renvoi, en même temps que le café froid. Cette bonne humeur providentielle devait être bien précaire, car elle avait tourbillonné un bref instant au fond de l'évier pour ne pas revenir de l'été.

Ce matin-là, Laura et Antoine avaient profité de ce que leur grand-mère leur tournait le dos pour s'éclipser silencieusement, devinant à l'affaissement de ses épaules que l'accueil chaleureux du déjeuner était déjà chose du passé. Antoine avait filé dans sa chambre pour dessiner, et Laura chez Francine, où la pluie n'altérait pas les humeurs. Chaque fois que le mauvais temps ramenait les jeunes à l'intérieur, l'appartement des Gariépy était envahi d'une horde un peu sauvage, assurément bruyante, mais qui faisait sourire Gaétane.

— J'aime mieux les savoir chez nous que dans rue à faire j'sais pas quel mauvais coup. C'est ben sûr que ça mène du train, une gang de même, mais c'est pas grave. Le jour où le jacassage des enfants va me déranger y' est pas encore arrivé ! Enlevez vos godasses dans le tambour, les jeunes, pis installez-vous dans salle à manger. J'arrive avec du Kool-Aid pis des biscuits.

On y jouait au Monopoly, aux pichenottes et aux cartes et le temps finissait toujours par passer. N'empêche que Gaétane avait poussé un long soupir de soulagement quand la rentrée des classes était arrivée, tout comme Bernadette, qui était mal à l'aise de ne jamais pouvoir recevoir les amies de Laura chez elle.

Finalement, il n'y avait eu que Marcel pour apprécier pleinement cet été désagréable. La pluie justifiait l'utilisation de son auto pour mille et un petits déplacements, ce qui n'était pas pour lui déplaire, même si son humeur était restée maussade après la discussion avec sa mère.

Et en ce midi du vingt-deux septembre, alors que Francine et Laura revenaient de l'école ensemble pour le dîner, cette dernière résumait à sa manière ce que la dernière saison avait été.

— Enfin, c'est l'automne. Maudite marde que l'été a été plate ! Le plusse plate de toute ma vie ! Non seulement y' a faite frette pis y' a plu souvent, mais en plus, ma grand-mère a pas arrêté de chialer après Antoine pis moé. J'pense qu'on a rien faite de correct de toute l'été. Mais c'est pas ça le pire. Le pire, j'pense, c'est qu'on est pus dans même classe ! L'année va t'être longue en mautadine !

— Ouais, ça c'est vrai. Surtout pour moé ! Comment c'est que j'vas faire mes problèmes, astheure que t'es pus là pour m'aider ?

— M'en vas t'aider pareil, Francine Gariépy. On dirait que tu fais par exprès pour être niaiseuse, des fois, toé ! Pourquoi j'arrêterais de t'aider ?

— Ben pasqu'on est pus dans même classe, pis qu'on aura pas les mêmes devoirs, c't'affaire !

— Pis ça ? Ça change rien. Des problèmes ça reste des problèmes. J'vas faire mes devoirs, pis après, j'vas aller t'aider à faire les tiens, c'est toute.

— C'est ben vrai ça ?

— C'est ça, dis donc tusuite que chus une menteuse.

— C'est pas ça que j'ai dit. Pis menteuse, tu sauras, c'est pas pire que niaiseuse.

— O.K. T'as raison, on est quittes. Mais c'est vrai que j'vas t'aider. Promis. Croix d'bois, croix d'fer, si j'mens, j'vas en enfer.

— T'es fine, Laura, t'es ma meilleure amie.

Les deux filles échangèrent un regard qui en disait long sur l'idée qu'elles se faisaient de l'amitié. Puis, Francine reprit :

— J'trouve quand même que t'exagères un peu quand tu dis que c'est l'été le plusse plate que t'as connu. On dirait que t'as oublié que c'est quand même l'été où vous avez eu un char, observa-t-elle avec une pointe d'envie dans la voix. Un char neu'. On rit pas !

— Un char ? Que c'est que tu penses que ç'a changé pour moé d'avoir un char ?

Laura s'était arrêtée de marcher et dévisageait Francine avec une lueur d'exaspération dans le regard.

— Tu devrais plutôt dire l'été où mon père a eu un char, ajouta-t-elle en soupirant. Pour lui, c'est vrai que ben des choses ont changé. Y' passe son temps avec ! Mais pour moé pis mon frère, ç'a pas changé grand-chose. On a fait un pique-nique su' l'bord d'un lac pis une visite à Saint-Eustache pour voir mes cousins. C'est toute. Pour le reste, quand y' fait beau, mon père passe son temps à le frotter, son maudit char, au lieu de jouer avec nous autres comme y' faisait des fois avant. Pis quand y' pleut, y' veut pas qu'Antoine pis moé on embarque dedans pasqu'y' dit qu'on va toute le salir avec nos souliers mouillés. J'pensais ben qu'aller se promener amènerait ma grand-mère à être plusse de bonne humeur, mais finalement, ç'a pas marché. Pis j'te dirais que même ma mère est moins de bonne humeur qu'avant pasqu'a' dit que mon père est pus jamais là. A' s'est occupée tuseule du jardin, c't'année. C'est rendu que mon père travaille même le samedi après-midi, maudite marde ! Y' fait des livraisons, toé ! Ça s'peut-tu ? Y' dit que c'est pour avoir plusse d'argent, mais moé je l'sais que c'est pour être dans son char plusse souvent. Ça fait que, un char, c'est pas une ben bonne affaire. Pis c'est pas toute. À entendre mon père parler, ça coûte une fortune, avoir un char. Ça fait que moé, plus tard, j'en aurai pas. J'ai pas envie de dépenser une fortune juste pour un pique-nique pis une visite chez des cousins que je connais quasiment pas. J'aime mieux garder mon argent pour acheter du manger pis du beau linge, comme dit ma mère. Pis là-dessus, pour une fois, ma grand-mère est d'accord avec elle.

Laura avait parlé d'une traite avec l'éloquence persuasive d'un vendeur à domicile. Francine la regardait en biais, un œil à demi fermé sur son scepticisme.

— Ah ouais, c'est plate de même avoir un char ?

Elle n'avait vraiment pas l'air convaincu.

— J'aurais pas cru.

Laura hésita une fraction de seconde avant d'admettre :

— Ben c'est l'fun aussi, avoir un char, concéda-t-elle, en recommençant à marcher. Un peu, surtout quand on va vite sur une grande route droite, mais c'est quand même pas assez l'fun pour dépenser plein d'argent, par exemple.

Quand on veut se promener, on a juste à prendre l'autobus, ça fait pareil.

Tout en parlant, les filles étaient arrivées devant la maison de Francine.

— C'est vrai que prendre l'autobus, c'est ben l'fun aussi... Plusse que les p'tits chars, entécas. Bon, ben, j'rentre. J'ai faim. Tu viens me chercher après le dîner ?

— Comme d'habitude. On s'voit t'à l'heure !

Un dernier signe de la main et Laura partit au pas de course pour relever le défi qu'elle se lançait à elle-même chaque midi : arriver dans la maison avant le premier coup de l'Angélus.

Quand elle ouvrit la porte de la cuisine, elle était à bout de souffle.

Aimer la vie et ses folies, c'est comme ça qu'on est heureux...

Le poste de radio vert lime, posé sur le réfrigérateur, diffusait les dernières mesures de l'indicatif des *Joyeux troubadours*. Laura afficha un large sourire. Gagné ! Les cloches n'allaient plus tarder.

Au début du trait prolongé, il sera exactement midi, heure avancée de l'Est.

Comme de fait, les cloches se mirent à sonner en même temps que Radio-Canada notifiait midi. À croire que le curé Ferland écoutait, lui aussi, les *Joyeux troubadours* tous les jours et attendait le signal pour mettre ses cloches en branle. Laura se tourna vers sa mère, affamée, de bonne humeur.

— Qu'est-ce qu'on mange ? Ça sent bon ! Grand-mère est pas là ?

Une lueur d'espoir éclaira la prunelle de Laura quand elle posa sa dernière question. Un repas sans Évangéline pour les avoir à l'œil, c'était comparable à une récréation prolongée !

Déjà installé à sa place habituelle, Antoine sapait sa soupe avec conviction.

Debout devant la cuisinière, Bernadette détourna la tête un instant, une longue fourchette en attente au-dessus du poêlon.

— On mange du baloney grillé pis des patates pilées. Ta grand-mère, elle, est dans le salon pour écouter ses programmes. À matin, a' l'a décidé que vous faisiez trop de bruit en mangeant pis qu'a' perdait des bouttes de *Jeunesse dorée*. Sans vouloir le dire, a' doit commencer à être dure de la feuille. A' va dîner plus tard. Astheure, lave-toé les mains pis assis-toé, j'te sers ta soupe. Au barley, comme t'aimes.

Une lueur de bonheur éclaira les traits de Laura. Du baloney grillé, son repas préféré, et sans la présence de sa grand-mère pour lui interdire de le manger avec ses doigts ! Une aubaine, un vrai pique-nique ! Avec un peu de chance, elle aurait le temps de finir avant qu'Évangéline ne vienne les rejoindre.

Laura en était à son troisième petit chapeau de baloney qu'elle pliait en deux et trempait dans la moutarde pour le déguster les yeux mi-clos quand on entendit du bruit à la porte d'entrée, à l'avant de la maison. Bernadette, qui aimait bien manger son baloney avec les doigts, elle aussi, repoussa son assiette en soupirant et se releva tout en essuyant ses mains sur le tablier à fleurs qu'elle portait de l'aube au crépuscule.

— Veux-tu ben m'dire... Si c'est le vendeur Fuller, m'a y' faire avaler ses brosses, maugréa-t-elle en se dirigeant vers la porte. Tu parles d'une heure pour arriver chez le monde ! Pis en plus, y' a même pas sonné.

Malgré les propos qu'elle venait de tenir, et le ton employé, chargé d'impatience, Bernadette eut le réflexe de porter les mains à ses cheveux pour les replacer. C'était la seule coquetterie qu'elle se permettait; ces longs cheveux, elle les gardait attachés pour faire les repas, mais autrement, elle les laissait tomber librement sur son dos. Elle fit glisser l'élastique qui les retenait et l'enfouit au fond d'une des poches de son tablier avant de faire bouffer sa frange d'une main experte. C'est d'elle que Laura tenait ses lourdes boucles châtain clair et son regard bleu nuit, pétillant d'intelligence et de malice.

Le temps de lisser les plis de son tablier et Bernadette ouvrait la porte du vestibule pour se heurter à un homme qui était entré sans y avoir été invité. Elle allait lui signifier vertement sa façon de penser quand il se tourna vers elle, un doigt sur les lèvres pour lui demander le silence.

Sans l'avoir jamais rencontré, Bernadette le reconnut aussitôt. Même carrure d'épaules, même menton volontaire, même chevelure brune, ondulée, et surtout, même regard de banquise.

« C'est Marcel en plus gros, pensa-t-elle aussitôt. C'est Adrien. »

Adrien, le fils aîné d'Évangéline, le frère de Marcel, l'Américain…

Elle ne l'avait vu qu'en photo. Une ancienne photo qui devait dater d'au moins douze ans, où il souriait, vêtu de sa tenue de soldat. Un instantané qu'Évangéline avait fait encadrer et qu'elle gardait précieusement sur le dessus du piano automatique, dans le coin du salon.

Si Bernadette l'avait reconnu au premier regard, Adrien, lui, c'est par déduction qu'il sut qu'il se trouvait devant sa belle-sœur. De la photo de noces que Marcel lui avait fait parvenir, il ne restait pas grand-chose de la jeune fille souriante, sinon un reflet dans le regard curieux qui se posait sur lui et l'éclat mordoré de ses longs cheveux.

— Ma mère est-elle là ? demanda-t-il en chuchotant, sans même se présenter.

Bernadette refoula le mouvement de la main qu'elle avait amorcé. La ride au coin des lèvres se mit à tressaillir.

— Ouais, est là. Où c'est que vous voulez qu'a' soye, bâtard, c'est l'heure du dîner ! Est dans le salon. A' l'écoute ses programmes avant de v'nir manger dans cuisine.

La voix était glaciale, même sur ce ton de murmure.

— C'est la première porte à...

— À gauche, je sais. Je connais les airs de la maison.

Bernadette osa enfin le regarder franchement, surprise par ce langage si différent du sien. Adrien Lacaille s'exprimait comme un annonceur de nouvelles à la radio, ce qui n'avait rien à voir avec le langage de Marcel et de sa mère. Bernadette redressa les épaules. Mais alors qu'elle ouvrait la bouche pour se présenter avec un peu plus de bienséance, comme on le lui avait appris à l'école de son village, Adrien passait déjà devant elle pour se diriger vers le salon. Bernadette referma les lèvres sur une frustration qui allait grandissant. « Non mais, tu parles d'un air bête ! Maudit bâtard, c'est vraiment de famille, d'avoir une face de beu' ! »

Évangéline était assise sur une chaise droite qu'elle avait prise dans la salle à manger, l'oreille collée sur le vieux poste de radio en bois verni, brun chocolat et noir, qui trônait sur un guéridon égratigné ayant déjà servi de présentoir pour les violettes africaines que sa mère soignait avec passion. Pour l'instant, Évangéline faisait dos à la porte ; absorbée par son émission, elle n'avait absolument rien entendu de ce qui venait de se passer dans l'entrée.

Adrien resta immobile dans l'embrasure de la porte, épiant à travers les souvenirs des émotions qui le fuyaient depuis trop longtemps déjà.

Dans la pièce, rien n'avait changé sinon les rideaux peut-être, mais il n'en était pas vraiment certain. Le soleil de midi entrait en biais par la fenêtre de côté et jetait des échardes de lumière vive sur la carpette marine et rouge qui avait connu une époque plus glorieuse. Les couleurs avaient pâli ; par endroits, soulignée par l'éclat intense du soleil, on voyait la trame du canevas. Curieusement, ce détail l'attrista. Il se rappelait le matin de printemps maussade où deux costauds étaient venus livrer ce tapis dont sa mère était si fière. Pendant plus de trois mois, Marcel et lui n'avaient pas eu le droit de mettre un pied dans le salon. Évangéline les avait consignés dans leur chambre et la cuisine sans aucune forme de procès. Pourtant, ils n'étaient plus des gamins.

L'entrée en guerre du Canada avait tout changé.

En quelques semaines à peine, Évangéline avait oublié que son tapis était neuf, et le soir, elle demandait à ses fils d'écouter les nouvelles avec elle. Adrien s'en souvenait, comme si tous ces événements avaient eu lieu la veille. C'est autour de ce même poste de radio qu'ils se réunissaient, tous les trois, dans ce même salon déjà un peu vétuste.

C'est à cette époque que sa vie avait chaviré.

Cette voix venue d'outremer l'avait interpellé, lui, Adrien Lacaille, de façon personnelle et exclusive. Il n'avait pas attendu la conscription pour s'enrôler, abandonnant un métier de menuisier qu'il aimait et une amie qui lui plaisait, alors que son frère se rebiffait à l'idée d'aller se battre. En 1942, à vingt-quatre ans, Adrien quittait Montréal pour la Grande-Bretagne. Il n'était pas sitôt arrivé que Marcel lui écrivait pour lui annoncer son mariage imminent avec une jeune fille de Saint-Eustache qu'il venait de rencontrer au casse-croûte Chez Albert, où elle était serveuse. Marcel avait tout juste vingt ans.

De cela aussi, Adrien se souvenait fort bien, car il n'avait pas compris qu'on puisse engager toute sa vie sur un coup de tête, dicté par la peur. Quelques jours plus tard, il partait pour la France et c'est là, dans les feux de l'enfer, qu'il avait oublié sa copine, son frère, sa mère et tout ce qui était leur vie à trois. Durant près de deux ans, il n'avait eu qu'une seule et unique pensée : survivre, résister, heure après heure, n'ayant au cœur qu'un fragile espoir, celui que ça finisse un jour. Il avait appris à se battre, à refouler ses larmes, à vivre avec la peur au ventre et la mort au bout des doigts.

Le gamin entré en guerre avec une fleur au bout du fusil et l'espoir d'un monde meilleur au cœur n'était jamais revenu. L'homme qui était ressorti des tranchées, hébété, méfiant, démuni, ne ressemblait à rien de ce qu'il connaissait. Il avait surtout perdu toutes ses illusions. Sans passé d'importance et sans avenir présumable, il s'était cramponné au présent qui avait, à ce moment-là, la figure et le corps d'une jeune infirmière américaine rencontrée lors d'une trop brève permission. Sans se poser de questions, il l'avait suivie au fin fond de son Texas natal, et depuis huit ans, il essayait de réapprendre à vivre.

Le passé n'avait aucune importance pour lui, l'avenir à peine un peu plus. Il tenait à Maureen sans jamais lui avoir dit qu'il l'aimait. Il partageait le quotidien de la famille Prescott, dans des champs démesurés, à élever du bétail, sans vraiment savoir pourquoi il le faisait. Adrien Lacaille, depuis la fin de la guerre, laissait couler sur lui une vie qui le laissait indifférent la plupart du temps.

Lentement, avec une persévérance et une patience que seul un amour sincère peut revendiquer, Maureen l'avait amené à admettre que sa famille pourrait l'aider à refaire surface.

C'était un peu pour cela qu'il était ici ce midi. Maureen l'avait enfin convaincu de venir visiter sa famille, en espérant que le fait de revoir les siens réveille l'envie de vivre qu'il avait égarée quelque part en France. Elle lui avait dit d'y rester le temps qu'il faudrait. Elle l'attendrait.

Adrien retint un soupir.

Pour l'instant, l'appartement meublé de vieilles choses ne lui inspirait que de l'ennui.

Par contre, la femme qu'il voyait, la tête penchée contre un archaïque poste de radio ne le laissait pas indifférent. Il n'aurait su dire si c'était le regret d'être venu jusqu'ici ou celui d'avoir tant tardé qui faisait battre son cœur, mais chose certaine, il battait un peu plus fort que d'habitude.

Évangéline n'était plus la femme qu'il avait quittée douze ans plus tôt. La mère encore jeune qui l'avait accompagné à la gare Windsor, pétrissant un mouchoir entre ses doigts, n'était plus qu'un souvenir. Ses cheveux auburn retenus en un lourd chignon sur la nuque étaient maintenant poivre et sel et très courts. Sa taille s'était épaissie, ses mollets, dépassant l'ourlet de la robe, semblaient enflés au-dessus des bas roulés sur ses chevilles. Tout dans cette femme qui lui tournait le dos affichait un laisser-aller auquel il n'était pas habitué. Il eut envie de reculer silencieusement et de s'en aller pour ne plus jamais revenir.

C'est à cet instant que la radio se mit à diffuser une musique joyeuse.

Y'a d'la joie, bonjour bonjour les hirondelles, y' a d'la joie...

Évangéline leva la main pour battre la mesure tout en fredonnant avec Maurice Chevalier. C'est dans ce geste de la main d'Évangéline qu'Adrien reconnut sa mère. Elle avait toujours aimé la musique.

Adrien fit alors un pas dans la pièce.

— M'man ?

Le geste d'Évangéline, qui marquait les notes, s'immobilisa brusquement, ne laissant qu'un doigt pointant le plafond. Il n'y avait, sur toute la terre, qu'un seul être qui pouvait l'appeler ainsi.

Y' a d'la joie ! Et du soleil dans les ruelles, y' a d'la joie ! Partout y'a d'la joie !

Maurice Chevalier continuait de chanter seul. Le cœur d'Évangéline s'emballa.

Trop de fois elle avait imaginé un moment comme celui-là et trop de fois elle l'avait repoussé parce que même l'espoir était douloureux. Elle avait tant essayé de comprendre pourquoi son fils n'était pas revenu après la guerre, sans jamais trouver de réponse à ses questions. Elle avait pleuré sur cet enfant qui était mort, pour elle, jusqu'à ne plus avoir de larmes. Alors pourquoi aujourd'hui reviendrait-il à la vie, dans sa vie ?

C'est l'amour... Bonjour, bonjour des demoiselles, y' a d'la joie ! Partout y'a d'la joie...

Marcel Chevalier s'entêtait et Évangéline n'osait tourner la tête, sa peur d'une déception étant plus grande que sa soif de connaître enfin toutes les réponses qu'elle n'avait pu qu'imaginer au fil des années. Elle se contenta de murmurer, en portant les mains à son cœur comme pour l'empêcher de quitter sa poitrine :

— Adrien ? C'est ben toé ?

— Oui, m'man. C'est moi.

Alors Évangéline tourna son regard embué de larmes.

En deux pas, Adrien rejoignait sa mère et la prenait dans ses bras.

Bernadette était restée dans le couloir, ne sachant si elle devait suivre Adrien ou s'éclipser discrètement. Quand elle vit que le frère de Marcel entrait dans le salon sans se retourner vers elle, elle se précipita vers la cuisine. Brusquement, Bernadette avait peur que ses enfants rencontrent cet oncle sorti de nulle part avant qu'elle ait pu se faire une idée sur lui.

Intrus ou ami ?

L'impression qu'Adrien lui avait laissée était ambiguë, à nulle autre comparable. Et puis, il ressemblait beaucoup trop à Marcel, cela la perturbait. Elle entra dans la cuisine d'un pas décidé, une main enfouie dans la poche du tablier pour récupérer l'élastique qui retenait ses cheveux.

— Pis ? Avez-vous fini de manger ?

— C'était qui ?

Laura regardait sa mère avec curiosité. Bernadette éluda la question sans mentir, cachant son embarras en desservant la table à gestes saccadés. Dans son assiette, le baloney à demi mangé attendait dans une flaque de gras figé. Elle fit la grimace.

— Quèqu'un pour ta grand-mère, fit-elle évasivement en grattant son assiette. Ça vous r'garde pas. Pis ? Y' avait-tu assez de baloney pour toé ?

— En masse, moman. J'ai pus faim. On peut-tu partir tusuite, Antoine pis moé ? J'ai promis à Francine de venir la...

— Pas de trouble, ma belle. Tu peux partir quand tu veux, à midi.

Les deux enfants échangèrent un regard ravi. Habituellement, ils devaient attendre la permission de leur grand-mère pour quitter la maison, car elle avait décrété, curieuse idée, que des enfants bien élevés ne frappaient pas à la porte des amis à l'heure des repas.

Bernadette avait fini d'empiler la vaisselle dans l'évier. Elle fut sur le point de dire à Laura de passer par la porte de la cuisine pour ne pas déranger Évangéline, elle se ravisa aussi vite. Par curiosité. Sans attendre, s'essuyant machinalement les mains sur son tablier, elle emboîta le pas à Laura qui suivait son frère et elle les reconduisit jusqu'à l'avant de la maison, ce qu'elle ne faisait habituellement jamais.

Dès que la porte se fut refermée sur Laura, elle tendit l'oreille. Un murmure de voix indistinctes lui parvenait du salon. Bernadette fit un pas dans le couloir, sur la pointe des pieds, écouta encore, les yeux mi-clos. Coup d'épée dans l'eau, les voix n'étaient toujours qu'un chuchotis incompréhensible. Alors, elle fit demi-tour, et marchant sur son dépit, elle retourna à la cuisine.

— Mais que c'est qu'y' veut ? grommela-t-elle en faisant couler l'eau dans l'évier. Pendant dix ans, y' a juste envoyé des cartes à Noël, pis v'là qu'y' retontit sans prévenir, en plein su' l'heure du dîner ! Pis en plusse, la belle-mère a même pas eu la politesse de me faire venir dans le salon pour m'le présenter. Tu parles d'une sans-cœur ! Après, maudit verrat, a' l'ose faire la leçon à mes enfants su' les bonnes manières ! M'as y' en faire, moé, des bonnes manières !

Bernadette passa sa rancœur sur la vaisselle qu'elle voulait terminer en un temps record. Quand Évangéline et sa visite rappliqueraient dans la cuisine, ils ne trouveraient qu'un tablier taché, accroché au clou à côté de l'évier et des petits cônes de baloney baignant dans leur jus dans le poêlon. Elle, Bernadette, elle serait déjà Chez Albert en train de manger un gros *sundae* aux cerises.

— Avec d'la crème fouettée, maudit bâtard !

Pendant ce temps, Laura et Antoine étaient sortis sur le balcon, tout heureux de cette demi-heure de liberté improvisée. Persuadé qu'il allait entendre la voix de sa grand-mère le rappelant à l'intérieur, Antoine s'était précipité vers l'escalier qu'il avait commencé à dévaler pour s'arrêter pile sur la quatrième marche. Suivant sur ses talons, Laura n'avait eu que le temps de s'agripper à la rampe pour éviter une dégringolade de première.

— T'es-tu malade, Antoine Lacaille ? J'ai failli débouler.

Insensible aux états d'âme de sa sœur, Antoine pointait l'index devant lui.

— R'garde !

Laura tourna la tête dans la direction indiquée par son frère. Elle eut beau écarquiller les yeux, elle ne vit qu'une rue et quelques autos.

— R'garde quoi ? J'vois juste la rue, moé.

— R'garde le beau char ! Pas de toit comme j'en ai parlé à popa.

Effectivement, à quelques maisons de là, une rutilante auto bleu ciel se chauffait au soleil de septembre.

Antoine leva les yeux vers Laura.

— Penses-tu que popa m'aurait écouté pis qu'y' aurait acheté un char neu' ?

Laura soupira d'impatience.

— T'es ben épais, toé ! R'vire-toé de bord pis r'garde en face de la maison de ceux qui ont des couettes. Y' est là, not' char. Pis y' est neu' lui avec, j'te ferai remarquer.

Antoine détourna les yeux. Évidemment, l'auto beige et brune de son père était là. Elle lui sembla tout à coup bien terne et bien ordinaire. Il revint à Laura.

— Est belle en mautadit, l'auto bleue, hein ? Pareille comme celle dans le journal de l'autre jour. Penses-tu qu'on pourrait aller la voir de proche ?

Laura haussa les épaules en levant les yeux au ciel.

— Maudit que c'est niaiseux un gars quand ça parle de char !

Puis, elle posa de nouveau le regard sur Antoine, le sérieux de ses onze ans tout neufs cherchant à s'imposer sous ses sourcils froncés.

— T'as pas d'affaire, là, Antoine Lacaille. Tu sais comment not' père haït ça quand quèqu'un s'approche de son char... Ça doit être pareil pour celui qui a le char bleu.

— J'y' toucherai pas, tu sais ben. M'as juste le r'garder.

— Pis tu vas juste passer pour un écornifleux ! C'est ça tu veux ?

Le regard de son frère, aussi bleu que celui de leur père, disait hors de tout doute qu'il se fichait éperdument de passer pour un curieux. Laura soupira une seconde fois.

— Fais don' c'que tu veux, Antoine Lacaille. Mais compte pas su'moé pour aller seiner à côté d'un char que j'connais pas. Anyway, les chars, tu sauras, ça m'intéresse pas plus qu'y' faut, je l'disais justement à Francine avant le dîner. Astheure, tasse-toé ! J'veux descendre en bas. Francine m'attend.

Laura passa en coup de vent à côté d'Antoine et s'élança en courant sur le trottoir. Pour une fois que Francine et elle pouvaient prendre tout leur temps pour se rendre au couvent... Pourtant, quelques pas plus loin, elle s'arrêta brusquement et se retourna vers son frère.

— Arrange-toé pas pour arriver en retard à l'école, lança-t-elle les mains en porte-voix. S'y' fallait que le directeur appelle à maison...

À la façon dont Antoine leva la main sans se retourner, elle comprit que de cela aussi, son frère s'en fichait éperdument.

— Ben tant pis pour lui. Y' pourra pas dire que je l'ai pas prévenu.

Et sans plus s'en faire, elle fila chez Francine.

Antoine n'arriva pas en retard à l'école. Mais ce n'était pas à cause d'un élan de bonne volonté. C'était plutôt Bernadette qui l'avait rappelé à l'ordre et mis au pas contre son gré.

Quand elle était descendue, en passant par la porte d'en arrière pour ne pas être entendue, parce que maintenant que sa curiosité était bien étouffée sous les braises de sa colère, elle préférait filer avant qu'Évangéline ne lui demande à dîner, Bernadette avait vite fait le calcul. Une auto inconnue et un beau-frère à peine plus connu, dans son esprit, cela avait fait un plus un égale deux. Le fait de voir son fils rôder autour de cette même auto avec des yeux pleins de convoitise lui avait été extrêmement désagréable. Même si, d'un commun accord avec Marcel, elle avait été soulagée de voir Antoine s'intéresser enfin à autre chose qu'à ses livres et à ses crayons de couleur, il n'en restait pas moins que cette auto était probablement celle d'Adrien et que, pour l'instant, il était hors de question de s'en approcher.

— Que c'est tu fais là, toé ?

— Ben je r'garde l'auto, c't'affaire ! Est belle, hein ?

— Ça, c'est toé qui l'dis. Moé, j'aime mieux celle de ton père. Est plusse normale… Pis t'as pas d'affaire à seiner à côté d'une auto que tu connais pas.

À ces mots, les mêmes que ceux de Laura, Antoine avait avalé sa salive sans répondre, se contentant de poser un regard implorant sur sa mère. Peine perdue, celle-ci lui montrait le bout de la rue d'un index autoritaire.

— Astheure, file à l'école. C'est l'heure.

Antoine soupira de désespoir. Aucune fille sur terre, pas plus sa mère que les autres, ne pouvait comprendre ce qu'il ressentait à contempler la merveille bleu ciel en s'imaginant au volant, cheveux au vent. Il regretta amèrement que son père ne soit pas là. Lui, il aurait compris. Il tenta tout de même de gagner quelques instants supplémentaires.

— Pas tusuite ! Encore une menute, s'il vous...

Antoine n'eut pas le temps de terminer sa phrase que Bernadette l'attrapait par une oreille et fonçait directement vers l'école avec lui. Elle ne se demanda pas si son fils appréciait la promenade. Il suffisait que cette randonnée au pas accéléré lui fit un grand bien, sa colère ayant trouvé un exutoire parfait dans le cartilage de l'oreille de son fils, pour qu'elle poursuive droit devant, jusqu'à l'école. Antoine en garda des stigmates suffisamment visibles pour qu'il ait à donner des explications aux quelques amis qu'il avait.

— J'sais pas ce qu'y' a pris ! grogna-t-il en se palpant délicatement l'oreille. Ma mère est r'virée folle, j'cré ben ! Ça doit être à cause de ma grand-mère qui a pas dîné avec nous autres. J'vois pas d'autre chose. C'toujours à cause de ma grand-mère quand ça va mal chez nous !

* * *

— ... Ça fait que j'ai un mononcle qui vient des États. Ça m'fait tout drôle de dire ça, pasque je savais même pas que mon père avait un frère. Pis en plus, y' se ressemblent comme deux gouttes d'eau. Pareils ! Y' sont pareils. La même face !

Des explications que Laura venait de lui fournir, tout excitée, Francine n'avait retenu que les deux mots les plus significatifs pour elle.

— Un mononcle des États ? Mais t'es ben chanceuse, toé ! D'abord un char, pis astheure, un mononcle riche.

Les deux filles étaient assises sur la balançoire que le père de Francine avait construite à temps perdu durant l'été. Pour un menuisier comme lui, cela avait été un jeu d'enfant. Il avait choisi une balançoire à deux bancs face à face avec des patins qui glissaient sur un rail en couinant.

Le soleil descendait de plus en plus sur l'horizon, et d'où elle était assise, Laura pouvait l'apercevoir au bout de la ruelle qui longeait le terrain des Gariépy. La terre de la cour était craquelée par manque de pluie et une fine poussière ocre dansait dans les derniers rayons tièdes.

Laura se tourna vers Francine.

— Riche ? J'ai jamais dit qu'y' était riche, mon nouveau mononcle. J'ai juste dit qu'y' venait des États-Unis.

Francine éluda la précision d'un petit geste de la main.

— C'est pareil. Le monde sont riches là-bas. Rappelle-toi la cousine à Lison Thivierge. A' venait des États pis était riche. A' l'avait même amené des oranges, toé. C'est pour les riches, des oranges, pas pour du monde comme nous autres. La preuve, c'est que j'en mange juste une dans l'année, pis c'est à Noël.

Laura sembla se concentrer intensément.

— J'pense que tu te trompes, Francine. J'en mange des fois, des oranges, pas souvent, mais des fois, pis on est pas du monde riche. La réplique de Francine fusa comme si elle avait réfléchi sérieusement à la question, et ce, depuis belle lurette.

— Ben, tu dois quand même être un p'tit peu riche, vu que ton père a un char. Les oranges, j'pense que ça va avec les chars. Le père de la cousine à Lison Thivierge, y' en avait un char, lui avec, pis y' avait apporté une pleine caisse d'oranges !

La logique du discours de Francine sembla ébranler Laura, qui soupira en haussant les épaules.

— J'sais pas quoi te répondre. Petête ben que t'as raison pis qu'on est un p'tit peu riche. Mais pas beaucoup, par exemple, pasque ma mère passe son temps à r'priser mes bas d'école au lieu de m'en acheter des neu'. Si moé, chus chanceuse d'avoir un char pis un mononcle, toé t'es chanceuse pasque tu grandis tellement vite que ta mère a pas le choix de t'acheter du linge neu'.

Laura n'osa ajouter que Francine était chanceuse, aussi, d'avoir un père qui bricolait des balançoires et des lits en escalier au lieu de faire du steak haché comme le sien. Pourtant, elle le pensait sincèrement. Mais son amie, plutôt que de voir du talent dans les bricolages de son père, y percevait une autre preuve désespérante de leur pauvreté et chaque fois que Laura y faisait allusion, Francine se mettait en colère.

— Fatique-toé pas avec ça, disait-elle justement avec une pointe d'accablement dans la voix. Mon linge neu', y' vient souvent de ma cousine Jacqueline qui est grande comme moé. Elle avec a' grandit vite. Tellement que son linge est presque neu' quand a' me le donne... Mais parle-moé encore de ton mononcle. C'est quoi son nom ? Y' es-tu fin ? Pis y' vient d'où ? New York ? Ça serait l'fun pasqu'à New York, y' a un joueur de baseball qui s'appelle Joe DiMaggio. C'est mon père qui me l'a dit. Y' dit qu'y' est ben bon, pis en plusse, y' a marié une actrice de cinéma. A' s'appelle Marilyn...

— Wo ! Arrête drette-là, Francine, les histoires de baseball, ça m'intéresse pas.

Vexée, Francine pinça les lèvres.

—Sainte bénite, choque-toé pas ! J'disais ça juste de même. Pis ? Y' s'appelle comment ton mononcle ?

— Y' s'appelle Adrien. Si j'ai ben compris, y' est plusse vieux que mon père. J'pense qu'y' est fin, mais chus pas encore sûre, rapport qu'y' m'a pas tellement parlé. Mais j'sais pas d'où qu'y' vient, par exemple. Y' l'a pas dit. C'est peut-être New York, j'vas y' demander. Pis avant que toé tu me l'demandes, oui, y' a un char. C'est le bleu ciel qui est dans rue, juste en face de chez Bouboule Lacroix. Un char que tu peux enlever le toit quand y' fait beau. Mon frère Antoine y' en voit pus clair tellement y' l'trouve beau, c'te char-là.

Francine jubilait.

— Tu vois ben que ton mononcle y' est riche, Laura Lacaille ! Un char pas de toit… Une décapotable, comme y' disent... Mon père, lui, y' dit que ces chars-là, ça coûte la peau des fesses, pis quand mon père dit ça, ça veut dire très cher. Y' va-tu rester longtemps chez vous, ton mononcle Adrien ?

— Sainte, que t'es curieuse, Francine Gariépy ! Je l'sais-tu, moé ! Personne a parlé de ça au souper. Toute c'que j'peux dire, c'est que ma grand-mère a l'air pas mal contente qu'y' soye là. J'ai pas vu souvent ma grand-mère de bonne humeur de même. Plusse de bonne humeur qu'après son pèlerinage, ça te donne une idée ! A' l'a même pas disputé Antoine, quand y' a renversé son verre de lait.

— Ton père avec y' doit être content de voir son frère. Si toé tu l'connaissais pas, ça veut dire que ça fait un méchant boutte qu'y' était parti. C'que j'comprends pas, par exemple, c'est pourquoi personne t'en avait jamais parlé. Moé avec j'ai des cousins qui restent ben loin. En Gaspésie, toé ! C'est le boutte du monde ! J'les ai jamais vus, mais j'sais qu'y' existent pasque j'ai vu des photos.

« Des photos… »

Laura, perdue dans ses pensées, ne répondit pas immédiatement. Elle venait de comprendre que la photo du soldat, sur le piano de sa grand-mère, ce n'était pas son père comme elle l'avait toujours cru. C'était son oncle Adrien. Puis, les mots de Francine lui revinrent à l'esprit et elle ressentit un malaise. En effet, comment cela se faisait-il que personne, jamais, n'ait parlé de cet oncle vivant aux États-Unis ? Et surtout, est-ce que son père était content de revoir son frère ? Laura n'en était pas du tout certaine. Quand son père avait aperçu l'oncle Adrien, dans le salon, il avait eu son visage des mauvais jours ; ses sourcils ne formaient qu'une ligne ombrageuse au-dessus de ses yeux bleus et Laura n'arrivait jamais à savoir ce que son père pensait vraiment. Il était resté immobile un long moment avant d'avancer dans la pièce en tendant la main.

Laura leva les yeux vers Francine. Le soleil n'était plus qu'une demi-boule sur l'horizon, comme une grosse cerise satinée sans grand éclat. « Comme les cerises des *sundae* de monsieur Albert quand y' flottent dans crème à glace fondue », pensa-t-elle spontanément, oubliant pour un instant son oncle et son père.

Une pénombre irréelle sise entre la cendre et l'abricot enveloppait la cour. Laura ne put s'empêcher de sourire car, à contre-jour, son amie ressemblait encore une fois à l'ange de la gravure de leur ancienne classe, ses frisettes en auréole. Puis, elle repensa à son père et elle revit distinctement son poing gauche qui se refermait à l'instant où il avançait dans le salon en tendant l'autre main. Laura poussa un long soupir.

— J'pense que mon père était pas vraiment content, confia-t-elle enfin. Maintenant que t'en parles, chus même sûre qu'y' était pas content pantoute. Je...

Laura se tut brusquement, hésitant à poursuivre. Sa mère lui avait toujours dit qu'il y avait certaines choses dont on ne parlait pas, certaines choses qui devaient rester dans la famille. Les remarques désobligeantes de sa grand-mère, quand elle s'installait à la fenêtre pour commenter les us et coutumes des gens de la rue, en faisaient partie. Les sautes d'humeur de son père aussi.

Alors ?

Laura hésitait. La réticence de son père devant son oncle Adrien faisait-elle partie de ces secrets de famille ? Elle se décida d'un coup parce que l'attitude de son père l'avait déconcertée et qu'elle voulait avoir l'avis de son amie. Après tout, un oncle qui vivait au bout du monde et ne venait les voir qu'une fois par dix ans, ça ne devait pas être très important.

— Ouais, finalement c'est petête ça le plusse drôle dans toute c't'affaire-là. Mon père avait pas l'air content de revoir son frère. J'peux comprendre que des fois on trouve son frère achalant. Antoine, lui, y' me tape su' l'système, des fois. Je l'trouve épais pis niaiseux pas mal souvent. Mais c'est mon frère pis j'pense que je l'aime pareil. J'voudrais pas qu'y' arrive quèque chose de grave, ça c'est sûr. Pis j'pense avec que si ça faisait longtemps que j'l'avais pas vu, ben j'serais contente de le voir. Mais pas mon père. Y' a pas parlé pendant le souper. Y' avait juste mononcle Adrien pis ma grand-mère qui parlaient. Pis ma mère, aussi, des fois, pour poser des questions. Antoine pis moé, on écoutait, rapport que c'était intéressant c'que mononcle racontait. Pis y' parle tellement bien ! Avec des mots que j'avais jamais entendus avant. Y' vit sur une grande ferme, tu sauras, avec plein de vaches pis de chevals. À une place ousqu'y' a presque pas d'hiver, ça s'peut-tu !

— Ben ça, ça veut dire qu'y' reste pas à New York, l'interrompit Francine.

— T'as ben raison, maudite marde ! J'avais pas pensé à ça quand j'tai répondu, t'à l'heure. Mais y' a dit tellement d'choses intéressantes, mon mononcle, que j'en ai perdu des bouttes. Me semble que mon père aurait dû être intéressé lui avec. Pourtant, y' a rien dit. Pas un mot, maudite marde ! Y' a mangé son souper le nez dans son assiette pis y' est parti tusuite après. Y' a dit qu'y' avait ben gros de la job à boucherie pis qu'y' savait pas à quelle heure y' r'viendrait.

Pendant qu'elle parlait, Laura avait baissé les yeux, subitement gênée de dévoiler ce qui pourrait bien, après tout, être un secret de famille. La répartie de Francine ne fit que confirmer ce qu'elle ressentait.

— C'est vrai que c'est bizarre ! Moé, j'me chicane souvent avec Bébert. Mais ça, c'est normal, chus une fille. Les gars pis les filles, ça va pas ensemble pour les jeux. Toé, tu peux pas vraiment comprendre vu que t'as juste un frère. Chez nous, c'est pas pareil ! D'un bord, y' a les filles, pis d'l'autre, y' a les gars. Tu devrais voir Bébert avec Serge, toé ! Serge, c'est encore presque un bebé, y' a pas quatre ans, mais Bébert, y' joue quand même avec, tu sauras. Y' est toujours gentil avec lui. J'ai pour mon dire que c'est pasque Serge est un gars. Bébert, y' est pas gentil de même avec Vovonne, qui est encore petite, ou avec Louise. Pis avec moé, y' passe son temps à chercher des raisons pour chialer. Les gars, si tu veux mon avis, c'est faite pour aller avec les gars, sauf pour se marier, j'pense. Ça fait que j'comprends pas comment c'est faire que ton père soye pas content de voir son frère. Y' doit y avoir une saudite de bonne raison, sainte bénite ! Un gars peut pas haïr son frère sans qu'y' aye au moins une ou deux bonnes raisons.

L'opinion de Francine semblait bien arrêtée, et maintenant, Laura se sentait coupable d'avoir parlé. S'il fallait que sa mère apprenne tout ce qui s'était dit dans cette cour, Laura serait mûre pour une punition de première. Elle leva les yeux. Le soleil était couché et il ne restait plus qu'une lueur jaunâtre pour éclairer les lieux. En détournant la tête, elle constata qu'il y avait de la lumière dans la cuisine, et dans la chambre de Francine aussi. Par la fenêtre, elle aperçut

Louise, la tête penchée sur ses devoirs. Elle mordillait le bout de son crayon, exactement comme son amie le faisait quand elle ne savait pas la réponse et ce geste fit que Laura se demanda si Louise faisait des problèmes raisonnés. Si oui, elle pourrait l'aider, même si Louise était plus vieille qu'elle. Puis, elle repensa à son oncle, soupira et reporta les yeux sur Francine. L'excitation due à la visite de l'oncle Adrien était chose du passé. Brusquement, Laura se sentait incroyablement fatiguée, sans trop comprendre pourquoi.

— Va falloir que j'rentre, astheure, annonça-t-elle sans donner suite aux propos de son amie.

Elle était déjà debout.

— Y' fait déjà noir. J'ai pas envie de m'faire attraper par ma mère ou ma grand-mère. On se r'voit demain. J'vas venir te chercher pour aller à l'école.

Sans plus, Laura tourna les talons et partit en courant vers l'avant de la maison. Les réverbères dessinaient déjà leurs halos de lumière sur l'asphalte de la rue et le vent s'était levé, bruyant dans le feuillage des arbres. Le bruit de sa course résonnait dans l'air encore tiède de cette belle soirée.

Surprise, elle découvrit sa mère seule à la cuisine. Le malaise ressenti chez Francine refit aussitôt surface, agaçant, surprenant.

— T'es tuseule ?

Bernadette tourna la tête vers elle.

— Ouais. Pis toé, t'es en r'tard. Y' fait noir.

— Je l'sais ! Excuse-moé. J'parlais avec Francine, pis j'ai pas remarqué que le soleil était couché.

Puis, pour faire diversion avant que sa mère ne pense à la punir, en jetant un coup d'œil vers le corridor plongé dans l'ombre, elle ajouta précipitamment :

— Grand-mère est pas là ?

Bernadette haussa les épaules en reportant les yeux sur le journal étalé sur la table.

— Non. Est partie avec Adrien pour faire un tour de char.

Laura fit un pas dans la pièce, comme pour se diriger vers sa chambre, mais elle s'arrêta brusquement, indécise.

Peut-être bien qu'elle n'aurait pas dû parler de la tension qu'elle avait cru percevoir entre son père et l'oncle Adrien, après tout, cela ne regardait pas Francine, mais son inquiétude était sûrement justifiée. Il n'y avait qu'à regarder sa mère pour en être convaincue. Habituellement, Bernadette s'informait toujours de la soirée qu'elle avait passée. Elle vérifiait si ses devoirs étaient finis et demandait si ses leçons étaient étudiées avant de l'envoyer se coucher. Habituellement, Bernadette accueillait sa fille avec un sourire. Pas ce soir. La tête penchée sur la feuille du journal, c'est comme si Laura n'existait pas.

— Moman ?

Laura avait envie de parler avec sa mère. Elle voulait lui demander si elle percevait la même chose qu'elle. Elle voulait comprendre pourquoi son père n'était pas content de revoir son frère après toutes ces années. Sa mère avait toujours une réponse à ses interrogations, sûrement qu'il y avait une explication. Mais quand Bernadette tourna enfin la tête vers elle, les mots moururent d'eux-mêmes sur le bord de ses lèvres. Sa mère avait l'air tellement fatiguée !

— Rien... Je... j'vas me coucher.

— À soir, tu couches dans le salon. J't'ai faite un litte su' l'Chesterfield.

À ces mots, Laura oublia aussitôt ce qui l'avait tant préoccupée durant la soirée.

— Comment ça que c'est moé qui couche dans le salon ? Pourquoi c'est faire que c'est pas Antoine qui...

— C'est ça que ta grand-mère a décidé. A' l'a dit que ton litte est le plusse confortable, pis que c'est lui qu'Adrien va prendre.

Laura poussa un long soupir d'impatience.

— C'est toujours elle qui décide toute ! J'en ai assez de vivre icitte, dans même maison qu'elle. Chez Franci…

— Laura Lacaille, sois polie ! Même si t'es pas d'accord avec les décisions d'Évangéline, c'est quand même ta grand-mère. Pis c'qui se passe chez Francine, ça te r'garde pas. Astheure, va chercher ton pyjama, pis va te coucher.

Cette fois-ci, Laura n'osa répliquer, les mots lui manquaient. C'était bien la première fois que sa mère lui ordonnait d'être polie avec sa grand-mère, la voix émaillée d'irritation envers elle.

L'exaspération, habituellement, Bernadette la réservait pour Évangéline, pas pour Laura, avec qui elle partageait une certaine complicité ironique à défaut de pouvoir vivre ailleurs. « Vaut mieux en rire qu'en pleurer, Laura », disait-elle régulièrement. Pourtant, ce soir, Bernadette n'avait pas le cœur à rire, Laura le voyait bien. Et elle, de sentir sa mère si distante, presque indifférente, elle en avait le cœur gros.

Laura quitta la cuisine sans dire un mot de plus.

Elle mit une éternité à s'endormir. Les draps étaient rugueux et les ressorts du vieux divan lui meurtrissaient les reins ou les hanches, selon la position qu'elle adoptait. Même les yeux fermés, la lumière du réverbère était agaçante à cause des ombres difformes et mouvantes qu'elle dessinait sur les murs. Laura n'arrêtait pas de tourner sur elle-même en soupirant.

Finalement, à bien y penser, elle non plus, elle n'était pas vraiment heureuse de la présence de l'oncle Adrien. Il était peut-être bien gentil, et riche, aussi, c'était à vérifier, et il avait des histoires vraiment intéressantes à raconter, mais chose certaine, il prenait un peu trop de place. Et sur ce point, elle était persuadée que sa mère et son père seraient de son avis.

Sa grand-mère n'avait pas le droit de lui enlever sa chambre pour la donner à un oncle qu'elle ne connaissait pas encore en se levant ce matin. C'était injuste. C'est lui qui aurait dû dormir sur le divan. Après tout, cet homme-là n'était que de la visite, alors que Laura, elle, elle habitait ici.

À onze ans, elle ne pouvait imaginer que l'oncle Adrien ne ferait que dormir dans la chambre qui avait toujours été la sienne. Non, à onze ans, Laura n'avait en tête qu'une phrase qui prenait des allures de prière. « Pourvu qu'y' reste pas longtemps. Mon Dieu, j'Vous en supplie, faites qu'y' reste pas longtemps ! »

Quand Évangéline et Adrien revinrent de leur promenade, Laura dormait déjà, recroquevillée entre deux ressorts, et Bernadette avait regagné sa chambre, faisant semblant de dormir. Quant à Marcel, il devait avoir une énorme carcasse de viande à débiter, car il n'était toujours pas rentré.

CHAPITRE 3

Un jour, tu verras
On se rencontrera
Quelque part, n'importe où
Guidés par le hasard
Nous nous regarderons
Et nous nous sourirons
Et la main dans la main
Par les rues, nous irons

Un jour tu verras (MARCEL MOULOUDJI / G.V. PARYS)
PAR MARCEL MOULOUDJI, 1953

12 décembre 1954

Quand Adrien avait quitté les terres des Prescott, en partie pour acheter la paix avec Maureen et en partie par réelle envie de remonter vers le nord, ce qu'il qualifiait par euphémisme de curiosité, il pensait sincèrement qu'il serait de retour dans moins d'un mois. Le temps de revoir sa mère et son frère, de marcher dans les rues de son quartier, de croiser peut-être quelques vieux copains, de connaître enfin sa belle-sœur et les enfants, de manger les inimitables frites de Chez Albert et il reviendrait. Il serait absent peut-être trois ou quatre semaines, mais certainement pas davantage. Sa vie, maintenant, se déroulait à l'abri des quelques arbres qui ombrageaient la grande demeure des Prescott et d'une certaine façon, il y tenait sincèrement, malgré son manque d'enthousiasme, cette espèce d'apathie qui caractérisait son quotidien. Sur ce point, nul doute dans son esprit, et il l'avouait sans ambages : il appréciait ce rythme de vie un peu lent, reposant sur le cycle naturel des saisons, même s'il ne le montrait guère. Ne restait plus qu'à trouver l'étincelle qui rallumerait la flamme de sa joie de vivre et c'est ce qu'il espérait en retournant ainsi chez lui.

Il avait choisi de partir à l'aube pour éviter les adieux, ne sachant trop quelle attitude adopter.

Les champs immenses de la banlieue est d'Austin sommeillaient encore sous de longs rubans de brume que le soleil aurait tôt fait d'aspirer dès son lever, vers sept heures, comme chaque jour de l'année ou presque. Les vaches broutaient paisiblement, au loin dans les champs. Quelques longs meuglements témoignaient de leur impatience d'être conduites à l'étable pour la traite matinale. Bientôt, dans quelques semaines, Brandon et Mark, les frères de Maureen, marqueraient les bêtes de boucherie et les mèneraient à l'abattoir en compagnie de leur père Chuck, pendant que les femmes feraient des conserves de tomates, de fèves et de maïs. Le potager était luxuriant, comme chaque année. Adrien avait promis d'être de retour pour les dernières récoltes. Il y aurait aussi la foire à la ville, avec les acrobates, les manèges et les tentes aux horreurs. Puis, au milieu d'octobre, ce serait le pique-nique des récoltes, organisé par la paroisse et qui se préparait, année après année, dans une fébrilité joyeuse. Septembre était l'un des plus beaux mois dans la région d'Austin, Texas, malgré les risques de tornades. Mais comme il en allait de même au Québec, Adrien avait quand même décidé de faire la route à cette époque de l'année.

L'été indien lui manquait.

Il avait pris tout son temps pour regagner le Canada, s'attardant parfois jusqu'à deux ou trois jours dans les petites villes qu'il trouvait plus jolies que les autres. Il était parti depuis une dizaine de jours quand il admit enfin que le voyage serait peut être plus long que prévu. Il avait donc téléphoné à Maureen, lui disant de ne pas s'inquiéter. L'appel, qui se voulait rassurant, avait eu l'effet contraire. Savoir qu'Adrien songeait à prolonger son absence avait tiré quelques larmes à Maureen. Par intuition, elle se doutait que, plus les roues de l'auto éloigneraient Adrien d'Austin, et moins il envisagerait un retour rapide ou même prévisible.

Adrien aussi en était conscient. Pour se donner bonne conscience, il se disait que l'hiver finirait bien par le faire migrer vers le sud, comme il le fait pour les oies. Il détestait le froid et la neige.

En attendant, il filait vers le nord, souvent la capote baissée et les cheveux au vent, car la chaleur le poursuivait d'État en État.

Il avait changé de pays à Alexandria, en Ontario.

C'est en mettant pied à terre pour s'acheter une bouteille de coca-cola à une distributrice placée près de la porte de l'édifice des douanes qu'il avait pris subitement conscience de l'endroit où il se trouvait et du peu de distance qui le séparait de Montréal. L'air était piquant et sentait fortement l'humus, comme si le couloir des vents avait brusquement bifurqué et que la brise concentrait ses efforts en territoire canadien pour charrier des odeurs venues de son enfance. La première pensée qu'Adrien avait eue, à ce moment-là, avait été qu'ici, bientôt, les arbres changeraient de couleur. Il s'était dit que ça serait bon de voir enfin une métamorphose tangible entre les saisons. Au Texas, même si certains arbres perdaient leurs feuilles, le vert était dominant à l'année.

Avant de reprendre la route, il avait abaissé de nouveau la capote de son auto parce qu'il faisait beau, malgré la fraîcheur de l'air, et que l'azur du ciel avait une nuance, une intensité à nulle autre semblable. Cela lui rappelait qu'ici, au nord de la frontière, l'attente du passage des saisons marquait le cycle de la vie.

Quand il avait éteint le moteur, au fond de la rue cul-de-sac où il avait grandi, il avait eu l'impression que douze années de sa vie venaient de s'effacer d'un seul coup. Il avait eu la sensation qu'il n'avait qu'à le vouloir vraiment pour tout reprendre à zéro, exactement là où il avait laissé sa vie avant la guerre. Il avait grimpé les marches en spirale deux par deux, comme il l'avait toujours fait, et machinalement, il était entré sans frapper, se heurtant à une inconnue qu'il avait délibérément contournée. Cette femme n'était encore rien dans cette recherche qu'il avait entreprise.

Un regard désolé sur le vieux salon défraîchi et une pensée pour Maureen qui l'attendait dans le Sud avaient permis de remettre les pendules à l'heure. Une vie ne se recommençait pas, elle se continuait. Et dans sa vie, justement, il y avait maintenant une famille qui l'avait adopté sans la moindre hésitation et sans la moindre condition, sachant que la guerre pouvait parfois laisser des séquelles invisibles, mais coriaces. Cette famille avait comme valeur de respecter ceux qui avaient combattu pour la liberté. Les Prescott étaient des gens biens, il ne devait surtout pas l'oublier.

Pourtant, ajoutant à sa confusion, un seul regard d'Évangéline lui avait fait comprendre qu'il s'était ennuyé de ses origines et de son monde.

Où donc était sa place ?

Il avait pris sa mère dans ses bras en se disant qu'il ne lui restait plus qu'à savoir s'il préférait rester ici ou retourner d'où il était venu. Après tout, c'était sa vie, toute sa vie, qui était l'enjeu de cette décision. Il laisserait couler le temps sans rien brusquer et il verrait ce qu'il convenait de faire. Maureen ne lui avait-elle pas dit qu'elle l'attendrait le temps qu'il faudrait ? Il s'était dit qu'elle accepterait peut-être aussi de venir le rejoindre à Montréal si jamais…

L'automne était donc passé, brillant de soleil dans les arbres orangés, odorant de feuilles mortes sous les semelles, et il l'avait apprécié.

Il avait fait la paix avec Laura, la veille de l'Halloween, en l'aidant à préparer son déguisement. Elle lui en voulait beaucoup de l'avoir reléguée dans un coin de la chambre d'Antoine pour s'approprier sa chambre et ses meubles. Elle le fuyait et le boudait, malgré les avertissements répétés d'Évangéline qui ne tolérait pas les enfants maussades. La voyant assise à la table de cuisine, puisque Antoine occupait la table de travail de la chambre, Adrien avait d'abord essuyé un refus sous forme de haussement d'épaules quand il lui avait proposé de l'aider. Comme il venait de se rappeler à quel point il raffolait des déguisements quand il était enfant, il n'avait pas tenu compte de ce refus et s'était assis à la table devant elle. Il avait imaginé une robe de princesse, et après quelques hésitations, il l'avait dessinée d'un coup de crayon habile et avait tendu la feuille à sa nièce en la faisant glisser sur la table. Antoine devait tenir un peu de lui, avait-il alors expliqué. Il avait toujours aimé dessiner. Laura, qui n'était pas vraiment adroite avec un crayon, avait été impressionnée. Le regard qu'elle avait alors levé vers son oncle brillait d'une curiosité nouvelle. La confection de la robe s'était fait dans un grand éclat de rire que Bernadette avait partagé avec eux, leur offrant même quelques vieux vêtements pour mener leur projet à terme.

Ce soir-là, Adrien avait écrit une longue lettre à Maureen, lui confiant qu'il aimerait peut-être avoir des enfants. Ils en parleraient tous les deux quand il serait de retour au Texas. Il avait cependant omis de préciser quand il comptait rentrer.

Puis, novembre était venu, moins désespérant que dans son souvenir, et il avait aidé à préparer l'hiver en changeant les moustiquaires par les châssis doubles, en achevant de dépouiller le jardin de ses poireaux et en râtelant les feuilles brunes du gros chêne qui jonchaient la pelouse devant la maison.

Puis, ce furent les premières neiges. Elles l'avaient ravi comme un gamin, et au réveil, ce samedi-là, il était resté de longues minutes à la fenêtre de sa chambre pour admirer la rue qui s'était métamorphosée durant la nuit. Il avait eu une pensée pour Maureen qui n'avait jamais vu neiger plus de deux pouces à la fois.

Aimerait-elle vivre ici ?

Un peu plus tard, après le déjeuner, il s'était amusé, avec Laura et Antoine, en faisant un gros bonhomme tout blanc avec une immense carotte en guise de nez et quelques cailloux pour les yeux et les boutons.

L'odeur de la laine mouillée lui était montée au nez, agréable, porteuse d'une multitude de souvenirs d'enfance et presque aussi réconfortante qu'un gros bol de soupe aux légumes bien chaude par grands froids.

Quand Évangéline avait bougonné devant son parterre

dévasté — « Viarge, Adrien, quel âge que t'as ? M'as-tu être obligée de t'envoyer dans ta chambre comme un enfant ? Pis fais attention au plancher, tu mets d'la neige partout ! » — il avait répliqué d'un grand éclat de rire. Si sa mère avait physiquement changé en douze ans, son caractère, lui, était resté sensiblement le même. Adrien l'avait toujours pris avec un grain de sel et il entendait bien continuer à le faire, en rire avec elle avant qu'elle ne se prenne trop au sérieux. Avec Évangéline, c'était la seule façon de désamorcer les querelles.

Bien avant Bernadette, il avait souvent répété qu'avec Évangéline, il valait mieux en rire qu'en pleurer.

Il n'avait jamais oublié comment elle avait pris la relève d'une main de maître quand son père était décédé sur le chantier où il travaillait. Adrien venait d'avoir sept ans. À partir de cette date, il n'avait jamais pu en vouloir à sa mère d'être parfois difficile à vivre, elle travaillait tellement fort pour ses deux fils. Avec la maigre pension d'une assurance-vie, les loyers qu'elle encaissait chaque mois et les travaux de couture qu'elle exécutait jusque tard dans la nuit, Marcel et lui n'avaient jamais manqué de quoi que ce soit. En plus, Évangéline avait su garder cette maison construite avec Alphonse, son mari, et même la bonifier au fil des ans malgré les bien-pensants du quartier qui avaient prédit qu'elle ne passerait pas l'année sans tout perdre. Évangéline les avait tous fait mentir. Elle avait usé du marteau, de l'égoïne et de la truelle pour y arriver. Elle avait endossé, tour à tour, les rôles de menuisier, de plombier, de jardinier et de concierge. Alors, si en cours de route, elle avait perdu le peu de la tendresse maternelle qu'elle avait déjà pu ressentir, Adrien ne lui en avait jamais voulu. Après le décès de leur père, Évangéline n'avait plus jamais eu le temps d'être une mère affectueuse. Elle s'était contentée d'être le chef de famille, un chef autoritaire et intransigeant, comme l'aurait été l'homme de la maison, père de deux garçons. Lui, Adrien, il l'avait compris. Marcel un peu moins, pour ne pas dire pas du tout.

Cette différence entre eux avait marqué leur enfance, leur adolescence, leur vie à tout jamais.

Dès son retour, Adrien avait vite constaté qu'au cours de ces douze dernières années, Marcel n'avait pas changé. Il était toujours aussi renfermé et il ne lui avait toujours pas pardonné cette différence entre eux. À son arrivée, Adrien avait remarqué le poing de son frère qui s'était refermé, alors qu'il plaquait un faux sourire sur son visage.

Marcel avait toujours été un mystère aux yeux d'Adrien. Un mystère de contradiction, de sautes d'humeur, de caprices, de flagorneries et de silence. Beau parleur avec ses amis, vendeur comme pas un à l'épicerie, Marcel devenait muet comme une carpe à la maison. Il écoutait les sermons de sa mère sans desserrer les lèvres, encaissait ses taloches derrière la tête sans protester, puis filait dans sa chambre. Il faut dire que, la plupart du temps, il méritait l'attitude intransigeante d'Évangéline. Si Adrien avait été un enfant plutôt calme, Marcel avait « le feu au cul », comme disait leur mère. C'était un enfant agité, toujours perché aux arbres, rempli d'énergie et d'idées pour faire des mauvais coups. Malgré tout, quand ils étaient encore des gamins, Adrien avait essayé d'intervenir pour son frère. Peut-être bien que, si leur mère était moins dure envers lui, Marcel serait moins désagréable. Évangéline semblait sceptique, mais avait promis d'y penser. À quelques jours de là, Benjamin Perrette, le propriétaire de l'épicerie du quartier, avait ramené Marcel en le traînant par la peau du cou. Le garnement venait de voler trois lunes de miel dans le pot sur le comptoir. Si l'offense en était restée à ce stade, Ben Perrette aurait compris et n'aurait jamais parlé. Marcel n'était pas le premier garnement à essayer de chiper des bonbons. Mais le temps qu'il dise au jeune voleur de remettre les friandises à leur place, celui-ci les enfournait toutes les trois en même temps dans sa bouche en le fixant droit dans les yeux, arrogant. Marcel avait tout juste six ans. Il venait de signer son arrêt de mort aux yeux d'Évangéline, qui ne plia plus jamais devant ses caprices. Alors qu'Adrien avait bénéficié de toutes les permissions, Marcel avait été élevé à coups de taloches et d'engueulades. Mais curieusement, plutôt que d'en vouloir à sa mère, Marcel avait dirigé sa rancœur vers Adrien. Les deux frères ne se parlaient à peu près jamais. Il avait fallu qu'un des amis de Marcel se fasse happer par un train à la suite d'un pari stupide pour que ce dernier change du tout au tout. À seize ans, il avait laissé tomber des études qui l'ennuyaient et s'était fait engager comme apprenti boucher chez le même Perrette qui lui avait interdit d'entrer dans son magasin. En moins d'un an, Marcel était devenu son homme de confiance. Évangéline avait poussé un soupir de soulagement. Finalement, elle avait eu raison d'agir comme elle l'avait fait : ses deux fils étaient maintenant des hommes accomplis. Adrien était de commerce agréable, Marcel serait toujours un air bête renfrogné, mais que pouvait-elle y changer ? C'est la vie qui l'avait voulu ainsi !

Il y avait alors eu trois ans où la vie avait semblé vouloir se faire plus douce sous le toit des Lacaille. Évangéline avait cessé de coudre, profitant enfin d'un repos bien mérité, se contentant de tenir maison. Ses fils gagnaient suffisamment d'argent pour leurs besoins, les deux logements du rez-de-chaussée, propres et fonctionnels, étaient toujours loués, et Marcel se chargeait des travaux lourds. Comme Adrien faisait un bon salaire et lui donnait une pension généreuse, Évangéline considérait qu'il collaborait suffisamment. À Marcel de faire ses preuves, il l'avait suffisamment faite étriver du temps de sa jeunesse ! Elle espérait que ses fils finiraient par se marier, bien sûr, mais elle n'était pas pressée qu'ils le fassent. Évangéline n'avait jamais aimé avoir des étrangers chez elle. Puis, Adrien avait eu la fibre patriotique sensible et il s'était enrôlé. Évangéline ne s'en était jamais vraiment remise. Non qu'elle n'aimât pas Marcel, mais leur relation ne ressemblait en rien à celle qu'elle vivait avec son aîné. Son humeur avait suivi l'évolution de la guerre au rythme de ses inquiétudes, en même temps qu'elle suivait l'évolution du quartier au rythme de ses réprobations, accoudée à la fenêtre du salon. C'était ce qu'elle avait confié à Adrien, un soir qu'ils étaient seuls à la maison, Marcel et sa famille ayant accepté une invitation à souper chez Monique, la sœur de Bernadette.

— Viarge que j'ai trouvé ça dur quand t'es parti, toé. J'avais pas seulement peur que tu laisses ta peau de l'aut' bord, je m'ennuyais en verrat ! C'est pas Marcel qu'y' est le plusse jasant, pis j'ai jamais vraiment su quoi y' dire, à ton frère. C'est pour ça que, quand y' a commencé à parler mariage, j'étais pas contre. J'me disais que j'aurais enfin quèqu'un à qui parler. Ben non ! Y' a fallu qu'y' marie une pareille à lui, une insignifiante qui dit jamais rien. Ça fait que je me suis r'trouvée le bec à l'eau, une fois encore.

— Bernadette ? Bernadette, pas jasante ? Allons donc, m'man ! Je la trouve très gentille, moi. C'est peut-être vous qui…

— C'est ça ! Dis don' tusuite que chus juste un air bête.

— Faites-moi pas dire ce que je n'ai jamais dit, m'man. Mais vous connaissant comme je vous connais, je suis certain que vous n'avez pas déposé votre tablier sans grimacer un peu. Serait-il possible que l'accueil ait été un peu frais dans la cuisine et que Bernadette ne se soit pas sentie...

À ces mots, Évangéline avait levé une main pour faire taire son fils, visiblement exaspérée.

— Arrête de parler, ça m'fatique la manière que t'as de dire les choses. On dirait que les Français ont déteint su' toé. Avec un p'tit accent américain qui sonne bizarre. Y' parlent-tu toutes de même, coudon, avec la bouche en cul-de-poule ? Comment c'est que t'as faite pour les comprendre quand t'es arrivé là-bas ? Viarge, que c'est fatiquant... Si t'essayes de dire que j'y' ai pas faite de place dans ma cuisine, à la Bernadette, tu t'es ben trompé, mon gars. J'y' ai même laissé toute la place, tu sauras. C'était juste normal que ça soye à son tour de faire c'que moé j'ai faite quand j'étais jeune. J'y' ai juste demandé de faire comme moé j'aurais faite, c'est toute ! Au début, j'restais pas loin pour être ben sûre qu'a' faisait ça comme faut, mais...

Adrien écoutait sa mère avec un sourire moqueur au coin des lèvres. Il imaginait très bien la scène, Évangéline penchée au-dessus de l'épaule de Bernadette, passant ses remarques, donnant ses conseils. À son tour, il se permit de l'interrompre.

— Pas très sympathique comme accueil !

— Sympathique ?

Évangéline avait froncé les sourcils.

— J'comprends pas c'que tu veux dire. Sympathique... Les sympathies, c'est pour quèqu'un qui est mort, pas pour une femme en famille, viarge !

Évangéline était repartie !

— Pasque ton frère s'est dépêché d'la mettre en famille, tu sauras. Un mois après le mariage, c'était faite, toé. C'est-tu assez vite à ton goût ? Vu que j'étais pas encore tout à fait prête à l'idée d'avoir une bru dans maison, une autre femme dans mes chaudrons, l'arrivée d'un bebé drette de même, mettons que ç'a pas aidé les affaires. Pis la p'tite Laura, a' ressemble à son père, ça m'inquiète. Toujours su' une patte ou ben l'autre, pas trop jasante... Pis Antoine... Lui, c't'à toé qu'y' me fait penser. En plusse tranquille encore. Pis ça aussi, ça m'inquiète. C'est ben beau, le dessin pis les livres, mais y' a aut' chose que ça dans vie, viarge ! J'aimerais ça qu'y' bouge un peu plusse, c't'enfant-là. Toé au moins, tu jouais au hockey pis au ballon. Pas souvent, mais des fois. Lui, y' fait rien en toute. Là-dessus, Marcel pis moé, on s'entend. C't'enfant-là, y' est pas normal. Mais on dirait que ça dérange pas sa mère. J'comprends pas. C'est pas que j'l'aime pas, Bernadette, c'est juste qu'est pas pareille que moé, pis ça, ça m'achale. Après toute, icitte c'est encore ma maison ! A' dit jamais rien, maudit bâtard, est comme ton frère. J'vois ben des fois qu'est pas d'accord avec moé, mais a' parle pas plusse. C'est pas mêlant, y' a des fois qu'a' répond même pas quand j'y' pose des questions ! Comment c'est qu'on peut arriver à s'entendre ? Me semble que c'est pas compliqué, ça ! R'garde-nous, là. On se parle. Tu penses des affaires, pis tu me les dis, j'pense d'autres affaires, pis je te les dis, pis après, on en discute. J'sais ben que t'es rendu avec une sorte de français que j'comprends pas toujours, mais on arrive à s'parler, viarge ! Avec la bru, rien à faire. Quand a' décide de rien dire, y a pas moyen d'y faire ouvrir la yeule. Y' a juste avec Marcel qu'a' tient son boutte. Je l'sais pasque j'les entends jaser pis discuter, le soir, dans leu' chambre. J'aimerais ça, des fois, qu'a' fasse pareil avec moé, Bernadette. Pas juste parler de c'qu'on va manger pour souper ou ben me demander ousque j'ai mis le balai !

Cette fois-là, Adrien n'avait pas interrompu sa mère, même s'il jugeait ses propos démesurés, et qu'à première vue, ils ne correspondaient pas vraiment à ce qu'il avait pu observer. Bien au contraire, Bernadette lui avait semblé être une femme de belle humeur. Un peu gênée, certes, mais capable de défendre ses opinions. Pourtant, Adrien n'avait rien répliqué à sa mère, car derrière les propos, il y avait entendu beaucoup plus que de l'ennui. Il y avait aussi toute la lassitude d'une femme à qui la vie n'avait pas fait de cadeau. Avec son discours échevelé, passant d'un sujet à l'autre, Évangéline avait fort bien résumé ce qu'était devenue sa vie ; brusquement, Adrien n'avait plus envie d'en faire partie.

Il avait quitté la maison, la famille depuis trop longtemps, il avait connu beaucoup trop de choses différentes pour être à l'aise à la case départ. Il y a un mois, il hésitait encore ; maintenant, il en était convaincu.

Ce soir-là, il avait écrit une longue lettre à Maureen, dans laquelle il disait s'ennuyer de la quiétude familiale des Prescott et du rythme de vie texan, mais d'un seul élan, il avait précisé qu'il ne pourrait repartir tout de suite comme il se l'était imaginé. À cause de sa mère, il se sentait obligé de rester jusqu'aux fêtes. Il s'était endormi avec l'idée que Maureen avait eu raison sur un point : revoir sa famille, se retrouver confronté à son frère lui donnaient envie de repartir pour retrouver les Prescott. Pour la première fois depuis la fin de la guerre, il avait envie de regarder l'avenir et de lui donner un sens. La mesquinerie de Marcel, qui le boudait encore et toujours après toutes ces années, et sans raison valable, les lamentations de sa mère et ses reproches constants devant la vie se mariaient bien à la promiscuité de la ville, et lui, il venait de comprendre qu'il avait envie de grands espaces. Sa place, il venait de la trouver et elle était auprès de Maureen, même si ce n'était pas le grand amour. Ne restait plus qu'à trouver le bon moment pour repartir et surtout, oh ! oui, surtout ! préparer sa mère à ce départ.

Cette discussion et cette prise de conscience avaient eu lieu la semaine précédente. Tous les matins, depuis, Adrien y repensait un long moment avant de se lever. Il avait fait le tour du quartier deux fois plutôt qu'une, il avait revu Martial et Paul, ses amis d'enfance, il avait mangé les frites d'Albert, toujours aussi bonnes, et bu plusieurs bières à la taverne du coin. Il avait revu son frère et il avait été déçu, il avait revu sa mère et là aussi, d'une certaine façon, il avait été déçu. L'amertume de cette femme face à la vie, même s'il l'aimait toujours beaucoup, même s'il pouvait la comprendre, semblait la plonger, elle et sa famille, dans un immobilisme navrant. Toute la vie du quartier lui paraissait coulée dans le béton. Il y avait dans les propos de sa mère et dans les attitudes des gens d'ici un *statu quo* morose qui l'irritait. Depuis deux mois et demi qu'il était de retour et c'était le tour de sa vie ici qu'il avait la sensation d'avoir complété en restant sur place. Seule Bernadette apportait un vent de fraîcheur à cette famille qui vivait ankylosée dans ses vieilles attitudes.

Adrien esquissa un sourire.

Il aimait bien Bernadette. Il la trouvait jolie et gentille. Elle ressemblait à la petite sœur qu'il aurait aimé avoir. Il aurait voulu avoir l'audace de lui demander pourquoi il y avait toujours un peu de tristesse au fond de ses yeux. Si elle avait été sa sœur, il l'aurait fait. Comme elle n'était que la belle-sœur, il n'osait pas. Il se doutait bien que Marcel n'était pas le plus attentionné des maris, mais en quoi cela le regardait-il ?

Il aimait aussi Laura et Antoine. Tous les trois, ils lui donnaient envie d'avoir une famille bien à lui. Ils lui donnaient parfois l'envie de rester ici, pas loin, pour continuer à les fréquenter. Mais c'était impossible.

Le jour où il était parti pour la guerre, Bernadette et ses enfants ne faisaient pas partie de sa vie. Il devrait se faire à l'idée. Jamais cette famille ne pourrait être de son quotidien. Bientôt, dans quelques semaines tout au plus, il serait loin d'ici.

Adrien soupira bruyamment.

Par le rideau entrouvert, il apercevait un coin de ciel grisâtre, envahi de gros nuages lourds de pluie. La neige de l'autre matin avait fondu et le temps trop doux pour la saison salissait le paysage. Les branches dénudées de l'érable, dans la cour des voisins, dessinaient un graffiti squelettique contre le ciel plombé. Adrien se retourna sur le côté en bâillant, incapable de se résoudre à se lever tout de suite, même s'il entendait les bruits habituels du déjeuner. Maintenant que sa décision était prise, les journées passées à ne rien faire lui semblaient interminables. Il avait raté la fin de la saison au Texas, les fêtes d'automne et les dernières récoltes, et tout cela l'ennuyait. Il savait que sa vie, désormais, prendrait tout son sens dans le Sud. S'il s'était écouté, il aurait pris la route immédiatement.

— Drette-là, murmura-t-il en imitant la voix rauque de sa mère.

Au Texas, les azalées que Maureen mettait en pots pour Noël devaient être en fleurs et, avec sa mère, elle avait sûrement commencé à accrocher les décorations. Chez les Prescott, on avait le sens de la fête et la moindre occasion était bonne pour célébrer.

Adrien attendit le claquement de la porte d'entrée, annonçant le départ des enfants pour l'école, et celui de la porte de la salle de bain ébranlant la charpente de la maison, avant de se lever. Ce matin, il avait le mal du pays, ce nouveau pays qui s'était fait sien sans qu'il en prenne conscience. Il n'avait pas envie d'entamer la moindre discussion.

Tel qu'espéré, Bernadette était seule à la cuisine. Comme elle le faisait tous les jours, elle avait le nez plongé dans le journal que Marcel laissait toujours traîner derrière lui quand il partait travailler. Tant mieux. Un petit bonjour et il pourrait déjeuner sans avoir à soutenir de conversation.

— Ma mère n'est pas là ? demanda-t-il, davantage par politesse que par réelle curiosité, tout en versant de l'eau bouillante dans une tasse pour se faire un premier café.

— Non. Est partie s'préparer pour sa réunion des Dames de Sainte-Anne. C't'eux autres qui préparent la crèche vivante c't'année. Pour la messe de minuit. Une année, c'est les Filles d'Isabelle, pis l'autre, c'est les Dames de Sainte-Anne.

Bernadette avait levé les yeux et posait un sourire moqueur sur Adrien.

— J'te dis que la bataille est féroce ! C'est à qui seraient les meilleures. Imagine-toé don' qu'l'an dernier, les Filles d'Isabelle ont trouvé un moyen d'accrocher un ange vivant dans les airs, toé ! J'sais ben pas c'que les Dames de Sainte-Anne vont inventer c't'année !

Le regard de Bernadette pétillait de malice et ce fut suffisant pour que la morosité d'Adrien s'évanouisse. Il aimait bien quand Bernadette était joyeuse comme ce matin. Sa tasse de café dans une main, il plaça une tranche de pain dans le grille-pain, se prit une assiette et vint s'asseoir à la table. Bernadette avait reporté les yeux dans son journal. Surpris, Adrien constata qu'elle faisait les mots croisés. Il n'avait jamais remarqué, jusqu'à ce matin, que Bernadette faisait les mots croisés.

— Finalement, la vie à Montréal est moins monotone que l'on pourrait croire, fit-il après avoir pris une gorgée.

Le temps d'écrire un mot et Bernadette revint à lui, une interrogation dans le regard, son crayon pointant le plafond.

— Monotone ?

Elle fronça les sourcils avant d'enchaîner en calculant sur les doigts :

— M-o-n-o-t-o-n-e, un mot de huit lettres qui veut dire plate ! psalmodia-t-elle en fixant Adrien, moqueuse.

Puis, sur un ton plus posé :

— Non, la vie icitte est pas monotone. Faut juste savoir ben r'garder. C'est sûr que c'est pas le party toués jours, mais c'est pas si pire que ça. Juste avoir des enfants, ça t'organise un horaire, pis ça te tient occupée. Moé, ça me suffit. J'aime ça avoir des journées ben remplies, ça évite de s'morfondre pis de trop jongler.

Bernadette éclata d'un rire cristallin, un rire qu'elle n'avait que lorsqu'ils étaient seuls tous les deux ou qu'elle partageait quelque secret avec ses enfants. Un rire qu'il aurait voulu entendre indéfiniment tant il était contagieux.

— Ça change rien au fait, par exemple, que j'ai pas envie toués matins de faire du ménage ou du lavage. J'dirais même que c'est là, justement, la partie monotone de ma vie. Le reste, voir aux enfants, faire à manger, faire un peu de couture pis aller aux commissions, ça m'plaît pas mal.

Adrien aimait le rire de Bernadette, aussi sincère et spontané que celui d'un enfant, peut-être parce qu'il se faisait rare. Il lui répondit d'un sourire. Le pain grillé venait de sauter du grille-pain. Adrien se releva. Tout en tartinant sa rôtie de confiture, il se rappela les mots que sa mère employait quand elle parlait de Bernadette. Il avait de la difficulté à se les expliquer. Sa belle-sœur n'était ni insignifiante ni renfermée. Il suffisait peut-être de lui laisser l'occasion de s'exprimer.

Et avec Évangéline...

Adrien soupira, prit une gorgée de café.

— Je ne connais aucun travail qui n'a pas sa part de monotonie, reprit-il d'une voix rêveuse, l'esprit tourné vers la ferme des Prescott. La routine...

Adrien leva les yeux vers Bernadette.

— Au Texas, la vie n'est pas vraiment différente de la vôtre. Le climat, oui, l'ambiance, la mentalité aussi. Mais le quotidien est sensiblement le même, fait d'une grande part de routine. On mange trois fois par jour comme ici, fit-il, malicieux, avant de mordre dans sa tartine.

Pourtant, quelques instants plus tard, il ajouta, sérieux :

— Sauf que, sur une ferme à la campagne, la vie est en même temps tellement différente de celle de Montréal.

Bernadette avait déposé son crayon, et le menton appuyé dans la paume d'une main, elle écoutait Adrien, espérant qu'il se lancerait dans l'une de ses grandes envolées sur la vie dans le Sud. À ces derniers mots, cependant, elle se redressa, l'interrompant, même si elle aimait beaucoup l'entendre parler de sa vie au Texas.

— Oh ! T'inquiète pas pour moé, j'connais la différence entre la ville pis la campagne. J'ai été élevée su' une terre, près de Saint-Eustache. La routine d'une ferme a pas grands secrets pour moé. Pis c'est l'genre de vie que j'aime pas trop. Le train deux fois par jour, l'odeur de fumier, les chiens qui jappent... C'est pour ça que j'me suis envenue icitte. On a beau dire, la vie est plusse facile en ville.

— Tu trouves ?

— Et comment ! Toute marche tuseul, en ville. Fini l'trimbalage d'la glace pour la glacière pis celui du bois pour le poêle. Pis si j'ai besoin d'un pain ou d'une autre affaire pour le repas, ben j'ai juste à marcher jusqu'au coin d'la rue. Perrette a toute ça su' ses tablettes ! Quand j'étais chez mon père, fallait atteler pour aller au village. J'peux-tu te dire qu'on y allait pas pour des garnottes ! Quand t'élèves une famille pis que t'es ben occupée, ç'a de l'importance des détails de même. Chus pas sûre que ça me tenterait de recommencer à faire mon pain pis d'aller à laiterie pour chercher mon lait, même en hiver quand on gèle comme des crottes. Je l'ai faite assez longtemps chez mon père pour savoir que j'étais pas faite pour c'te vie-là.

Tout en parlant, Bernadette avait refermé le journal, et les deux mains à plat sur la table, elle repoussait sa chaise pour se relever.

— Bon, c'est ben beau tout ça, mais j'ai d'l'ouvrage qui m'attend, moé. J'ai promis à Évangéline de commencer à frotter sa coutellerie en argent pour que toute soye ben brillant pour Noël. Chus aussi ben de m'y mettre tusuite si j'veux avoir fini avant l'dîner.

— Je peux t'aider ?

— M'aider ?

Bernadette ouvrit de grands yeux ronds. C'était bien la première fois qu'elle entendait un homme lui proposer de l'aider.

— Tu veux frotter l'argenterie de ta mère ? C'est pas une job pour les hommes, ça ! Pis en plusse, ça pue sans bon sens !

— Et alors ? Si ça sent mauvais pour moi, ça doit sentir mauvais pour toi aussi. À deux, la corvée sera moins longue. Parce que moi aussi j'aimerais bien que tu aies terminé avant le dîner.

— Tu veux que… pourquoi ?

— Pour aller chez Dupuis Frères avec toi, après le repas,

improvisa Adrien qui avait soudainement envie de faire plaisir à Bernadette. J'aimerais donner des cadeaux aux enfants à Noël, mais je n'ai pas la moindre idée de ce qui leur plairait. Tu pourrais peut-être m'aider à choisir.

Un sourire spontané illumina le visage de Bernadette et Adrien la trouva plus que jolie. Son cœur fit un drôle de bond dans sa poitrine.

— Ben si c'est pour aller magasiner que tu veux m'aider, retrousse tes manches, mon Adrien, on va frotter ensemble. Y' a rien que j'aime plusse que d'aller magasiner. Surtout quand c'est pas avec mon argent !

Et pour la seconde fois en quelques minutes à peine, Bernadette laissa filer son rire en clochettes. À l'avant de la maison, la porte d'entrée venait de claquer. Évangéline était partie pour sa réunion des Dames de Sainte-Anne. « Tant mieux », pensa aussitôt Bernadette en s'accroupissant devant l'évier pour trouver la boîte de Brasso. Elle préférait nettement se retrouver seule avec Adrien. Quand Évangéline était là, elle accaparait toute son attention et Bernadette faisait figure de servante à ses côtés.

L'avant-midi passa rapidement malgré les yeux larmoyants et l'odeur nauséabonde. L'heure du dîner fut tout aussi joyeuse, Évangéline ayant téléphoné pour dire qu'elle restait manger au presbytère, invitée personnellement par le curé Ferland, avait-elle ajouté d'une voix solennelle.

Dès que Laura et Antoine eurent quitté la maison après le repas, Bernadette et Adrien leur emboîtaient le pas pour se rendre en ville.

La température avait chuté depuis quelques heures. Les nuages grisâtres du matin avaient fini par se disperser, poussés par un vent du nordet cinglant, et le ciel qui surplombait la ville était d'un bleu quasi insoutenable.

Bernadette, les deux mains dans les poches, retenait les pans de son manteau en se faufilant à travers les passants qui étaient nombreux sur Sainte-Catherine.

— Y' fait frette en verrat, lança-t-elle par-dessus son épaule, d'une voix assez forte pour contrer le vent. J'haïs ça geler d'même.

À deux pas derrière elle, Adrien avançait en tenant le col de son paletot relevé contre son visage.

— Tu parles d'un changement ! Il n'y a qu'au Québec pour voir ça ! Hier encore, on se promenait en chandail !

Il glissa un bras autour des épaules de Bernadette.

— Viens, on accélère le pas. J'ai hâte d'être à l'intérieur.

Ils se précipitèrent vers la porte à tambour d'un seul pas, heureux de se soustraire enfin au froid.

— Je me souviens maintenant pourquoi j'aime tant le Texas, murmura Adrien en ajustant son pas sur celui de Bernadette pour ne pas trébucher au passage du tourniquet. L'hiver, là-bas, ressemble à notre mois d'octobre et c'est parfait.

Quand ils débouchèrent dans le hall d'entrée, Adrien soutenait le coude de Bernadette, et sans hésitation, il la guida vers les ascenseurs où un homme d'un certain âge, ganté de blanc, attendait patiemment, une main posée sur la porte coulissante afin de la garder ouverte. Il n'y avait presque personne à cette heure de la journée. Les secrétaires s'étaient assises devant leurs dactylos et les professionnels avaient regagné leurs bureaux. Le portier s'écarta poliment pour les laisser passer.

— L'étage des jouets, s'il vous plaît.

Tout en pénétrant dans l'ascenseur, Adrien soutenait toujours Bernadette qui, l'espace d'une fugitive, mais intense seconde, eut l'impression d'être quelqu'un d'autre. Toute cette galanterie, cette gentillesse à laquelle elle n'était pas habituée, en plus d'être ici, en ville, à magasiner en plein après-midi...

Spontanément, la jeune femme redressa les épaules, selon la conception toute personnelle qu'elle se faisait d'une grande dame. Elle regardait fixement devant elle, à la fois intimidée et fière. Adrien s'était adressé au portier d'une voix assurée, comme s'il avait l'habitude de fréquenter les grands magasins. Machinalement, Bernadette se demanda si Dupuis Frères existait au Texas. Probablement, puisque c'était un très grand magasin. Aussitôt, la porte métallique se referma, puis l'homme fit glisser le grillage et pesa sur un bouton doré avant de se tourner vers Bernadette, tandis que la cage bringuebalante s'élevait par à-coups.

— Chanceux, ces enfants-là, d'avoir des parents qui pensent à magasiner ensemble pour leurs étrennes.

La rougeur donna un teint d'abricot à Bernadette. Les propos du portier prêtaient à équivoque. Elle sentait la main d'Adrien qui frôlait son bras, et malgré l'épaisseur du manteau, elle eut la sensation d'une pression différente, d'une chaleur nouvelle qui l'incommoda. Pourtant, elle ne faisait rien de mal, sinon que jamais Marcel ne l'aurait accompagnée pour faire les courses, et que, présentement, elle ressentait un plaisir certain à être avec Adrien.

Était-ce normal ?

Elle jeta un regard en coin à son beau-frère, buta une fois de plus sur la similitude frappante qui existait entre Marcel et lui.

Bernadette se dégagea d'un coup sec. La ressemblance était trop saisissante pour que la méprise soit anodine. Que dirait-elle s'il fallait qu'elle rencontre Germaine ou Françoise, ses bonnes amies, Adrien lui tenant le bras ? De là à imaginer qu'un parfait inconnu comme le portier puisse s'apercevoir qu'elle n'était pas avec son mari, il n'y avait qu'un tout petit pas à franchir, ce que Bernadette fit allègrement. Il fallait désembrouiller une situation qui n'était complexe qu'à ses propres yeux. Peut-être à cause de cette sensation qu'elle ressentait et de son cœur qui battait un peu trop fort, exactement comme lorsqu'elle faisait l'école buissonnière, gamine.

— C'est pas c'que vous croyez, se justifia-t-elle, comme si le pauvre portier avait pu lire dans ses pensées et s'apprêtait à lui faire la morale. Malheureusement, mes enfants ont pas un père ben, ben magasineux. D'habitude, les cadeaux, j'les choisis tuseule par catalogue, pis c'est ben correct de même. Lui, fit-elle un peu sèchement, pointant Adrien du doigt tout en s'écartant d'un pas, c'est mon beau-frère, pis y' connaît rien aux enfants. C'est pour ça que chus là, pour l'aider à choisir des cadeaux pour son neveu pis sa nièce qui s'trouvent à être mes enfants, ou plutôt nos enfants, à Marcel pis moé.

Satisfaite de son explication, Bernadette poussa un long soupir de bonne conscience. Comme l'ascenseur arrivait à destination dans un dernier soubresaut, elle approcha de la porte, tout en concluant :

— Astheure, j'aimerais ben que vous ouvriez c'te porte-là pour qu'on puisse sortir. J'étouffe, icitte 'dans. Pis j'ai pas toute l'après-midi devant moé. Y' me reste des commissions à faire su' Perrette, pis un souper à préparer avant que la belle-mère me tombe su'l' dos quand a' va revenir des Dames de Sainte-Anne. Amène-toé, Adrien, j'ai pas rien que ça à faire !

Et sans attendre de réponse de qui que ce soit, Bernadette sortait de l'ascenseur en étirant le cou et en pivotant la tête pour s'orienter. Presque aussitôt, elle tendit l'index.

— C'est par là, j'vois des camions. Suis-moé, Adrien, on va trouver toute c'qui faut pour les deux enfants drette-là !

Adrien, à des lieux de la réflexion un peu tordue de Bernadette, dut accélérer le pas pour arriver à la suivre, éberlué par ce brusque changement d'attitude. Il lui avait semblé qu'elle était heureuse de l'accompagner, et voilà qu'elle venait de faire volte-face et se montrait plutôt contrariée de se trouver ici.

Cependant, avant même qu'il n'ait la chance de poser quelque question que ce soit, il suffit d'un étalage de poupées, savamment élaboré, pour que Bernadette renoue avec l'agrément de cette escapade loin de la routine.

— Oh ! R'garde, Adrien !

Les mains à hauteur du cœur, rouge de plaisir, Bernadette ressemblait à une petite fille. Le sourire lui était revenu, sans l'habituelle tristesse au fond du regard. Comment se faisait-il que depuis le matin elle soit de plus en plus jolie ?

— Bâtard que c'est beau ! Y as-tu vu la robe, toé ! Du satin pis du tulle comme les robes des danseuses de ballet qu'on voit sur les affiches. On dirait une vraie princesse. J'aurais-tu aimé ça en avoir une de même quand j'étais p'tite !

Bernadette resta silencieuse un long moment, perdue dans sa contemplation. Puis, comme à contre-cœur, elle détourna lentement les yeux pour revenir à Adrien.

— Le pire, c'est pas tellement de pas avoir eu une belle catin d'même. J'aurais pas su quoi faire avec, est trop belle. Non, le pire, j'pense, c'est d'avoir eu une fille qui a jamais voulu catiner. Pour ma Laura, j'aurais fait ben des sacrifices pour arriver à y' payer une belle catin comme celles-là.

Bernadette fit une pause avant de soupirer bruyamment.

— Mais ça l'aurait rien donné en toute, poursuivit-elle d'un ton amer, Laura a jamais joué avec des poupées. J'sais pas pourquoi, mais a' l'aime pas ça. Pourtant, me semble que c'est normal, pour une fille, d'aimer jouer à mère.

Puis, dans un murmure, en penchant la tête, Bernadette ajouta pour elle-même :

— Des fois, j'ai l'impression d'avoir fait des enfants à l'envers. J'te parierais dix piasses que j'donnerais une catin à An...

Bernadette se tut brusquement, rouge de confusion. Elle allait dire une énormité, un vrai blasphème, que Marcel aurait accueilli avec un rire sarcastique s'il avait été là. Depuis le temps qu'il était persuadé que son fils était une tapette... Bernadette secoua la tête avec vigueur, comme pour replacer ses idées. Puis, elle esquissa un sourire. Son fils n'était pas une tapette, puisqu'il adorait les chars. C'est alors qu'elle s'écria :

— Un char ! Pour Antoine, y' faut acheter un char, y' aime tellement ça ! Avec un ressort pour qu'y' puisse rouler tuseul.

Soulagée, Bernadette sembla quêter l'approbation d'Adrien en levant les yeux vers lui.

— Que c'est t'en penses ?

— Ouais...

Adrien semblait à demi convaincu.

— Je sais très bien qu'Antoine aime beaucoup les autos, mais c'est un cadeau quand même un peu banal. J'aurais voulu autre chose... Quelque chose de spécial qu'il pourrait garder longtemps.

— Ben là... J'sais pas trop.

Bernadette était embarrassée. Pourquoi Adrien avait-il voulu qu'elle l'accompagne pour l'aider à choisir si ses suggestions ne convenaient pas ? Elle soupira bruyamment avant de demander :

— Que c'est tu veux dire quand tu parles de quèque chose de spécial ? Me semble qu'un char, un beau char rouge en métal ben brillant, c'est quèque chose de spécial, non ?

— Oui, peut-être... Mais je vois mal ton fils jouer pendant des heures avec une petite auto. Rêver de conduire une vraie auto, c'est une chose, mais un jouet... Attends donc une minute ! Je crois que j'ai une idée. Viens, suis-moi !

Et c'est ainsi qu'il y eut un train électrique avec le village pour l'accompagner et une petite auto rouge. Après tout, pourquoi pas ?

— Ben voyons donc, toé ! C'est ben trop beau pour mon gars !

— Pourquoi ?

— Ben... C'est juste que ça va y' donner des idées de riches ! J'ai pas ça, moé, l'argent pour le gâter de même !

— Raison de plus pour que je le fasse ! C'est vraiment un gentil garçon, ton Antoine.

Ces quelques mots coulèrent comme une eau fraîche sur le cœur de Bernadette.

— Tu trouves ? Son père, lui, y' dit qu'y' bouge pas assez. Que c'est pas normal pour un gars d'être aussi tranquille.

Adrien ne répondit pas, se contentant de hausser les épaules, tout en fixant Bernadette d'un regard éloquent. C'est à cet instant qu'elle comprit qu'Adrien pensait comme elle. Antoine était peut-être un petit garçon sage, il n'était pas anormal pour autant. Curieusement, elle eut envie de dire merci à son beau-frère.

Merci d'aimer son fils comme il était. Merci de ne pas avoir ri d'elle quand elle admirait les poupées.

Marcel, lui, s'en serait donné à cœur joie avant de la traiter de niaiseuse.

Ne sachant comment s'y prendre, Bernadette se contenta

de sourire à Adrien. Une certaine complicité s'installa entre eux. Bernadette fut la première à détourner la tête, à l'instant où Adrien s'écriait :

— Et maintenant, Laura ! Qu'est-ce que tu dirais d'un tourne-disque pour elle ? Avec plein de disques ?

— Ben là... C'est sûr qu'a' dirait pas non. Un pick-up à elle tuseule, on rit pus !

Ils ressortirent du magasin, chargés comme des mulets, riant comme des enfants.

— Voir si ça a de l'allure de gâter les enfants d'même. Y' vont juste faire des caprices après ça... N'empêche qu'y' vont être fous comme des balais quand y' vont voir c'que t'as acheté pour eux autres !

Bernadette ne savait que penser. Elle imaginait facilement la joie de ses enfants quand, au matin du Premier de l'an, ils découvriraient ce que leur oncle avait acheté pour eux. Mais n'était-ce pas trop ?

Sans manquer de l'essentiel, Bernadette n'était pas habituée à l'abondance et s'en méfiait. Elle regarda les colis qui s'empilaient dans le coffre de l'auto et esquissa un sourire. Après tout, ce n'étaient que des jouets qui rendraient deux enfants heureux. Pourquoi se méfier du bonheur semé autour de soi ? Adrien était vraiment gentil d'avoir pensé à ses enfants.

Le vent soufflait toujours et quelques flocons commençaient à virevolter autour d'eux, rendant le froid plus supportable. La vitrine du magasin était tout illuminée et un immense sapin scintillait de couleurs brillantes. À son pied, un train tournait inlassablement à travers mille et un jouets tous plus beaux les uns que les autres. Bernadette inspira profondément, se sentant tout à coup remplie d'un bien-être particulier. Cette année, ses enfants auraient droit au plus beau temps des fêtes qui soit ! Et cela, grâce à Adrien.

C'est pourquoi, au moment où elle s'asseyait dans l'auto, elle posa une main sur le bras d'Adrien et lui dit avec une sincérité désarmante dans la voix :

— Merci, Adrien, merci ben gros pour avoir pensé à mes enfants comme t'as faite. J'sais pas si c'est une bonne affaire de leu' donner toute ça, mais y' vont être contents en verrat, pis dans l'fond, c'est ça qui compte. C'est pas souvent que mes enfants ont du neuf de même. Tant pis pour les caprices, j'y verrai dans l'temps comme dans l'temps ! Astheure, ramène-moé vite à maison. Faut que j'fasse à souper, pis y' faudrait cacher toute ça avant que les p'tits arrivent de l'école. Bâtard que j'ai hâte aux fêtes, moé-là !

Et répondant à une pulsion qu'elle n'avait subitement pas envie de réprimer, elle se hissa sur la pointe des pieds pour déposer un baiser sur la joue de son beau-frère, alors que les bras de ce dernier se refermaient autour de ses épaules.

* * *

— Que c'est ça, dans le fond du garde-robe ?

Debout devant la porte entrouverte, Marcel tenait une robe par l'ourlet et un chemisier par une manche pour laisser un peu de lumière filtrer jusqu'au fond de la penderie.

— Veux-tu ben m'dire c'que t'as acheté là ? C'est-tu pour ça que t'avais l'air bizarre de même au souper ?

Bernadette était déjà au lit, roulée en boule sous les couvertures et tournant le dos à Marcel. Comme tous les soirs, elle l'entendait préparer ses vêtements pour le lendemain, glissant tout doucement dans le sommeil, revivant en pensée le merveilleux après-midi qu'elle venait de passer. La voix de Marcel fit éclater sa bulle. Bernadette se retourna en bâillant, irritée. Plié en deux, son mari examinait le fond de la penderie.

— C'est pas moé qui a acheté toute ça, expliqua Bernadette d'une voix endormie, pressée de retourner dans le monde des rêves éveillés. C'est Adrien. Mais c'est quand même pour ça que j'étais un peu drôle au souper. Ça sera pas facile de garder le secret.

Marcel s'était accroupi. D'une main leste, il faisait l'inventaire des boîtes et des sacs que Bernadette avait cachés tant bien que mal derrière les souliers.

— Calvaire ! Un train électrique pis un pick-up !

— C'est beau, hein ?

Marcel ne répondit pas. Il s'était redressé, et du bout du pied, il déplaçait les chaussures, les empilant pêle-mêle sur un côté. Il avait repoussé les cintres pour mieux voir. Il resta immobile un long moment avant de se pencher pour approcher les boîtes vers lui d'un geste vif, pour les placer contre le mur de la chambre, tout près de la chaise. Puis, il étira le bras afin d'attraper les sacs contenant les disques et les maisonnettes du village, et il les jeta contre les boîtes.

— 'Tention, toé là. Tu vas toute casser.

Bernadette s'était assise dans le lit et regardait son mari en fronçant les sourcils.

— Veux-tu ben m'dire c'que tu fais là ?

— J'fais d'la place pour nos souliers.

— J'vois ben que tu fais d'la place, bâtard. Chus pas aveugle. C'est pas ça que j'te demande. C'que j'veux savoir, c'est pourquoi tu sors les cadeaux du garde-robe ! Y' a ben juste là qu'on peut les cacher.

Tout en replaçant les cintres, Marcel avait sorti un pantalon propre pour le déposer sur le dossier de la chaise. Il s'appliqua à lisser longuement le pli avant de répondre, sans se retourner.

— T'auras pas à les cacher ben, ben longtemps, rapport que toé ou Adrien, vous allez me ramener ça au magasin pas plus tard que demain, annonça-t-il en tirant une chemise du tiroir pour la déplier et la suspendre par-dessus le pantalon, toujours sur le dossier de la chaise. Un train pis un pick-up, c'est pas des cadeaux pour nos enfants.

À peine quelques mots, mais ils avaient suffi à réveiller Bernadette pour de bon.

— Comment, pas des cadeaux pour nos enfants ? Pour une fois qu'y' peuvent avoir quèque chose de mieux que d'habitude, tu vas quand même pas les pri…

— T'as pas à te mêler de ça, la coupa sèchement Marcel. Laura pis Antoine auront des cadeaux de riches le jour ousque je serai riche.

— Que c'est ça peut ben changer que ça vienne de toé ou ben de ton frère ?

— Ça change toute, maudit calvaire.

Marcel s'était enfin décidé à regarder Bernadette. Pour une fois, elle pouvait lire des émotions dans son regard de glace, et pour l'instant, c'était une colère froide qui brillait au fond de ses prunelles.

— Ça prend ben une femme pour pas voir plus loin que l'boutte de son nez, laissa tomber Marcel sur un ton dédaigneux.

— Ah non ?

Bernadette sentait la moutarde lui monter au nez, justement.

— Ben tu vas m'expliquer ta pensée, pasque moé, j'te suis pas pantoute.

Bernadette triturait un coin de la couverture, tout en

fixant son mari d'un regard mauvais. Il n'était pas dit que Laura et Antoine seraient privés de leurs cadeaux à cause de la mauvaise foi de leur père. Car c'est aussi ce qu'elle lisait dans le regard de Marcel. Une mauvaise foi, une forme de jalousie qui n'avait pas sa place. C'est tout le contraire qui aurait dû se produire. Il aurait dû se réjouir de la bonne fortune de Laura et d'Antoine.

— Pis ? Tu vas-tu finir par me dire pourquoi c'est faire qu'Adrien peut pas donner des cadeaux à nos enfants ? répéta-t-elle devant le silence persistant de son mari. Après toute, c'est leur mononcle.

Marcel leva les yeux au plafond en soupirant.

— T'as rien compris pantoute, calvaire ! J'ai jamais dit qu'Adrien pouvait pas donner des cadeaux à nos enfants. J'ai juste dit que ces cadeaux-là faisaient pas l'affaire.

— Pourquoi ? s'entêta Bernadette, bien décidée à le faire changer d'avis, maintenant qu'elle-même était convaincue que Laura et Antoine méritaient bien d'être gâtés, pour une fois.

— Fais-moi pas répéter, j'haïs ça. J'te l'ai dit, pourquoi. Des cadeaux de riches, mes enfants ont pas besoin de ça. C'est toute. De quoi j'vas avoir l'air, moé, avec mes cadeaux comme d'habitude ?

Marcel détestait ces discussions à propos des enfants. À croire que Bernadette faisait exprès pour le provoquer. Maintenant debout à côté du lit, ébouriffée, les poings sur les hanches, elle avait l'air de le défier.

— Pasque dans l'fond, c'est ça qui te fatigue le plus.

— De quoi ?

— Que les enfants comparent leu' cadeaux. C'est ça qui t'fatigue le plus ! C'est pas c'que les enfants vont avoir qui est important, c'est c'que tu penses qu'y' vont penser.

Marcel fixa Bernadette, impatient.

— C'est ben en masse. J'ai pas envie qu'Antoine me r'garde de haut, tu sauras. Surtout pas lui. J'te l'répète : que c'est qu'nos enfants vont penser de nous autres, après ça ? Qu'on est juste des pas bons ? Qu'on les aime moins qu'Adrien ? Maudit calvaire ! Des fois, on dirait que t'as pas d'tête.

— Pis toé, on dirait que t'as pas d'cœur, maudit verrat.

— Ç'a rien à voir. C'est juste une question de bon sens !

Le ton montait. Commencée d'une voix posée, la discussion prenait des proportions de dispute.

— J'vois pas pantoute c'que le bon sens a à voir là-dedans. De toute façon, j'les connais ben nos enfants, pis y' sont pas du genre à comparer. Y' vont être contents de c'qu'on leu' donne, comme y' vont être contents de c'qu'Adrien leu' donne. C'est toute.

— Pas sûr, moé. Anyway, si Adrien a envie de donner des gros cadeaux, y' a juste à s'en faire, des enfants. Y' a pas à se servir des miens.

Bernadette leva les yeux au plafond, exaspérée.

— C'est niaiseux, c'que tu viens de dire là, Marcel.

— On sait ben ! Avec toé, j'dis jamais rien de bon. Pis si y' est si riche que ça, Adrien, pourquoi c'est faire qu'y' a pas pensé à m'donner quèques piasses pour toute c'qu'y' mange depuis l'automne ? Tu peux-tu répondre à ça ? Ben non, tu y' as même pas pensé ! Tu penses jamais à rien, toé. Une p'tite tête vide ! Ben j'vas te l'dire, moé, pourquoi y' m'a rien donné. C'est parce qu'y' aime mieux faire le jars. Y' a toujours été d'même, Adrien. Faut toujours qu'y' soye le meilleur.

— Tu penses pas que t'exagères un peu ? Adrien est pas pantoute comme tu dis.

— C'est que tu l'connais pas comme moé je l'connais. Si

c'était un si bon gars, y' m'aurait donné d'l'argent. Comme ça, j'en aurais petête un peu plus pour les cadeaux des enfants.

— Comme si c't'argent-là aurait servi à ça ! Prends-moé pas pour une cave, Marcel Lacaille.

À ces mots, Marcel cilla des yeux une ou deux fois avant de détourner la tête. Il savait très bien à quoi Bernadette faisait allusion.

— L'argent, c'est pas de tes calvaires d'affaires, marmonna-t-il.

Puis, il revint face à Bernadette, fit un pas dans sa direction.

— C'est moé qui l'gagne, c'te calvaire d'argent-là, c'est moé qui décide c'qu'on fait avec. Une p'tite bière à taverne du coin, c'est juste normal pour un gars qui travaille fort comme moé. Pis j'te ferais r'marquer que chus bon gars. Quand j'ai acheté l'char, j't'en ai parlé avant. J'étais pas obligé de faire ça.

— On sait ben ! T'es jamais obligé de m'parler. Après toute, chus juste ta femme. Sauf qu'y' faut que j'me débrouille avec le peu que tu m'donnes, par exemple. Si t'avais pas acheté de char, on serait petête moins toujours à dernière cenne. Pour un gars qui veut pas des cadeaux de riches pour ses enfants, y' se gêne pas pour lui, par exemple !

— Calvaire ! Encore des reproches. Toé pis la mère, c'est toute c'que vous avez à m'dire. Ou ben vous avez quèque chose à me reprocher ou ben vous m'ostinez pour des calvaires de niaiseries. Le char, tu sauras, c'était pas juste pour moé, que je l'ai acheté. C'est pour toutes vous autres. Si ça fait pas ton affaire d'aller su' Steinberg le samedi, t'as juste à l'dire, pis tu retourneras faire ta calvaire de commande su' Perrette, comme avant.

— C'est pas c'que j'ai dit, bâtard, pis tu l'sais. Pis arrête de parler d'même, les enfants pourraient t'entendre. J'haïs ça quand tu sacres aux deux mots.

— J'parlerai ben comme j'veux. Pis *calvaire*, c'est pas sacrer. Astheure, tu vas m'promettre de ramener ces cadeaux-là drette demain pour que les enfants les voyent pas.

— J'peux pas.

— Comment ça, tu peux pas ?

— C'est pas moé qui a acheté ces jeux-là, c'est pas moé qui peux les ramener.

— As-tu fini d'me niaiser ?

Marcel avait fait les deux pas qui le séparaient de Bernadette et d'un geste brusque, il l'avait prise par les bras.

— J'te niaise pas, c'est vrai, fit Bernadette tout en essayant de se dégager. J'ai pas les factures, c'est Adrien qui les a.

Marcel serrait de plus en plus fort. Sans avoir la carrure d'Adrien, Marcel était grand et à trimbaler des carcasses d'animaux comme il le faisait depuis près de quinze ans, il avait aujourd'hui des bras de lutteur. Son regard était redevenu hermétique et Bernadette en avait peur. Malgré cela, elle allait tenter le tout pour le tout. Cette fois-ci, elle ne plierait pas tout de suite, car elle ne voulait pas que les cadeaux retournent au magasin.

— S'il te plaît, Marcel, essaye de comprendre. Les enfants seraient tellement contents ! Pis chus sûre qu'en cherchant ben comme faut, on va trouver des cadeaux aussi beaux que ceux d'Adrien, même si y' vont coûter moins cher. Les enfants feront même pas la différence. J'vas m'en occuper. Même que pour Antoine, j'aurais petête une idée. C'est des crayons d'une autre sorte, en bois, d'une ben belle qualité, m'a dit Germaine. Si a' le sait, c'est à cause de sa fille qui dessine pour la revue de chez Eaton, pis a' dit que les couleurs sont...

— Des crayons ! l'interrompit Marcel sans lâcher les bras de Bernadette. Ben sûr, c'est en plein c'que ça prend pour not' gars. Des crayons à couleurer, comme pour une fille. Calvaire, t'as-tu perdu la tête, toé ?

— Non, j'ai pas perdu la tête. J'veux juste qu'Antoine soye aussi content de not' cadeau que de celui d'Adrien. C'est pas ça que tu veux, toé ?

— Non, c'est pas ça que j'veux. J'veux qu'y' soye plusse content de not' cadeau que de toutes les autres. Pis c'est pas toé qui vas t'occuper du cadeau d'Antoine, c'est moé. Y' est temps d'en faire un gars, de ta lavette. Un vrai gars, pas une tapette.

Les mots de Marcel firent aussi mal à Bernadette que les doigts qui s'enfonçaient douloureusement dans la chair de ses bras. De grosses larmes parurent au coin de ses paupières.

— Si on en r'parlait de tout ça demain, quand on sera pus choqués ?

— Pas question. C'est à soir qu'on règle c'te calvaire de problème-là. Le chialage, ça m'écœure. Ça fait que tu vas parler à Adrien.

— Adrien, c'est ton frère, pas le mien. C'est à toé d'y' parler.

— C'est pas moé qui étais avec quand y' a acheté ça, c'est toé. Ça fait que c'est toé qui vas y' dire que ça serait mieux qu'y' ramène toute ça d'où c'est que ça vient. Si Adrien m'en avait parlé avant d'aller magasiner, on serait pas en train de discuter pour des calvaires de bebelles. Le soir, quand j'arrive d'la boucherie, chus fatigué. J'aime pas ça entendre chialer pour rien.

Tout en parlant, Marcel s'était mis à secouer Bernadette, martelant chacune de ses phrases d'une secousse qui lui donnait mal au cou.

— C'est pas moé qui chiale pour rien, c'est toé. Pis lâche-moé, tu m'fais mal.

— M'en vas te lâcher quand tu vas m'promettre de parler à Adrien.

Bernadette détourna les yeux une fraction de seconde. Contre le mur, elle vit la boîte grise et bleu du tourne-disque et celle d'un beau rouge vif du train électrique. Une secousse plus forte lui tira un gémissement.

— O.K. J'vas parler à Adrien, fit-elle dans un souffle, espérant que le cauchemar s'arrêterait là.

— Pis que c'est tu vas dire à mon frère ?

— M'en vas y' demander de ramener les cadeaux au magasin pasque c'est ça que tu veux.

— Pauvre toé, c'est pas fort là-dedans, lança alors Marcel en tapant la tête de Bernadette du plat de la main. Non, c'est pas ça que tu vas dire à mon frère. Tu vas y' expliquer que t'as ben pensé à ton affaire, pis que t'as compris que ces cadeaux-là sont pas faites pour nos enfants.

— Comment veux-tu que j'y' dise ça, c'est même pas vrai, s'écria Bernadette dans un ultime effort pour tenter de convaincre son mari qu'il se trompait.

— Que c'est t'essayes de dire, toé là ? Que chus un menteur ?

D'une main sournoise, Marcel avait agrippé une mèche des longs cheveux de Bernadette et il tirait de plus en plus fort, les yeux à demi fermés, un rictus au coin des lèvres, comme s'il prenait plaisir à voir couler les larmes sur le visage de sa femme. Plus elle persistait à se taire, plus il tirait. À bout de forces, Bernadette finit par acquiescer.

— O.K. J'vas toute dire comme tu veux.

— Pis pourquoi tu vas dire comme moé ?

À partir de maintenant, Bernadette savait exactement ce

qu'il lui fallait répéter pour que Marcel consente enfin à la lâcher. C'était devenu une espèce de rituel entre eux. Un rituel malsain, mais qu'elle n'avait pas le choix d'observer.

— Pasque t'as raison, Marcel.

— Bon ! Enfin…

D'une violente poussée, Marcel expédia Bernadette sur le lit où elle se frappa la tête contre le montant de bois.

— Pis en plus, t'es pas foutue de faire attention à toé. R'garde, tu saignes. Si tu passais pas ton temps à m'ostiner, aussi… Fais ben attention pour pas salir le litte. Astheure, j'm'en vas prendre une marche, ça va m'faire du bien. On respire pus icitte.

Marcel quitta la chambre en claquant la porte. Puis, ce fut la porte de la cuisine, fermée à la volée, qui ébranla l'appartement. Le long silence qui s'ensuivit réconforta Bernadette. Le temps de reprendre ses esprits, d'attendre quelques instants pour être bien certaine que Marcel ne rebrousserait pas chemin, puis elle se releva. Par la fenêtre de la chambre, elle aperçut la silhouette de son mari qui marchait à grandes enjambées vers le coin de la rue, face au vent qui charriait une neige en gros flocons. Elle soupira longuement. De soulagement, de déception. Quand Marcel traversa à l'intersection pour tourner vers le sud, elle sut qu'il allait rejoindre ses amis à la taverne. Avec un peu de chance, elle dormirait profondément quand il serait de retour. Tant mieux. Elle laissa tomber le rideau qu'elle tenait du bout des doigts et revint face à la chambre. Elle n'eut pas besoin de s'approcher très près du miroir pour remarquer la fine traînée rouge qui sillonnait son front, avant de se perdre, figée, dans son sourcil droit. Elle souleva délicatement ses cheveux, se pencha vers le miroir. Ce n'était qu'une toute petite coupure. Une fois lavée, elle ne paraîtrait plus. Tant mieux. C'était même mieux qu'une ecchymose qui prenait un temps infini à disparaître et suscitait des questions.

Bernadette détestait avoir à mentir aux enfants.

Enfilant frileusement sa robe de chambre, elle quitta la chambre à son tour, et sans faire de bruit, elle suivit le corridor qui menait à la cuisine.

Elle dut s'y prendre à deux fois pour remplir la bouilloire tellement ses mains tremblaient. Quand Marcel s'emportait comme ce soir, Bernadette en perdait tous ses moyens. Pourtant, cette fois-ci, elle n'était pas du tout certaine d'avoir mérité ce tabassage. Bien que…

Bernadette frissonna, désorientée, les idées se bousculant dans sa tête lancinante. Marcel n'avait pas complètement tort. Elle l'avait provoqué et elle savait fort bien ce qui risquait d'arriver. À elle de se montrer plus astucieuse, plus prudente.

Elle sortit la boîte de fer-blanc contenant les poches de thé et en fit tomber une dans une grande tasse d'un brun douteux, qu'elle avait reçue en promotion dans une boîte de détersif à lessive. Puis, elle prit le torchon accroché à la poignée du fourneau et l'humecta d'eau froide. Pas besoin de miroir pour nettoyer son front, la blessure était suffisamment sensible. Quand ce fut fait, elle se mira sur la surface nickelée du grille-pain, et d'un geste machinal, elle fit bouffer sa frange. Voilà. Plus rien ne paraissait, il ne s'était donc rien passé.

Quand la bouilloire se mit à siffler, Bernadette la souleva à deux mains pour arriver à verser l'eau bouillante sans tout renverser. Quand elle aurait fini de boire son thé, elle se sentirait mieux et les tremblements auraient disparu. C'est ce qui se passait chaque fois que Marcel perdait le contrôle.

Éteignant le plafonnier, elle s'installa au bout de la table en refermant frileusement les pans de sa robe de chambre, comme si le geste avait la propriété de la réconforter. La clarté blafarde projetée par la neige qui tombait abondamment suffisait à éclairer la pièce. Le tic-tac de l'horloge rouge et blanche, accrochée au-dessus de la porte menant à la salle à manger, mêlait le passage du temps au crépitement des flocons contre la vitre, et Bernadette apprécia ce bruit. Il rendait la chaleur de la cuisine confortable. Elle regarda un moment autour d'elle. Dans deux semaines, ce serait Noël, et ce soir, ç'aurait pu être une si belle soirée si Marcel avait accepté de partager la joie des enfants. Il aurait pu y avoir une bonne complicité entre Adrien et eux dans l'attente du Nouvel An.

Bernadette renifla bruyamment pour contrer les larmes qui menaçaient de revenir.

— Maudit Marcel, murmura-t-elle. Pourquoi c'est faire qu'y' est si soupe au lait, aussi ? Comme sa mère ! Voir si ç'a de l'importance qui c'est qui donne le cadeau. C'est l'plaisir des p'tits qui compte. Le reste, on s'en balance !

Si elle s'était écoutée, elle se serait rendue dans la chambre que les enfants partageaient depuis l'arrivée d'Adrien. Elle se serait installée à même le plancher, sur une grosse couverture, et elle aurait dormi avec eux. Ou encore, elle se serait contentée de les regarder dormir. Ils étaient toute sa vie. Mais le risque de les trouver éveillés était trop grand pour qu'elle ose s'y pointer le nez. S'ils ne dormaient pas, c'est qu'ils avaient tout entendu. Qu'aurait-elle pu répondre à leurs inévitables questions ? Le mensonge à inventer ne duperait personne, surtout pas elle. De toute façon, demain, au déjeuner, ils n'oseraient en reparler devant leur père et au dîner, ils auraient tout oublié. Comme toujours.

Bernadette porta la tasse à ses lèvres, et malgré qu'elle ait pris le temps de souffler sur le liquide frémissant, elle se brûla la langue. Ce détail, qu'en temps normal elle aurait souligné d'un juron percutant, fut suffisant pour déclencher une autre ondée de larmes. Pourquoi Marcel était-il incapable de discuter comme tout le monde ? Pourquoi en venir aux coups dès qu'il ne trouvait plus d'arguments ? Pourtant, elle savait fort bien qu'il ne fallait pas le pousser dans ses derniers retranchements. Elle le savait, mais invariablement, quand il s'agissait des enfants, elle n'arrivait pas à s'arrêter à temps. Il lui fallait aller jusqu'au bout de la question, quitte à en subir les contrecoups. Marcel n'avait pas tort quand il disait qu'elle courait après son malheur. Pourtant, depuis un bon moment déjà, il n'y avait eu que des menaces, jamais de coups. Un poing levé parfois, une gifle qui s'arrête juste avant de retentir, un coude qui bouscule sans trop faire mal... Bernadette croyait que son mari avait changé, qu'il arrivait à se maîtriser. Elle se disait, belle naïveté, que le fait d'avoir une auto l'avait transformé. Il était enfin capable d'agir en adulte. Elle s'était trompée.

Il avait suffi de quelques jouets pour le mettre hors de lui.

À la pensée que ses enfants, au bout du compte, n'auraient pas les étrennes choisies par Adrien, ses larmes silencieuses se muèrent en sanglots bruyants qu'elle tenta d'étouffer en se cachant le visage dans le pli de son coude.

— Mais qu'est-ce qui se passe ? Je peux t'aider ?

Adrien se tenait dans l'embrasure de la porte. Bernadette ne l'avait pas entendu arriver. Elle sursauta, se redressa vivement, le cœur voulant lui sortir de la poitrine. La situation était déjà suffisamment pénible à vivre, elle n'avait pas besoin de témoin en plus.

Surtout pas Adrien.

Sans hésiter, elle essuya maladroitement son visage avec le revers de la manche de sa robe de chambre, heureuse d'avoir pensé à éteindre le plafonnier.

— Y' a rien, ça va aller. Je... j'avais envie d'un thé. J'arrivais pas à dormir.

— Tu es bien certaine que ça va ?

Quelques reniflements ponctuèrent le silence de Bernadette, qui ne savait plus quoi répondre. Pourquoi s'entêter à prétendre que tout allait bien, alors que, visiblement, ça n'allait pas du tout ?

— C'est Marcel, n'est-ce pas ? demanda alors Adrien d'une voix feutrée pour ne pas alerter les enfants.

Il avait entendu la dispute sans en comprendre le sens profond. Que des éclats de voix, et parfois un mot plus précis, qui l'avaient rejoint jusque dans sa chambre. Il avait compris qu'ils parlaient des jouets. Il avait choisi de ne pas s'en mêler, sachant à l'avance que sa présence ne ferait qu'ajouter de l'huile sur le feu, et qu'au bout du compte, malgré la meilleure volonté du monde, c'est Bernadette qui en subirait les contrecoups. Marcel s'en prenait toujours à plus faible que lui. Puis, après un simple marmonnement des voix, il y avait eu un gémissement et le claquement des portes. Le bruit des sanglots de Bernadette l'avait finalement guidé jusqu'à la cuisine.

— Tu veux m'en parler ?

En parler ? Bernadette haussa imperceptiblement les épaules. Parler de quoi et pour dire quoi ? Elle-même n'en savait trop rien. Dire que Marcel était violent parfois et de mauvaise humeur souvent ? Oui, et alors ? Valait peut-être mieux un mari un peu prompt qu'un courailleux ou un ivrogne comme certains qu'elle connaissait. Marcel allait souvent à la taverne, soit, mais il ne se soûlait jamais. De toute façon, ce n'était un secret pour personne que Marcel était plutôt rébarbatif. « Telle mère, tel fils », avait-elle souvent entendu.

Bernadette redressa les épaules et fixa la fenêtre devant elle. La neige tombait serrée. Ce qui lui fit penser à Noël et à la promesse que Marcel lui avait arrachée. Elle poussa un long soupir. Les mots qu'elle allait prononcer pour Adrien lui feraient mal au cœur, c'était certain, elle était tellement heureuse pour ses enfants, mais elle n'avait pas le choix. Elle avait promis de parler à son beau-frère, et si elle ne tenait pas cette promesse, Dieu sait ce que Marcel pourrait encore inventer pour le lui faire regretter. De toute façon, valait mieux en profiter tout de suite, alors que la peur lui donnait un semblant de courage et qu'ils étaient seuls. Demain, au grand jour, avec Évangéline dans le voisinage, Bernadette ne savait trop si elle serait capable de convaincre Adrien du bien-fondé de sa requête. Elle-même y croyait si peu ! Elle prit une profonde inspiration et concentra son regard sur sa tasse de thé.

— Oui, après toute, j'peux ben t'en parler. Même qu'y' faut que j't'en parle. Ce… c'est à cause des cadeaux que t'as achetés. J'pense que finalement, c'est pas une ben bonne idée de donner toute ça aux enfants. Y' vont juste faire des caprices, comme j'ai dit après-midi. J'ai pas envie d'me battre avec eux autres pour des niaiseries.

— C'est vraiment ce que tu penses ?

« Non », eut envie de crier Bernadette. « Oui », aurait-elle dû répliquer.

Pourtant, elle resta muette, consciente que son silence était probablement plus révélateur qu'un mauvais mensonge. Elle savait qu'elle aurait dû riposter, le faire pour donner un peu de crédibilité à ses propos, mais les mots ne passaient pas. Pour se donner une certaine contenance, elle étira le bras pour ramener le sucrier et le pot de petites cuillères jusqu'à elle, et bien que détestant le thé sucré, elle fit tomber une pluie de menus grains blancs dans le liquide ambré qu'elle se mit à brasser avec frénésie pour les faire fondre.

Adrien tendit le bras et poussa l'interrupteur. La lumière vive du plafonnier le fit cligner des paupières. Puis, il s'approcha de la table, tira une chaise et s'installa tout près de Bernadette, sans dire un mot, respectant un silence qu'il avait fort bien compris. Quand la jeune femme en fut à sa troisième cuillerée de sucre, il posa délicatement une main sur la sienne.

— Arrête ! Ce ne sera plus du thé, mais du sirop, si tu continues comme ça.

Bernadette cessa de brasser brusquement, rougissante. Puis, lentement, elle leva les yeux vers Adrien, et pour la seconde fois de cette déconcertante journée qui semblait ne jamais vouloir finir, elle croisa un regard qui s'accordait à ses pensées. Nul besoin de mots ou d'explications pour savoir qu'Adrien avait tout deviné, tout compris. Malgré cela, elle se décida à poursuivre, reprenant là où elle avait laissé.

— C'est vrai que j'ai pas envie d'me battre avec les enfants pour des niaiseries. C'est pour ça que j'aime mieux que tu ramènes les cadeaux au magasin. Je pense que...

Tandis que Bernadette parlait, Adrien n'avait pu retenir le geste de sa main qui vint relever la mèche de cheveux qui tombait devant les yeux de sa belle-sœur. Même ainsi, les yeux bouffis et le nez rouge, il la trouvait jolie.

Quand Adrien repoussa ses cheveux sur son front, Bernadette tressaillit de douleur, échappa une grimace qu'elle aurait voulu retenir.

— Mais veux-tu bien me dire ?

La voix d'Adrien avait changé de registre. De douce et calme, elle était devenue sourde et agressive quand il avait aperçu la coupure que Bernadette affichait à la lisière des cheveux.

— Marcel, n'est-ce pas ?

Bernadette sentit son cœur s'emballer.

— Non, ben non ! lança-t-elle précipitamment, repoussant la main d'Adrien pour replacer sa frange. C'est juste un accident. C'est moé qui est empotée. J'me suis cognée sur le montant du litte en me penchant pour prendre ma robe de chambre.

Bernadette s'écoutait parler, amère. Dieu que le mensonge lui était venu facilement ! Et dire que c'était pour protéger Marcel. « Non, ma belle, c'est pas pour protéger Marcel, pensa-t-elle aussi sec, c'est toé que tu protèges. Toé pis tes enfants. Pis tu l'sais en bâtard, à part de ça ! Trop parler amènerait des problèmes, mais pas juste pour toé. »

— Et l'idée de rapporter les jouets, c'est aussi Marcel, n'est-ce pas ? poursuivait Adrien, sans tenir compte de la pitoyable explication de Bernadette, bien qu'il ne comprenne pas ce qui avait pu pousser son frère à exiger une telle chose.

— Ben voyons donc ! C'est quoi c't'idée-là ?

Bernadette était mal à l'aise. Elle se leva de table pour se soustraire au regard inquisiteur d'Adrien, qui semblait vouloir s'acharner. Machinalement, ses pas la menèrent devant l'évier où elle prit le premier torchon venu pour laver sa tasse. Évangéline détestait que la vaisselle sale s'éternise au fond de l'évier.

— C'est certain que l'idée vient de toi, poursuivait Adrien, sarcastique.

Bernadette entendit le souffle court d'Adrien, tandis qu'il parlait.

— C'est pour cette raison que j'entendais Marcel tempêter et que tu lui répondais sur le même ton ! Tu étais tellement convaincue que vous en êtes venus au coup, Marcel et toi…

Bernadette entendit grincer les pattes de la chaise que l'on repoussait.

— Allons donc, Bernadette ! Ta théorie ne tient pas la route. Si vraiment tu avais changé d'avis, tu m'en aurais parlé, tout simplement. Et Marcel n'aurait rien eu à voir dans tout ça !

Tout en parlant, Adrien avait rejoint Bernadette et il avait posé les mains sur ses épaules. Il la sentait tendue, alors qu'elle rinçait sa tasse à n'en plus finir d'un geste saccadé.

Il eut la brutale envie de la prendre dans ses bras pour lui promettre que Marcel ne lui ferait plus aucun mal. Jamais. Il se retint à la dernière minute.

— Je vais parler à Marcel, se contenta-t-il de dire. C'est insensé qu'il puisse…

Bernadette se retourna brusquement. La panique pouvait se lire dans son regard et les larmes s'étaient remises à couler.

— Oh non ! S'il te plaît ! Pas besoin de parler à Marcel, l'implora-t-elle mettant dans sa voix toute la conviction dont elle était capable. Pour la coupure, c'est juste un accident. J'viens de te l'dire. Pis pour les cadeaux, quand ben même ça serait Marcel qui en veut pas, c'est pareil que si ça serait moé. Après toute, ses idées en valent ben d'autres. Y' a le droit d'avoir ses raisons, pis son orgueil. Finalement, ça, je l'ai compris. J'avais juste à pas m'ostiner avec lui, pis on se serait pas chicanés. C'est toute. Je l'sais qu'y' est malendurant, c'est d'ma faute toute c'qui est arrivé à soir. Jure-moé que tu diras rien. S'il te plaît, Adrien, y' faut pas que…

Ouvrant la porte d'un élan fougueux, Évangéline entra

dans la cuisine, interrompant par le fait même une Bernadette bouleversée qui aurait bien aimé émettre encore quelques arguments pour convaincre Adrien de ne pas parler à Marcel.

— Bingo !

Évangéline jubilait. Secouant son sac à main au-dessus de sa tête, elle enlevait ses bottes et son manteau.

— J'ai gagné le jackpot, viarge ! Y' était pas trop tôt. Depuis l'temps que j'use leu' chaises deux fois par semaine… Cinquante piasses, toé ! C'est pas des maudites folies ! Cinquante belles piasses ! Juste avant Noël, ça s'prend ben, lança-t-elle en accrochant son manteau.

Prenant conscience du peu d'entrain suscité par sa bonne nouvelle, Évangéline se retourna.

— Ben coudon, vous autres, que c'est que vous avez ? On dirait que vous avez pas entendu c'que j'viens de dire.

C'est alors qu'Évangéline se heurta aux paupières rouges et bouffies de sa belle-fille et au regard sombre de son fils.

— Veux-tu ben m'dire c'qui passe icitte, viarge ! Y' a-tu quèqu'un d'mort ?

Évangéline avait déposé son sac à main sur le comptoir et tout en parlant, elle s'approcha de Bernadette et la scruta les yeux mi-clos.

— Tu te vois pas l'allure, ma pauv' fille, on dirait que tu viens de perdre un pain de ta fournée !

Elle recula d'un pas, puis tourna les yeux vers son fils.

— Pis toé, mon garçon, t'as l'air d'un croque-mort. Un peu plus pis j'dirais que tu ressembles aux couettes qui demeurent à côté. Les couettes en moins, comme de raison. Pis ? Que c'est qui s'passe ?

— C'est Marcel.

La voix d'Adrien était chargée de colère. Évangéline leva les yeux au plafond, une lueur amusée sur le visage.

— Marcel ? J'ai l'impression de r'venir en arrière, moé là. Tu disais souvent le nom de ton frère sur ce ton-là, dans l'temps de vot' jeunesse. Que c'est qu'y' a encore faite, le Marcel ?

Adrien hésita une seconde.

— Vous saviez que mon frère était... comment dire ? Que Marcel était un peu rude avec Bernadette ?

La lueur de moquerie disparut aussitôt du visage d'Évangéline, remplacée par un masque impassible.

— Ah ! Ça...

À peine deux mots. Suffisants, cependant, pour qu'Adrien comprenne que sa mère se doutait de quelque chose. À voir son visage hermétique, il eut même l'impression qu'elle cautionnait l'attitude de son frère et cela lui fut intolérable. Il savait que sa mère était une femme froide, endurcie aux secousses de la vie, mais pas à ce point. Il ne put s'empêcher de demander :

— C'est tout ce que vous avez à dire, m'man ?

Évangéline sembla prendre sa question au sérieux. Elle fit mine de réfléchir, fit une moue peu convaincante, hocha la tête, reprit son sac à main et jeta un regard à son fils avant de se diriger vers la porte qui donnait dans le couloir.

— Tu sauras, mon garçon, fit-elle sans se retourner, que ce qui se passe dans la chambre à coucher du monde, ça nous r'garde pas. J'ai pour mon dire que c'est déjà assez dur de vivre à deux sans qu'on aye besoin d'un étranger pour nous dire quoi faire.

Puis, levant un index sentencieux, elle ajouta, tout en s'éloignant dans l'ombre du corridor :

— Pour le meilleur et pour le pire, Adrien ! C'est d'même qu'y' disent ça au matin des noces. Pour le meilleur et pour le pire. Oublie jamais ça !

La porte de sa chambre se referma sur ces dernières paroles.

Adrien soupira.

— Pauvre maman ! On dirait qu'elle n'a pas évolué.

Ses mots restèrent suspendus un court instant dans l'atmosphère tendue de la cuisine, puis s'envolèrent sans que Bernadette n'y donne suite. Dès qu'Évangéline avait cessé de l'examiner, elle était revenue face à la fenêtre, d'où elle regardait machinalement la neige qui tombait de plus en plus dru. Un petit vent s'était levé et soufflait en rafales. Près de la clôture, elle remarqua que les plants de framboisiers étaient à demi cachés. L'hiver était bien là, cette fois-ci.

Bernadette bâilla longuement, fatiguée par cette soirée remplie d'émotions. Puis, la réflexion d'Adrien lui revint en tête, ce qui la fit sourire. « On dirait que ma mère a pas évolué ! » Elle se demanda s'il avait parlé pour lui-même ou pour elle.

— Ta mère a pas tort, tu sais, fit-elle alors en se retournant vers son beau-frère. La vie de ménage, c'est faite de hauts pis de bas. C'est pas toujours facile.

— Mais ce n'est pas une raison pour...

— Oublie toute ça.

Bernadette regardait Adrien droit dans les yeux.

— C'qui s'passe entre Marcel pis moé, ça r'garde Marcel pis moé. C'est ben gentil de ta part de t'en inquiéter, mais c'est pas ça qui va changer le fait que Marcel, c'est mon mari, pis que c'est à moé de prévoir les bosses. Y' a pas juste des défauts, Marcel. C'est un bon travaillant, pis y' a raison quand y' dit qu'y' veut avoir la paix quand y' rentre chez eux. Ben souvent, c'est moé qui fait la pas fine à l'asticoter pour des niaiseries.

Bernadette laissa planer un silence où elle se contenta de

dévisager intensément Adrien. Puis, elle détourna la tête.

— Bon, ben, astheure que j't'ai dit c'que j'avais promis de dire, on va en rester là. Les cadeaux, y' vaudrait mieux les retourner au magasin. Pour le reste, crois-moé, t'as rien de plus à dire ou à faire. On va toute oublier ça, O.K. ?

— Si c'est ce que tu veux.

Bernadette esquissa un sourire las.

— Tu sais, c'que veux, ç'a pas ben, ben d'importance... En autant que les p'tits manquent de rien pis que j'aye la paix dans ma cuisine, le reste...

Bernadette haussa les épaules.

— Le reste, fais-toé-z'en pas pour moé, je saurai ben continuer à m'en accommoder. Astheure, on va aller s'coucher. S'y' fallait que Marcel arrive pis qu'y' nous trouve dans cuisine, toé pis moé, en pyjama, à dix heures passées, y' s'poserait des questions que j'aime mieux qu'y' s'pose pas, même si y' aurait tort. Ça fait que, bonne nuit, Adrien, on se revoit au déjeuner.

Adrien attendit que Bernadette ait regagné sa chambre pour oser le moindre geste. Quand il entendit les quelques bruits suggérant qu'elle venait de se mettre au lit, il s'étira longuement. La dernière heure l'avait épuisé. Cependant, il n'avait pas sommeil. Trop d'idées, trop d'émotions...

À son tour, il mit de l'eau dans la bouilloire, la déposa sur un rond du poêle. Il avait besoin d'un *breuvage* chaud. Quand la tasse fumante fut prête, il éteignit la lumière et emporta son thé dans sa chambre.

« Dans la chambre de Laura, songea-t-il en entrant dans la pièce peinte en rose, à la fenêtre garnie de rideaux en dentelle. Ce n'est plus ma chambre. Ce n'est même plus ma maison. Il est temps que je tire ma révérence avant qu'il ne soit trop tard. »

La lampe, posée sur la table de chevet, baignait la pièce dans une pénombre orangée qui lui fit penser aux reflets d'un coucher de soleil au Texas, quand l'astre du jour, boule incandescente, plonge derrière l'horizon en début de soirée. Cette stabilité d'un soir à l'autre, ce manque de perspectives entre les saisons, qu'il avait tant et tant décrié, toutes ces choses si différentes d'ici lui manquaient tout à coup et d'une manière presque cruelle. Que n'aurait-il donné pour se retrouver là-bas, assis sur la longue galerie qui ceinture la maison, discutant avec Brandon ou Mark de semis et de récoltes, de troupeaux et de mises bas. Au lieu de quoi, il rageait à cause de Marcel, son frère, et en voulait à sa mère de ne pas s'en mêler, elle qui avait toujours le mot pour tout commenter et argumenter.

Et il y avait Bernadette.

Adrien s'assit sur le pied du lit, prit une longue gorgée de thé, le cœur battant la chamade.

Bernadette…

Le regard de la jeune femme, ses yeux remplis de larmes le poursuivaient encore, interpellant en lui une foule d'émotions qu'il aurait préféré ne jamais ressentir envers celle qui était sa belle-sœur. Était-ce à cause de Marcel, de ce qu'il lui faisait subir qu'il se sentait tout à coup fébrile quand il pensait à Bernadette ?

Il n'aurait su répondre. La seule chose dont il était certain, c'est que jamais, auparavant, il n'avait éprouvé avec autant d'intensité l'envie de protéger quelqu'un. Même quand il était à Paris avec Maureen et que la guerre faisait encore rage.

Était-il amoureux ?

Adrien haussa une épaule indécise, comme si quelqu'un avait pu le voir. Le simple fait de se poser la question le contrariait, d'autant plus qu'il ne savait quoi répondre.

Il prit une seconde gorgée de thé.

La tempête sifflait au coin de la corniche et Adrien s'obligea à concentrer ses pensées sur ce bruit de lamentation pour tout oublier de cette soirée qui venait de finir. N'est-ce pas là ce que Bernadette lui avait demandé ? « Pour le reste, crois-moé, y' a rien de plus à dire ou à faire. On va toute oublier ça, O.K. ? »

Oublier…

Adrien poussa un long soupir de colère.

Comment oublier que Marcel est à ce point abject ?

Poussée par le vent, la neige tournoyait en diagonale entre les deux maisons, et dès qu'il levait les yeux, Adrien voyait le ballet étourdissant des milliers de flocons crachés par des nuages opalescents qui donnaient une clarté laiteuse à la nuit. Ce n'était plus une première neige envahie de gentils souvenirs qui dansait à sa fenêtre, c'était l'hiver, le vrai, avec sa froidure et sa rigueur.

C'était l'hiver, comme il l'avait toujours détesté.

Alors, qu'attendait-il pour repartir ? Sa mère était-elle le véritable motif à son refus de quitter Montréal immédiatement ?

Adrien serra sa tasse si fort que sa main se mit à trembler. Quelques gouttes ambrées jaillirent sur la courtepointe fleurie et il les essuya machinalement du bout du doigt en soupirant.

Qu'attendait-il pour retrouver Maureen et les siens ?

C'était peut-être la seule vraie question à se poser.

Et tenter d'y répondre sans trop tricher.

Adrien se releva et vint à la fenêtre. Il plaqua son visage contre la fenêtre pour apercevoir la rue. La fraîcheur de la vitre contre sa joue lui fit du bien, permit d'éclaircir ses idées. Au coin de la maison, les poubelles disparaissaient sous une capuche toute blanche et il n'y avait plus de rue. Elle se confondait aux trottoirs et aux terrains.

— Le grand désert blanc, murmura-t-il en revenant face à la chambre. Un grand désert glacial.

C'est ainsi qu'il avait toujours vu l'hiver : un espace désertique arraché au cours du temps, au cours de la vie. Et dire que là-bas, dans le Sud, il y avait une famille qui l'attendait impatiemment. C'était le mot que Maureen avait employé dans sa dernière lettre, *impatiemment*.

Adrien regarda autour de lui, but le reste de son thé en deux gorgées et déposa la tasse sur la table de travail de Laura. Il était temps que sa nièce retrouve son coin bien à elle. Il était temps qu'il reparte. Sa place n'était plus ici.

La question qu'il s'était posée quelques instants plus tôt revint envahir son esprit.

Était-il amoureux ?

Adrien ferma les yeux sur le vertige qui lui soulevait l'estomac, un mélange de rage contre Marcel et de tendresse pour Bernadette.

Peut-être était-il amoureux de Bernadette. Il n'en savait trop rien. Cette envie d'être avec elle et de la protéger devait bien vouloir dire quelque chose. S'il n'était pas amoureux, il pourrait facilement le devenir. Il suffirait de si peu…

Quand il ouvrit les yeux, Adrien avait pris sa décision. Il devait partir le plus vite possible. La gentillesse de Maureen lui ferait oublier qu'à Montréal, une jeune femme appelée Bernadette avait un jour fait battre son cœur un peu trop vite.

Cependant, il ne quitterait pas Montréal avant d'avoir donné ses cadeaux à Laura et à Antoine.

Malgré les supplications de Bernadette, il ne courberait pas l'échine devant son frère et il se servirait d'Évangéline pour faire passer le message qu'il voulait envoyer à Marcel. Pas question d'attendre au Premier de l'an pour les cadeaux. Chez Évangéline Lacaille, cette année, on allait fêter Noël à l'américaine, et le 26 au matin, il partirait.

Quand Adrien finit par s'endormir, la neige tombait de plus belle et Marcel n'était toujours pas revenu.

CHAPITRE 4

Les amoureux qui s'bécott'nt
Sur les bancs publics
Bancs publics, bancs publics
En s'foutant pas mal du regard oblique
Des passants honnêtes
Les amoureux qui s'bécott'nt
Sur les bancs publics
Bancs publics, bancs publics
En s'disant des « Je t'aime » pathétiques
Ont des p'tit's gueules bien sympathiques

Les amoureux des bancs publics (GEORGES BRASSENS)
PAR GEORGES BRASSENS

26 décembre 1954

— Mononcle Adrien est parti.

Assise sur le lit de Francine, Laura essayait encore de comprendre ce qui venait de se passer chez elle depuis les derniers jours.

— Y' est arrivé comme un cheveu su' la soupe, un bon midi, pis y' est reparti d'la même manière, rien que sur une shire ! lança-t-elle en soupirant. Quand j'me suis levée, t'à l'heure, y' était déjà pus là. Je savais même pas qu'y' voulait s'en aller. J'aurais aimé ça y' dire bonjour avant qu'y' parte.

— On dirait que t'es triste.

Francine ne comprenait pas. Sous ses sourcils froncés, son regard exprimait une grande impatience.

— T'es drôle, toé ! Me semble que t'avais hâte de retrouver ta chambre pis tes affaires, t'arrêtais pas d'en parler, fit-elle en regardant Laura droit dans les yeux. Faudrait petête savoir c'que tu veux.

Laura esquissa une petite grimace.

— C'est sûr que j'avais hâte de ravoir ma chambre. C'est juste que...

Elle ne termina pas sa pensée, incapable de mettre spontanément en mots ce qu'elle ressentait devant les événements. Elle baissa lentement la tête pour ne plus avoir à soutenir le regard interrogateur de son amie. Au bout de quelques instants, cependant, elle la releva brusquement.

— T'es-tu capable de garder un secret, Francine ?

— Ben sûr ! Sais-tu que t'es quasiment insultante en m'disant ça ?

Si les yeux de Francine étaient tout aussi brillants que quelques instants auparavant, leur reflet avait changé radicalement. De l'exaspération, ils étaient passés à l'excitation. À un point tel que Laura dessina une moue méfiante, hésitant à se confier. C'est qu'elle était bavarde, la belle Francine, et Laura avait toujours considéré cette manie de placoter sur tout le monde comme étant le plus grand défaut de son amie. Néanmoins, quelques instants plus tard, sans tenir compte des derniers mots de Francine, Laura répéta après s'être mordillé les lèvres :

— T'es ben sûre que tu diras rien ?

Francine secoua vigoureusement la tête dans un grand geste de négation.

— J'te parle pas d'un secret ordinaire, moé là, poursuivait Laura, fixant son amie intensément, j'te parle d'un secret de famille. S'y' fallait que ma mère apprenne que je t'ai parlé de nos affaires, a' m'arracherait la tête. Pis j'pense même pas à c'que ma grand-mère pourrait me faire endurer !

— Promis, Laura ! lança Francine avec une une véhémence convaincante. J'te jure que j'dirai rien en toute. T'es ma meilleure amie, pis j'ai pas envie d'te perdre.

Francine se leva de sa chaise, où elle se tenait à califourchon, et vint s'asseoir à même le prélart, juste à côté du lit, en gage de son écoute attentive et de sa discrétion. Après une brève minute de réflexion, Laura la rejoignit.

— O.K., d'abord, j'te fais confiance. Mais si jamais tu dis un mot, j'te jure que j'te parle pus de toute ma vie. Bon... C'est pas facile de toute démêler ça. Petête ben que tu vas pouvoir m'aider, pasque chus pas sûre que j'ai toute ben compris.

Laura prit une profonde inspiration.

— Tu te rappelles-tu que j't'avais dit que mon père avait pas l'air ben, ben content de voir mononcle Adrien quand y' est arrivé chez nous ?

Laura parlait à voix basse, sur le ton qu'elle jugeait approprié pour une confidence. Elle avait tellement peur que quelqu'un les entende !

— C'est sûr que j'm'en rappelle ! s'exclama Francine, faisant sursauter Laura. On était assis su' la balançoire, dans cour. C'est l'jour où ton mononcle est arrivé.

— Maudite marde, Francine, parle pas si fort, l'intima Laura, toujours chuchotante, en agitant les deux mains pour que son amie baisse le ton. Toute ta famille va finir par nous entendre pis rappliquer.

Voyant que son amie rougissait de contrition, Laura reprit, toujours à voix basse.

— T'as raison, c'est en plein c'te fois-là ! Ben c'te soir-là, j'me disais que ça finirait par s'arranger. On en avait parlé ensemble, toé pis moé, pis on s'disait que ça se pouvait pas des frères qui s'entendent pas au moins un p'tit peu. Ben, tu sauras, Francine, que ça s'est pas arrangé pantoute. J'dirais même que ç'a empiré.

Laura fit une pause, essayant de trouver les mots qui sauraient expliquer la situation. Au bout d'un instant, son visage s'éclaira.

— Ouais, ç'a empiré. Comme un gros paquet de nuages qui s'empilent dans le coin d'un ciel tout bleu. À un moment donné, l'orage nous tombe dessus, même si on l'avait même pas vu venir. C'est comme ça que c'est arrivé chez nous. Un maudit gros orage que j'avais pas vu venir pantoute.

Francine retint un long soupir d'incompréhension, de peur que Laura ne se taise. Elle avait l'impression que son amie parlait comme un problème de mathématique. Néanmoins, philosophe, elle se dit du même souffle qu'il n'y avait aucun risque pour qu'elle dévoile quoi que ce soit. Elle ne comprenait à peu près rien de ce que son amie essayait de lui raconter.

— Au début, poursuivit Laura sans soupçonner que Francine n'arrivait pas à la suivre, j'pouvais me douter de rien, rapport que j'étais ben que trop en maudit de pus avoir ma chambre. Moé non plus, je l'aimais pas ben gros, mononcle Adrien. Fait que j'trouvais ça normal que mon père y' parle pas. Mais j'ai vite compris qu'y' était pas mal gentil, le mononcle des États. Rappelle-toé le beau costume que j'avais à l'Halloween ! C'est lui qui l'avait inventé. C'est à partir de là, j'cré ben, que j'me suis mis à y' parler. Ma mère pis Antoine, y' ont faite pareil. Pis, que c'est tu veux ! On s'était habitué à l'voir là, avec nous autres. Dans maison, y' avait juste mon père qui parlait pas avec mononcle Adrien. Y' s'arrangeait même pour être dans maison le moins souvent possible. Y' disait qu'y' avait d'la job à boucherie, vu que Noël s'en venait, pis y' repartait travailler quasiment toués soirs après le souper.

Laura fit une pause, choisissant de ne pas spécifier que son père allait fort probablement à la taverne et non à la boucherie comme il le prétendait. Si elle se l'imaginait, c'est parce qu'elle entendait ses parents se quereller régulièrement à ce sujet. Par contre, ce détail, elle jugea qu'il était inutile de le préciser. Il ne changerait rien à l'histoire et Laura était mal à l'aise à l'idée d'accuser son père d'être un ivrogne.

Francine, qui ne voyait toujours pas où son amie voulait en venir, commençait à s'impatienter.

— Ouais, pis ? Ça pas l'air d'une ben grosse chicane, ton affaire ! Icitte avec, y' a des jours ousque j'vois pas mon frère pis c'est pas à cause que...

— Attends, toé ! J'ai pas fini.

Laura ferma les yeux un bref moment, rassemblant ses idées.

— Donc, commença-t-elle en relevant la tête, mon père pis mononcle Adrien se sont pas parlés de l'automne. Presque pas parlé, juste pour des niaiseries comme : « Passe-moé l'beurre. » Tu vois c'que j'veux dire ? Pis j'pensais que ça allait assez ben pour tout l'monde. Que ça avait toujours été d'même entre mon père pis mononcle. Mais j'me trompais ! Ça allait pas ben pantoute ! Pis c'est en plein l'soir du réveillon que toute a éclaté. T'imagines-tu ça, toé ? En plein réveillon, dans l'salon chez nous, la grosse chicane a pogné.

Encore une fois, Laura fit une pause que Francine se

garda bien d'interrompre, férue qu'elle était de potins en tous genres. Malgré la promesse de ne rien dire, elle savait par expérience, qu'un jour pas si lointain, on finirait par en parler de cette fameuse chicane entre les deux frères, et qu'à ce moment-là, elle pourrait se vanter d'avoir été dans le secret. Dans le quartier, les secrets ne l'étaient jamais bien longtemps.

— En réalité, à ben y penser, c'est à la messe de minuit que toute a commencé, reprit Laura, songeuse. La mautadite grande messe qui finit pas par finir.

Emportée par ses souvenirs, Laura se permit une petite digression.

— C'est ben beau, toutes les décorations, les lumières pis la crèche vivante, mais une fois que t'as toute vu, c'est long en mautadine, trois messes de suite. Avant, c'était pas pire, j'pouvais me rendormir, accotée su' ma mère. Mais pus astheure. Quand j'ferme les yeux trop longtemps, ma grand-mère, a' m'pince le bord de l'oreille pour me réveiller. Y' a juste Antoine qui a encore le droit de dormir.

Puis, levant les yeux vers Francine, elle demanda :

— Tu trouves-tu ça long, toé, la messe de minuit ?

Francine esquissa une grimace de dépit.

— Je l'sais pas, rapport que j'y vas jamais.

— Tu vas pas à messe de minuit ?

Laura n'en revenait pas.

— Non ! Mon père y' dit que Serge est encore trop p'tit, pis que ça règle le problème pour astheure. Y' a juste Bébert qui y' va comme servant d'messe. Nous autres, on va à messe le lendemain matin avant le déjeuner, ousque j'mange mon orange de l'année.

Laura en avait oublié ce qu'elle voulait confier.

— Hé ben ! Comme ça, t'as pas vu la crèche vivante?

— Ben non, soupira Francine, qui aurait bien aimé assister à la messe de minuit comme toutes ses amies, qu'elle soit interminable ou pas. Comment veux-tu que je l'aye vue, sainte bénite, j'viens juste de dire que j'étais pas là, lança-t-elle finalement sur un ton acerbe, croyant que Laura faisait exprès pour tourner le fer dans la plaie.

— Pauv' toé ! Ç'a beau être long en mautadine, j'aimerais pas ça pas y aller. Ben, j'vas essayer de t'expliquer... C'est une messe qui dure trois messes, c'est pas mal long, surtout pour nous autres, les filles, pasqu'on a pas l'choix de garder notre tuque su' la tête, pis que ça pique en verrat, mais pour rendre ça plusse endurable, y' a plein de beaux chants, pis de l'orgue, pis plein de servants de messe dans l'chœur de l'église. Ça, tu l'savais déjà, vu que Bébert y va. Chaque année, au début d'la messe, le curé Ferland arrive par le fond de l'église avec un bebé dans ses bras. Un vrai bebé en vie. Pis avant de monter dans l'chœur pour dire la messe, y' va donner l'bebé à une madame déguisée en Sainte Vierge qui attend dans une crèche faite en bois à côté d'un monsieur déguisé en saint Joseph. Ben, tu sauras, que c't'année, en plus de l'ange vivant accroché j'sais pas trop comment dans les airs, c'était Popaul, le p'tit frère à Monique, qui faisait l'ange, on pourra petête y' demander comment y' faisait pour tenir de même, en plusse de lui, y' avait des moutons en vie, toé, avec monsieur Langlois pis son frère qui faisaient les bergers. Des vrais moutons qui se sont mis à bêler en plein pendant que le curé Ferland faisait son sermon. T'aurais dû y' voir la face, au curé ! Même ma grand-mère avait envie d'rire ! Su' l'perron de l'église, après la messe, tout l'monde parlait juste de ça ! Pis, tu sauras, y' avait...

Mortifiée de n'avoir pu assister à une telle représentation, Francine rappela Laura à l'ordre en l'interrompant.

— Ouais, c'est ben beau toute ça, mais ça m'dit pas comment la chicane a pogné, par exemple. C'est toujours ben pas à cause des moutons !

Laura fixa Francine, les yeux ronds comme des soucoupes, comme si elle tombait des nues.

— C'est vrai, la chicane... J'étais en train de l'oublier, celle-là !

Francine haussa une épaule l'air de dire que cette chicane ne devait pas être si importante, s'il avait suffi d'une messe de Noël pour l'oublier. Pendant ce temps, Laura secouait la tête avant de revenir à son amie, une lueur d'interrogation dans le regard.

— Où c'est que j'étais rendue, moé là ?

— T'as dit qu'à ben y penser, toute a commencé à messe de minuit, pis là, tu t'es mis à parler des moutons.

— Les moutons ont pas rapport, fit Laura en balayant l'air de sa main... Astheure, j'me souviens de c'que j'voulais dire... J'pense, non, chus sûre que c'est quand on est arrivés à l'église que toute l'affaire a commencé. Ma grand-mère avait acheté des places comme d'habitude pis...

— Acheté des places ? Depuis quand on achète des places à l'église comme quand on va aux p'tites vues ? J'sais ben qu'y' en a qui payent des bancs, mais des...

— Ben tu sauras que pour la messe de minuit, faut acheter sa place, c'est d'même. Bon astheure, j'vas-tu pouvoir la finir, mon histoire ? Si tu m'arrêtes tout le temps, je pourrai jamais...

— Envoye, vas-y, raconte-la, ton histoire. J'dirai pus rien, j't'écoute.

— O.K... Ma grand-mère avait acheté nos places comme d'habitude. On arrive toujours ben de bonne heure pour pouvoir nous assire le plus en avant possible. Pis on prend toujours la même place dans le banc. Y' a mon père, pis après c'est Antoine, pis après c'est ma mère, pis après c'est moé, pis ma grand-mère vient en dernier. Mais c't'année, quand chus venue pour suivre ma mère dans le banc, mononcle Adrien m'a tassée avec sa main pis y' s'est glissé dans le banc, juste après ma mère. C'est là, juste à c'te moment-là, que j'ai compris que ça allait pas pantoute entre mon père pis mononcle Adrien, pasque mon père a regardé son frère d'une façon... d'une espèce de façon... Tiens, d'une façon comme s'y' voulait y' manger la face. C'est pas mêlant, si mon père avait eu des fusils à place des yeux, mononcle Adrien, y' serait mort drette-là !

— Pourquoi c'est faire que ton père était d'même ? Ton mononcle avait rien faite, y' peut ben s'arrire ousqu'y' veut.

— C'est en plein c'que j'me suis dit. Mais c'est pas toute... À c'te moment-là, moé, ça m'a fait d'la peine. Pasque j'm'étais dit que pour la nuit de Noël, justement, mon père pis mononcle pourraient petête se parler. J'm'étais dit que ça serait l'fun que tout le monde soye de bonne humeur pour une fois. Mais quand j'ai vu les yeux d'mon père, j'ai vite compris que tout l'monde serait pas de bonne humeur. Pas mon père, entécas. Mais le plusse drôle, c'est que j'pense que ma grand-mère a pensé comme moé. Quand j'me suis retournée pour voir si a' l'avait vu la même chose que moé, ben a' l'avait l'air triste, elle avec. A' regardait mon père, pis a' l'avait l'air ben triste. J'ai pas vu souvent ma grand-mère avoir l'air triste, oh non ! J'te dis rien que ça. Avoir l'air bête, oui, ça arrive souvent. Mais triste...

Laura secouait la tête, encore tout étonnée d'avoir pu constater une telle attitude chez sa grand-mère. Puis, elle conclut en disant :

— Après, y' a eu le début d'la messe, pis l'histoire des moutons, pis j'ai oublié les yeux de mon père.

— C'est toute ?

— Pour l'église, oui, c'est toute. Mais si t'avais été là, toé avec, t'aurais compris que c'était ben assez. Après toute, on était dans une église. C'est chez nous, ben plusse tard, que ç'a bardé pour vrai. Ouais, ben plusse tard, pasqu'avant, on a mangé pas mal. D'la dinde avec des atocas, pis des patates avec des p'tits pois, pis d'la bûche avec d'la…

— Aie ! Wo ! toé là ! Tu viendras pas m'faire accroire que tu manges toute ça en plein milieu d'la nuit ? Ça s'peut pas !

— Puisque j'te l'dis ! Ça s'appelle un réveillon.

Francine haussa les épaules, l'air hautaine.

— Je l'sais ben, que ça s'appelle un réveillon, chus pas niaiseuse.

— J'ai jamais dit que t'étais niaiseuse, Francine Gariépy. C'est toé qui m'a traitée de menteuse.

— C'est pas vrai.

— Oui, c'est vrai. Tu voulais pas m'croire que j'ai mangé d'la dinde pis des patates pendant la nuit.

— C'est pasque chez nous, on en mange pas, d'la dinde pis des patates, pendant la nuit. C'est toute. Mais on fait un réveillon quand même, même si on va pas à messe de minuit. On mange pas un souper, par exemple, juste des p'tites bouchées, comme dit ma mère, pis on mange avant minuit, c'est ben sûr, pour pouvoir aller communier à messe le lendemain matin.

— O.K. d'abord, on est quittes… Astheure, je continue.

— C'est ça, continue. J't'écoute !

— Bon, on vient d'finir de manger, pis là, ma grand-mère dit que, pour faire changement, c't'année, on va avoir nos cadeaux tusuite, comme y' font aux États. C'est mononcle

Adrien qui avait demandé ça. Antoine pis moé, ça nous a réveillés ben raide. On était ben d'accord, pasque d'habitude, les cadeaux, on les a juste au jour de l'An.

— Comme chez nous. Ça fait que j'ai pas encore eu mon cadeau.

— Ouais, d'habitude, moé avec, c'est comme ça. Mais pas c'te fois-citte. Moé, je l'ai eu, mon cadeau. Je LES ai eus, pasque c't'année, y' en avait pas juste un, cadeau, tu sauras. Je continue... Ça fait qu'on passe dans l'salon. Pendant le repas, ma mère avait fermé la porte en vitre qui sépare le salon en deux, pis a' l'avait éteint les lumières pour qu'on voit pas c'qu'y' avait dedans. T'aurais dû voir ça, Francine ! Y' avait des tas de cadeaux en dessous de l'arbre de Noël. Pas juste cinq, six boîtes comme chus habituée de voir. Non ! Là, y' en avait partout. Des gros, des moyens, des p'tits... Quand tout l'monde a été ben assis, mononcle Adrien a demandé à ma grand-mère de faire la distribution. Déjà, à c'te moment-là, j'voyais ben que mon père était pas d'accord, vu que c'est lui, d'habitude, qui donne les cadeaux. Mais comme ma grand-mère avait l'air d'accord, elle, mon père a rien dit. Y' s'est calé dans son fauteuil, pis y' a attendu. C't'année, ma grand-mère nous avait acheté des cadeaux, toé ! C'est ben la première fois que ça arrive. À Antoine, à moé, pis à ma mère aussi. J'en r'venais pas. Pis sais-tu c'qu'a' m'a acheté ? Non, tu peux pas l'savoir, pis tu peux même pas l'deviner, c'est trop beau. C'est des patins flambants neu', juste d'la bonne grandeur. Des patins blancs, de fille ! Ma grand-mère appelle ça des patins de fantaisie. C'est l'vendeur qui y' a dit que ça s'appelait comme ça. Ça s'peut-tu ? A' nous a dit qu'a' l'avait acheté nos cadeaux avec une partie de l'argent qu'a' l'a gagné au bingo. Tu sais, l'argent que j't'avais parlé ?

— Ouais.

— Ben c'est avec c't'argent-là. Pis à mon frère, a' y' a donné une mautadine de belle boîte de crayons à colorer. J'pense qu'y' en a au moins cent, des crayons, dans sa boîte. Pis y' sont toutes d'une couleur différente. Pis à ma mère, a' l'a donné une espèce de p'tite machine en métal brillant pour faire des grilled-cheese. Ma mère avait l'air ben surprise, pis ben contente de recevoir c'te cadeau-là. Ça doit être pasqu'a' nous fait souvent des grilled-cheese pour dîner.

— Ouais, pis ? La chicane, elle ? Pasque pour le moment, ç'avait l'air plutôt l'fun, chez vous.

— Jusque-là, oui. C'est après que ça s'est gâché. Quand ma grand-mère a eu fini de nous donner ses cadeaux, mon père s'est levé ben vite, avant que mononcle Adrien le fasse, pis y' a dit que c'était à son tour de nous donner ses cadeaux. J'ai trouvé ça un peu drôle qu'y' parle de même, pasque d'habitude, y' dit que le cadeau, c'est avec not' mère qu'y' l'donne. Pas c't'année. Y' a répété deux fois que c'était lui tu-seul qui avait acheté nos cadeaux. Pour moé, y' avait choisi deux livres d'un monsieur Jules quèque chose, je me rappelle pus son nom. Mais c'est des livres qui parlent d'un voyage en-dessous de la mer, pis un autre qui parle d'un volcan, j'pense. Chus pas une grosse liseuse, j'aime mieux le calcul, mais j'étais quand même un peu contente, vu que c'était des livres neu'. Mon frère, lui, par exemple, y' avait pas l'air vraiment content, même si y' a essayé de pas l'montrer.

— Moé, chus toujours contente quand j'reçois un cadeau, fit remarquer Francine avec une pointe de réprobation dans la voix. J'en ai tellement pas souvent ! Que c'est qu'y' a eu pour pas être content, Antoine ?

— Mon père y' a acheté des billets pour aller voir Maurice Richard au Forum. Mon père, y' avait l'air tellement fier d'y' donner ça, à Antoine. Mais Antoine, y' aime pas ça, le hockey.

— J'sais ça, fit Francine, l'air découragé. J'le comprends pas, ton frère. C'est tellement l'fun, le hockey ! Moé, j'pense que recevoir des billets pour aller voir Maurice Richard pis les Canadiens, ça serait le plusse beau des cadeaux !

— Ben pas pour Antoine. Pis mon père s'en est aperçu finalement. Y' a dit à mon frère qu'y' était temps qu'y' fasse un homme de lui, pis que c'est lui-même en personne qui allait s'en occuper en commençant par l'amener au hockey pour qu'y' comprenne que c'est l'fun. Tu connais mon frère, hein ? S'faire parler raide, y' est pas capable d'endurer ça. Ça fait qu'y' s'est mis à renifler, ce qu'y' fait toujours avant d'se mettre à brailler. Là, mon père a monté l'ton pour y' dire d'arrêter, qu'un vrai homme, ça braillait pas. Qu'y' venait d'avoir sept ans, pis qu'y' était pus un bebé. Ma grand-mère s'en est mêlée en disant que c'était pas une bonne idée de parler de ça durant la nuitte du réveillon. Mon père s'est mis à dire qu'y' ferait ben ce qu'y' voulait avec son fils. Ma grand-mère s'est levée pour y' répondre dans face, pis c'est là que mononcle Adrien a dit à tout l'monde de se calmer, pasque c'était son tour de donner ses cadeaux.

— Ton mononcle vous avait acheté des cadeaux ? laissa tomber Francine avec une convoitise qu'elle n'arrivait pas à camoufler.

— Ben oui ! Pis pas n'importe quoi, tu vas voir ! Quand tu disais qu'y' devait être riche, mononcle Adrien, ben j'pense que t'avais raison, maudite marde. Y' est sûrement riche, mon mononcle des États pour nous avoir donné des cadeaux comme ça. Là, y' a dit en nous r'gardant, Antoine pis moé, qu'y' fallait commencer par les dames, que c'était la politesse, pis qu'après ça serait not' tour. Ça fait qu'y' a donné le cadeau à ma grand-mère, un beau grand châle faite d'une sorte de laine ben douce, pis après, y' a donné celui de ma mère. J'ai trouvé ça comique, pasqu'à ma mère, mononcle a donné une catin. Ça m'a faite rire. Mais ma mère, elle, a' riait pas pantoute. A' l'avait l'air tout drôle quand a' trouvé la catin dans l'fond d'la boîte. C'est là qu'a' m'a dit que c'était pas une catin ordinaire, mais que ça s'appelait une poupée de collection, pis qu'a' l'avait toujours rêvé d'en avoir une quand était p'tite. Même si j'ai jamais aimé ça, les catins, c'est vrai qu'a' l'est ben belle, la poupée de collection de ma mère. Ensuite, mononcle a pris une grosse boîte pour Antoine, pis une grosse boîte pour moé, en disant d'attendre pour qu'on les ouvre en même temps. Quand y' a dit *go*, Antoine pis moé, on s'est mis à déchirer les papiers, pis c'est là que toute a commencé pour de vrai. Quand mon père a vu qu'Antoine avait un train électrique pis moé un pick-up, quand y' a entendu qu'on criait comme des fous tellement on était contents, y' s'est levé d'une traite, pis y' a attrapé ma mère par le bras pour l'obliger à se lever, elle avec. J'ai jamais vu mon père venir rouge de même. J'étais sûre qu'y' allait faire une crise d'apoplexie ! Pis là, y' s'est mis à secouer ma mère comme un pommier, pis à y' dire que toute était d'sa faute. Qu'a' l'avait rien compris, qu'a' comprenait jamais rien de c'qu'y' disait, pis que c'était à cause d'elle qu'on avait des cadeaux qu'on n'aurait jamais dû avoir. Là, laisse-moé te dire que j'comprenais pus rien. Pis que j'comprends toujours pas plusse à matin que c'est qu'ma mère avait à voir avec les cadeaux de mononcle Adrien, pis pourquoi y' avait pas l'droit de nous donner ces cadeaux-là. C'est là, quand mon père secouait ma mère, que la chicane a pogné pour de bon. Mononcle s'est levé, pis y' a poussé mon père en y' disant de s'tasser, pis de laisser ma mère tranquille, qu'a' l'avait rien à voir là-d'dans, exactement comme que j'pensais. Mon père a répondu à mononcle de s'mêler de ses affaires. Mononcle a dit que c'était de ses affaires, vu qu'on parlait de ses cadeaux, pis que jamais y' accepterait de voir une femme se faire malmener. Quand y' a entendu ça, mon père a donné un coup de poing dans l'ventre de mononcle en y' disant de r'tourner chez eux, pasque depuis qu'y' était arrivé, ça faisait juste d'la marde dans sa famille, qu'y' avait pas d'affaire à nous donner des cadeaux plusse beaux que les siens, pis qu'y' avait surtout pas d'affaire à donner un cadeau à ma mère. Pis là, y' a demandé à mononcle si y' était pas amoureux d'ma mère. Voir si ça s'peut, maudite marde ! C'est à ce moment-là que ma grand-mère s'en est mêlée encore une fois en criant à mon père que sa maison, c'était aussi la maison de mononcle, pis qu'y' pouvait rester avec elle aussi longtemps qu'y' voulait, pis que c'était juste un maudit jaloux de penser que ma mère pis mononcle étaient en amour. A' y' a dit aussi que pour les cadeaux, chacun pouvait ben donner c'qu'y' voulait donner à qui y' voulait l'donner. A' nous avait ben donné des beaux cadeaux, elle avec, pis mon père avait rien dit. C'est pour ça que ma grand-mère a rajouté que c'était lui qu'y' avait rien compris en toute. Quand j'ai entendu ma grand-mère parler d'même, j'étais ben d'accord avec elle. Pis pour une fois, j'me sentais fière d'elle. Mais j'pense que mon père pis mononcle écoutaient pas ben, ben c'que ma grand-mère disait, vu qu'y' continuaient à se tapocher, pis à s'pousser, jusqu'à tant que mononcle donne un coup de poing dans face à mon père, pis qu'y' s'mette à saigner du nez comme un cochon qu'on étripe. Pendant c'temps-là, ma mère, elle, a' s'était mis à brailler comme un veau, pire qu'Antoine quand y' veut pas aller jouer dehors, pis a' l'essayait de raisonner mon père en même temps. Mais mon père s'en occupait pas. C'est quand y' a vu qu'y' saignait, qu'y' s'est enfin arrêté de varger sur mononcle Adrien... Y' l'a poussé dans un fauteuil, pis y' est parti. Moé, j'pensais qu'y' était allé dans chambre de bain pour se laver, mais quand j'ai entendu la porte d'la cuisine claquer, j'ai compris qu'y' était parti pour vrai. Finalement, c'est mononcle Adrien qui a consolé ma mère, pasque mon père y' est jamais revenu. Pis laisse-moé te dire que ç'a pris un sapré boutte pour que ma mère arrête de brailler, pasque j'les ai entendus parler dans chambre à ma mère une bonne partie d'la nuitte avant que j'm'endorme. Pis le matin de Noël, mononcle Adrien y' était encore ben fin avec ma mère, pis y' l'a aidée à toute ramasser c'qu'on avait laissé traîner pendant le réveillon. Fallait que ma mère soye ben triste pour qu'y' fasse ça, pasque moé, j'ai jamais vu ça, un homme aider une femme à faire du ménage. Pas mon père, entécas. Pis à matin, j'sais pas encore pourquoi, mononcle y' est parti sans nous dire bonjour. Ma mère pis ma grand-mère sont ben tristes de ça. Pis mon père, lui, ben tu sauras que même à matin, y' est pas encore revenu.

Pendant qu'elle racontait la pénible histoire de son réveillon, les yeux de Laura s'étaient embués. Au moment où elle prononça ses derniers mots, de grosses larmes se mirent à couler sur ses joues. Elle essuya maladroitement son visage du revers de ses mains.

— Pleure pas, Laura, tu vas voir, ton père, y' va revenir, l'exhorta Francine, à la fois désolée pour son amie et mal à l'aise devant ses larmes.

Laura fronça les sourcils, puis pencha la tête. Francine s'était méprise sur le sens réel de ses larmes. Pourtant, Laura n'avait pas envie de la démentir. Elle préférait que son amie suppose qu'elle était triste à cause de l'absence de son père, plutôt que de lui apprendre que, finalement, à son avis, ça serait peut-être bien mieux que son père ne revienne plus à la maison. Depuis l'autre nuit, Laura n'arrivait pas à y penser sans ressentir un spasme de peur au creux de son ventre. Jamais elle ne l'avait vu sous cet angle. Elle savait que Marcel Lacaille n'était pas le plus tendre des hommes et qu'il avait la main plutôt leste, mais à ce point... Laura soupira. En plus, elle détestait savoir qu'elle allait s'ennuyer de son oncle, qui était si gentil avec eux. Ce matin encore, elle ne comprenait toujours pas pourquoi deux simples cadeaux qui rendaient deux enfants heureux avaient pu causer autant de dégâts.

— C'est juste une colère plus grosse que les autres, comme les pères y' font des fois, même si nous autres, on les comprend pas, renchérissait Francine, espérant consoler Laura. Ça arrive dans toutes les familles, tu sauras. Chus sûre qu'y' va revenir dans pas longtemps, ton père. Y' attend petête que ton mononcle s'en aille, à cause de la chicane. Petête qu'y' veut pas avoir un autre coup d'poing dans face !

Laura renifla bruyamment en relevant la tête.

— Ben y' aura pas à attendre longtemps, rapport que mononcle Adrien, y' est déjà parti, conclut-elle, des sanglots dans la voix. Pis d'après c'que j'ai pu comprendre, y' est pas à veuille de revenir chez nous. Juste à voir le caractère de ma grand-mère au déjeuner, j'ai toute deviné. Quand a' nous asticote pour toutes sortes de niaiseries, c'est qu'est pas de bonne humeur ou ben qu'a' l'a d'la peine. À matin, j'pense que c'était les deux en même temps. Mononcle Adrien, y' est r'parti d'où c'est qu'y' était venu, pis c'te fois-là, c'est pour toujours, j'cré ben. J'te l'ai dit : même ma mère avait les yeux rouges au déjeuner. Pis j'la comprends.

— Comment ça, d'la peine ? C'est juste un mononcle que tu connaissais même pas l'été dernier. Me semble que c'est normal qu'y' s'en retourne un jour, non ?

— C'est qu'on s'était habitués à l'voir là, chez nous. Pis quand on l'connaissait comme faut, on pouvait pas faire autrement que d'aimer ça l'avoir avec nous autres. Tu peux pas comprendre, tu l'as juste vu de loin. Mais tu sauras que chez nous, à part mon père, tout l'monde était plusse de bonne humeur quand y' était là. J'vas toujours me rappeler comment c'était quand mononcle Adrien était avec nous autres. Jamais j'vas oublier comment y' était gentil.

— Parle pas d'même, sainte, on dirait qu'y' est mort, ton mononcle Adrien ! À place, pense donc au beau cadeau qu'y' t'a donné.

Francine avait beau vouloir compatir avec Laura, comprendre facilement que c'était désappointant d'avoir vu son Noël gâché par une bataille, à coups de poings en plus, il n'en restait pas moins que le cadeau qu'elle avait reçu lui semblait infiniment plus captivant et important que toutes les chicanes du monde. Francine soupira d'envie. Laura n'avait pas eu un cadeau, mais des cadeaux ! Parce qu'en plus du tourne-disque, son amie avait reçu deux livres et une paire de patins tout neufs, de la bonne pointure, il ne fallait pas l'oublier !

— Que c'est qu'y' t'a donné encore, ton mononcle Adrien ? fit-elle d'un ton qu'elle espérait suffisamment curieux pour changer le cours de la conversation. Chus pas sûre d'avoir ben compris.

Laura ébaucha un sourire à travers ses larmes.

— Un pick-up. Pis t'avais ben compris, Francine Gariépy, niaise-moé pas. Y' est gris pis noir avec un chien qui écoute un gramophone dessiné dessus, pis un autre chien dessiné en dedans du couvert. Pis avec ça, mononcle m'a donné un gros sac rempli de records. Ça, j'te l'avais pas encore dit.

Si Laura n'avait pas oublié la chicane, Francine, elle, à la perspective d'un tas de disques à écouter, venait d'expédier toutes les querelles passées et à venir au plus profond de sa mémoire.

— Des records ? T'es ben chanceuse, toé ! C'est pas à moé que ça arriverait, des affaires de même ! J'ai juste la radio pour écouter d'la musique, pis encore ! Faut que personne aye envie de l'écouter pour que j'aye le droit de m'en servir. C'est pas souvent que ça arrive, rapport que ma mère aime ça, écouter ses programmes en travaillant, pis l'soir, c'est mon père qui écoute le hockey ou ben la boxe ou ben le baseball en anglais, qui vient d'une ville pas mal loin. Faut quand même dire que moé avec j'aime ça écouter le hockey pis le baseball. C'est de qui les records ?

Laura haussa les épaules.

— Ben, j'les connais pas trop. Y' en a un qui s'appelle j'sais pas trop quoi Richard, pis y' en a un autre, j'pense que c'est...

Les yeux mi-clos, Laura fouillait dans sa mémoire.

— J'm'en rappelle pus, constata-t-elle, dépitée. Entécas, y' a un nèg' dessus. Un vrai nèg' qui porte des lunettes de soleil. Les autres, j'ai pas vraiment r'marqué. C'est surtout des chanteurs anglais, pasque c'est mononcle qui les a choisis, pis que dans l'pays ousqu'y' vit, c'est toute en anglais. Chez nous, quand ma mère écoute d'la musique, c'est plusse des chanteurs français comme Tino Rossi ou ben Maurice Chevalier. Les chanteurs anglais, c'est juste dans l'temps de Noël que ma mère les écoute. A' l'aime ben gros Bing Crosby quand y' chante *White Christmas*.

— Comme ma mère.

Un lourd silence s'abattit sur la chambre, interrompu uniquement par le long soupir d'envie de Francine, qui n'en revenait tout simplement pas de la chance de son amie. Quand soudain :

— Francine !

Celle-ci sursauta.

— Bonté divine que tu m'as faite peur. Que c'est tu veux, pour crier de même ?

— Que c'est tu dirais que j'demande à ma mère si j'peux amener mon pick-up chez vous ? C'est un modèle portatif avec une poignée.

— Penses-tu qu'a' va vouloir ?

— J'sais pas trop, mais j'peux y' demander, ça coûte pas cher d'essayer. Si a' dit oui, va falloir que j'fasse deux voyages, par exemple. Le sac de records, y' est vraiment pas mal pesant.

— M'en vas aller t'attendre devant chez Lambert, tusuite après l'dîner, juste au cas où, proposa Francine, tout excitée. Comme ça, t'auras pas à venir jusqu'icitte deux fois... Sainte, que j'aimerais ça que ta mère dise *oui !* J'pourrais même demander à ma sœur Louise de rester avec nous autres, après-midi. Elle, a' connaît ça, les chanteurs anglais, pasqu'a' les écoute chez son amie Irène. A' pourrait petête nous expliquer tes records. Que c'est t'en penses ?

— C'est une mautadite bonne idée, que t'as là. Envoye, amène-toé, tu vas v'nir me reconduire jusqu'au boutte d'la rue. J'ai envie d'en parler tusuite à ma mère. On va jaser de t'ça.

* * *

L'heure du dîner était largement dépassée. Le soleil frôlait le toit du hangar au fond de la cour, dans quelques instants il disparaîtrait complètement, et Bernadette n'avait toujours pas téléphoné à Marcel pour le prévenir du départ d'Adrien. Pourtant, c'était l'entente qu'ils avaient prise, quelques heures après son départ en catastrophe l'autre nuit, quand

Marcel l'avait appelée : elle l'aviserait aussitôt qu'Adrien serait parti, car c'est à cette seule condition que Marcel consentait à revenir. Il n'y avait aucune discussion possible. Il avait raccroché en disant que son ami Bertrand avait accepté de l'héberger en attendant. En cas d'urgence, elle pouvait l'y appeler. Heureusement, elle n'avait pas eu besoin de communiquer avec lui.

Présentement, alors qu'elle revoyait toute la journée dans sa tête, Bernadette n'avait toujours pas envie de téléphoner à son mari pour l'aviser qu'il pouvait revenir.

Ce matin, Adrien était parti.

Très tôt, avant le lever du soleil et le réveil de la maisonnée, il avait quitté la maison. Seule Bernadette avait assisté à son départ, enveloppée frileusement dans sa robe de chambre, appuyée sur le chambranle de la porte de la cuisine. Elle avait si mal dormi que le peu de bruit fait par Adrien avait suffi à la tirer du lit.

Il faisait un froid sibérien. Un nuage de condensation avait envahi l'entrée de la cuisine et le perron, dès l'instant où Adrien avait ouvert la porte. Bernadette avait alors pensé que c'était bien qu'il en soit ainsi. Adrien avait toujours dit qu'il détestait le froid glacial et humide des hivers à Montréal. Le départ lui serait plus facile.

Quand il était sorti, encombré de bagages, Adrien avait quand même pris le temps de déposer une valise et un gros sac à poignées pour lui tendre la pinte de lait que le laitier avait déposée sur la galerie. À cause du froid intense, la crème avait débordé, soulevant le capuchon de carton, et une longue coulée blanche avait figé tout au long de la bouteille. Bernadette avait fait les pas qui la séparaient de la porte extérieure et prenant la pinte gelée par le goulot ; elle l'avait machinalement déposée dans l'évier avant de revenir vers la porte toujours entrouverte. Adrien n'avait pas bougé, comme s'il l'attendait. Bernadette avait alors levé les yeux vers lui et ils s'étaient longuement regardés. De ce regard entre eux qui dit les choses sans avoir besoin des mots. Puis, Adrien s'était penché vers elle et ses lèvres avaient effleuré les siennes. Doucement, presque pudiquement, et Bernadette en avait frissonné.

— Merci pour tout, Bernadette.

Puis, il avait repris sa valise et son sac, et il avait descendu lentement l'escalier couvert de glace. Bernadette avait alors refermé la porte et elle s'était dirigée à pas silencieux vers le salon pour surveiller le départ d'Adrien, une main contre sa joue pour retenir la sensation du baiser le plus longtemps possible.

Ses prières n'avaient pas été exaucées et l'auto de son beau-frère avait démarré au quart de tour. Il était resté longtemps assis dans sa voiture avant de se décider à partir. Bernadette avait même cru, folle espérance, qu'il avait changé d'idée. Puis, le crissement des pneus sur la neige durcie avait écorché le silence du petit matin, et le cœur de Bernadette. Un nuage bleuté avait suivi l'auto jusqu'au coin de la rue, puis s'était dissipé, en partie brouillé par les larmes de Bernadette, qui s'étaient mises à couler sur ses joues sans qu'elle cherche à les retenir. Pourquoi s'en priver puisqu'il n'y avait aucun témoin ? Quand la rue avait repris son immobilisme glacé, elle avait laissé retomber le rideau et s'était dirigée vers sa chambre, le cœur lourd.

Elle avait tenté de se rendormir sans succès, tournant et retournant entre ses draps froissés. Lentement, le jour allongeait ses premières clartés sur l'horizon.

Alors, elle s'était relevée pour venir préparer le déjeuner. Ce matin, elle ferait des crêpes pour contrer la tristesse des enfants. Elle savait qu'ils seraient déçus de ne pas avoir dit au revoir à leur oncle. Quant à Évangéline…

Bernadette avait soupiré.

Hier, le fils et la mère s'étaient longuement entretenus, seuls en tête-à-tête, dans la chambre d'Évangéline. Depuis, Bernadette ne l'avait pas revue.

Le soleil glissait sur le toit de la maison voisine, à hauteur de cheminée. Quelques rayons blafards zébraient la table de la salle à manger, sans pour autant éclairer la cuisine adjacente. Bernadette avait tendu la main pour faire un peu de clarté.

Évangéline savait-elle que son fils était déjà parti ? Sans aucun doute. C'est de cela qu'ils avaient dû parler, hier, et c'était sûrement pour cette même raison que sa belle-mère n'était pas parue au souper.

Bernadette avait sorti le lait, les œufs, un bol.

Et les enfants ? Que diraient-ils, ses enfants ? Le départ d'Adrien ressemblait trop à une fuite pour qu'ils ne s'en rendent pas compte. Iraient-ils jusqu'à lui en parler, eux qui n'avaient rien dit après l'horreur du réveillon ?

Bernadette avait pris le batteur à main dans un tiroir et tiré vers elle le pot de faïence qui contenait la farine.

C'est Marcel qui serait satisfait. Le connaissant comme elle le connaissait, il ferait de ce départ une victoire personnelle.

Bernadette avait cassé les œufs et elle s'était hissée sur la pointe des pieds pour atteindre la tasse à mesurer dans l'armoire, au-dessus de sa tête.

Évangéline aurait sûrement la mort dans l'âme pour quelque temps. En douze ans de vie commune, sa belle-mère n'avait jamais été aussi gentille que depuis ce midi de septembre où Adrien était entré chez elle sans frapper.

Visiblement, elle avait une préférence pour son fils aîné. En avait-il toujours été ainsi ?

Une mesure le lait, quelques grains de sel. Bernadette s'était mise à battre vigoureusement le liquide mousseux.

Et elle ? D'où venaient ces larmes qu'elle espérait ne jamais verser ? Pourquoi tout cet émoi ? Pour une catin qu'elle avait déposée sur le bureau de sa chambre, mais qu'elle devrait faire disparaître avant le retour de Marcel. Pour quelques heures passées trop vite, seule avec Adrien, alors qu'elle avait découvert un homme tendre et doux, capable d'écouter l'histoire d'une vie rarement rose. Pour cet instant de folie qu'elle avait appelé *consolation*. Voilà d'où venait sa tristesse.

C'était la première fois qu'on pensait à lui offrir un cadeau inutile, mais qui faisait plaisir. C'était la première fois qu'elle s'était sentie digne d'importance et jolie. C'était la première fois qu'un homme avait tenu compte de son bien-être.

Bernadette avait essuyé le bord d'une paupière et elle avait pris une mesure de farine pour la faire tomber en pluie légère sur le mélange d'œufs. Puis, elle avait recommencé à battre la pâte.

Qu'allait-elle pouvoir dire à Laura et à Antoine quand ils demanderaient pourquoi leur oncle était parti comme un voleur ? Allait-elle encore une fois être obligée de mentir pour les protéger ? Aussitôt, elle s'était dit que non. La vérité, c'était qu'Adrien était reparti comme elle savait qu'il le ferait un jour. Quoi qu'il ait pu arriver, quoi qu'ils aient pu penser ou ressentir, Adrien devait repartir. La chicane n'avait été que le prétexte, pas la cause. Adrien n'avait pas le choix.

— Pus maintenant, avait-elle murmuré tristement. Y' fallait qu'y' parte.

Bernadette avait rincé le batteur et récupéré la pinte le lait qui avait fini par dégeler. Elle l'avait déposée sur une tablette du réfrigérateur avec le bol contenant la pâte à crêpes. Dans une demi-heure, elle ajouterait une cuillerée d'eau froide et le mélange serait prêt. Puis, elle avait regagné le salon et s'était mise à fixer la rue, espérant que l'auto d'Adrien se matérialiserait, effaçant les dernières heures.

Le déjeuner avait été silencieux. Antoine et Laura n'avaient posé aucune question, se contentant de soupirer quand Bernadette leur avait annoncé que l'oncle Adrien était parti rejoindre les Prescott. Tant mieux. Les explications auraient peut-être été laborieuses.

— C'était normal, qu'y' parte un jour ! avait-elle quand même jugé bon de préciser, autant pour elle que pour eux. Les Prescott, c'est aussi un peu sa famille. Comme pour moé, Évangéline pis Marcel quand chus venue m'installer icitte. C'est quand même gentil d'avoir pensé de rester jusqu'à Noël, non ? Y' aurait pu r'partir ben avant ! Pis c'est là que vous auriez pas eu vos beaux cadeaux. Astheure, assisez-vous, on va manger. J'ai fait d'la pâte à crêpes.

Devant la mine plutôt grise de ses enfants, sans le moindre sourire, même si les crêpes étaient leur déjeuner préféré, elle avait forcé la note, tant pour faire passer sa propre déception que pour les dérider.

— Maudit bâtard, c'est quoi c'te face-là, à matin ? J'viens de dire que j'vous fais des crêpes, pour déjeuner. Ça vous fait pas plaisir ? Ben si c'est d'même, assis-toé pas tusuite, Laura, c'est toé qui vas mettre la table. Ça va t'ouvrir l'appétit. Après, chus sûre que tu vas ben manger. Tu sortiras le sirop d'érable, le vrai, pas le sirop Ol' Time. À matin, j'ai décidé qu'on va manger bon. Après toute, c'est encore le temps des fêtes, verrat ! Antoine, aide ta sœur, ça va te donner faim. Grouillez-vous un peu, ça va t'être prêt dans deux menutes.

L'odeur avait fait rappliquer Évangéline à la cuisine. Elle avait picossé dans son assiette, du bout de la fourchette, tout en reprenant Antoine qui, selon elle, faisait trop de bruit en mangeant :

— Quand c'est que tu vas apprendre à fermer la bouche en mangeant, toé ? J't'entends mâcher jusqu'icitte, viarge. On dirait un bebé de deux ans.

Puis, détournant la tête, elle avait observé Laura.

— Bonyenne que c'est laitte ! T'es peignée comme une vieille fille.

— Toutes mes amies se peignent comme ça ! avait protesté la petite fille, jugeant, bien au contraire, que ses cheveux étaient beaucoup plus beaux relevés sur la tête, et qu'ils lui donnaient un petit air sérieux qu'elle ne dédaignait pas…

— Pis ça ? Si toutes tes amies vont s'tirer dans l'fleuve, tu vas-tu y aller toé avec ? T'as ben l'temps de t'faire des chignons, ma fille. À ton âge, c'est des tresses que tu devrais avoir. C'est plusse beau, plusse propre, pis plusse de ton âge.

Laura n'avait rien rétorqué. Déjà que l'atmosphère était lourde, elle n'avait pas envie d'en rajouter.

Ensuite, Évangéline s'était servi un café et avait regagné sa chambre en maugréant contre le frimas qui givrait les carreaux.

— Maudit hiver à marde ! Encore une journée ousqu'on pourra pas aller dehors. J'haïs ça, j'haïs ça !

Bernadette avait regardé ses enfants en leur faisant un petit sourire de complicité, qui jurait avec ses paupières rougies.

Le fondant des crêpes à l'érable avait tout de même arraché quelques soupirs de satisfaction aux enfants, qui s'étaient dépêchés de filer dès le repas terminé. Laura chez Francine, et Antoine dans sa chambre.

Tout au long de la matinée, Bernadette avait entendu Évangéline se moucher bruyamment. Quand cette dernière était venue la rejoindre à la cuisine pour préparer le dîner, elle avait prétexté le début d'un rhume.

— J'ai dû attraper ça à messe de minuit. J'ai eu frette aux pieds, sans bon sens. J'arrête pas de moucher depuis à matin. Me semble que ça faisait un boutte que j'avais pas eu de rhume de cerveau. J'pensais ben être claire pour c't'hiver avec.

Puis, fixant Bernadette, elle avait froncé ses sourcils broussailleux avant d'ajouter en marmonnant :

— J'ai ben peur de te l'avoir refilé, ma pauve fille ! T'as les yeux toutes rouges, toé avec. Viarge que j'haïs l'hiver !

Bernadette n'avait osé dire que, sur ce point, Adrien ressemblait à sa mère. Tout en pelant les carottes, elle s'était même demandé si ce nom pourrait être prononcé à nouveau, un jour, entre les murs de cet appartement.

Pendant les quelques heures qui venaient de s'étirer à n'en plus finir, au moindre craquement des murs, Bernadette avait sursauté et s'était retournée naturellement, s'attendant à voir Adrien dans l'embrasure de la porte, prêt à l'aider, prêt à jaser avec elle. Hier encore, il l'avait aidée à tout ranger du réveillon, il avait mis la table pour le dîner, avait essuyé la vaisselle après le repas et lui avait proposé d'aller manger des frites chez Albert vers trois heures, quand il était ressorti de la chambre de sa mère, après leur interminable discussion à voix basse.

— Moi, les discussions, ça me creuse l'appétit. Tu viens avec moi ? J'espère seulement qu'Albert a ouvert son restaurant comme il le fait habituellement pour Noël. Savais-tu que ça fait des années qu'il fait ça ? Il dit que c'est à cause de ceux qui sont seuls et qui s'ennuient à Noël. C'est vraiment quelqu'un de bien, Albert. Moi, pour l'instant, j'ai envie d'un gros plat de frites avec beaucoup de ketchup et du vinaigre. Plus un gros verre de Coke bien froid pour accompagner tout ça.

Bernadette avait fait la grimace.

— Yeurk ! Du vinaigre pis du ketchup en même temps.

Néanmoins, elle l'avait suivi en riant. Elle adorait les frites de Chez Albert. Elle adorait être avec Adrien. Elle aurait voulu que ce temps, avec lui, dure pour toute la vie.

Tout comme Évangéline était de bonne humeur, jour après jour, depuis que son fils aîné était revenu.

Par sa seule présence, Adrien avait changé l'atmosphère de la maison, adouci les angles, amélioré les attitudes. Il était lui-même si facile à vivre !

Mais ce matin, Adrien était reparti au bout du monde. Était-ce uniquement parce que Marcel l'avait exigé ou parce que sa vie était en partie ailleurs et qu'il avait estimé que le temps était venu pour lui de partir ? Pourtant, la veille, Bernadette aurait eu toutes les raisons de croire le contraire, même si dans le fond, elle savait que ce n'était qu'une chimère. Un rêve qui n'aura duré que quelques heures.

Dès le repas du midi terminé, Laura était retournée chez son amie, fière comme un paon, chargée comme un mulet, son tourne-disque au bout d'un bras et ses nombreux disques dans un sac pendu à l'autre main.

— Inquiète-toé pas, maman, j'ai pas long à marcher, chargée de même. Francine m'attend devant la maison des Lambert. A' va m'aider à amener toute ça chez elle. Pis promis, j'ramène toute à soir.

— Ouais ! Pis laisse ton pick-up réchauffer avant d'l'allumer. J'pense qu' y' a des lampes, là-dedans. On sait jamais.

— O.K., maman !

Laura aurait promis la lune à sa mère tant elle était

heureuse de pouvoir emporter son tourne-disque chez son amie Francine.

Quant à Antoine, il avait regagné sa chambre, tout heureux d'avoir autant de crayons à sa disposition, et surtout, de n'avoir aucune discussion avec son père, qui aurait sûrement préféré le voir courir dehors pour jouer au hockey. Évangéline, elle, avait décidé de faire une petite sieste.

— Ça devrait aider mon rhume à passer.

Bernadette n'avait osé répliquer que la sieste aiderait surtout à passer le temps. Les heures à dormir sont autant d'heures soustraites à l'ennui et à la tristesse.

Bernadette s'était donc retrouvée seule à la cuisine. Elle avait pris tout son temps pour retirer les couverts, empiler les assiettes sales, sortir le savon et la lavette, faire couler l'eau dans l'évier. Longtemps immobile, debout devant la fenêtre au-dessus de l'évier qui ne laissait entrevoir qu'un fragment de ciel à cause du givre qui l'habillait, les deux mains dans l'eau de vaisselle qui tiédissait et l'esprit vagabondant sur une route inconnue qui descendait vers le Sud, Bernadette s'était demandé si Adrien serait finalement resté avec eux si Marcel et lui s'étaient mieux entendus.

Aurait-elle jamais une réponse à cette interrogation ?

Mais en même temps, Bernadette se doutait bien que la vie n'aurait pu se prolonger indéfiniment telle qu'elle se déroulait depuis l'automne. Surtout pas depuis la nuit de Noël. Trop de choses s'étaient passées, trop d'émotions, trop de découvertes, trop d'interdits…

Bernadette avait soupiré, les yeux encore une fois pleins d'eau. Un homme comme Adrien doit travailler, avoir une femme, des enfants, une maison ou un appartement qui lui appartiennent. Sinon, il risque de faire des bêtises et de prendre des vessies pour des lanternes.

Comme l'autre nuit avec elle...

Toutes ces choses qu'un homme peut espérer de la vie, Adrien les avait déjà au Texas ou presque. Pourquoi aurait-il voulu rester ici ?

Bernadette avait recommencé à frotter les assiettes, à l'instant précis où une petite voix qui ne ressemblait à aucune de celles qu'elle connaissait s'était mise à murmurer en elle qu'Adrien aurait pu vouloir rester pour elle.

— Mais entre le vouloir pis le pouvoir, y' a une moyenne différence, avait-elle murmuré en soupirant, tout en plaçant brusquement les assiettes sur l'égouttoir. Même si y' avait voulu de toutes ses forces rester icitte pour moé, y' pouvait pas. Chus mariée à Marcel, pis ça, c'est une évidence que je ferais mieux de pus oublier. Une fois, c'est déjà ben que trop. Astheure qu'Adrien est parti, va falloir que la vie reprenne comme avant. J'ai pas l'choix, maudit bâtard. Même si ça me tente pas trop, j'ai pas l'choix ! Pis y' a rien qui dit qu'Adrien aurait eu envie de rester pour moé. C'est pas pasqu'on s'entend ben avec sa belle-sœur pis qu'on a envie de...

Bernadette s'était sentie rougir bien malgré elle.

— Pis chus mariée, verrat. Que c'est que j'ai, à midi, d'avoir des pensées d'même ? C'est pas dans mes habitudes d'essayer d'imaginer des affaires qui pourront jamais exister. Ma vie est icitte avec les enfants, la belle-mère, pis Marcel. Faudrait pas que je l'oublie, lui. Après toute, Marcel, c'est mon mari, pis y' a personne qui m'a obligée de l'marier. À moé de m'arranger avec, pis de faire en sorte que les enfants souffrent de rien. Pour Adrien, c'est autre chose. C'que j'pense de lui, ça me r'garde moé tuseule, pis c'qu'y' va faire de sa vie, ça me r'garde pas. C'était mieux qu'y' parte. Je l'sais, pis lui avec, y' l'savait.

— Ma grand foi du bon Dieu, la v'là rendue à parler aux murs, astheure !

Bernadette avait tourné la tête vivement, de plus en plus rougissante, sans trouver de réponse qui aurait pu fournir une explication valable. Pourvu qu'Évangéline n'ait pas compris le sens de ses paroles ! Mais il semblait bien que non. Sa belle-mère la regardait avec une lueur de moquerie presque gentille dans le regard.

— Moé avec, ça m'arrive, tu sauras, lui avait-elle confié, tout en s'emparant du linge à vaisselle pendu à la poignée du fourneau. Quand y' a personne pour nous répondre, c'est c'qui se passe, non ? On se r'trouve à parler tuseule, comme une dinde qui jacasse dans basse-cour. C'est plate, hein, parler dans l'vide ?

Bernadette avait caché son embarras en plongeant le regard et les mains au fond de l'évier pour récupérer les ustensiles qui y restaient. Elle savait bien que cette dernière phrase ne s'appliquait pas uniquement à ce matin.

— C'est vrai que c'est pas mal mieux quand y' a quèqu'un pour nous répondre, avait-elle enfin approuvé en retirant deux ou trois fourchettes de l'eau.

— C'est ben c'que j'me dis, moé avec. Parler dans les airs, ça finit par nous r'tomber su' l'caractère, pis ça finit par nous rendre un brin mauvais. Pis faire semblant de dormir, c'est pas mal la même chose.

Bernadette n'avait pu s'empêcher de lever les yeux pour fixer Évangéline, essayant de comprendre ce qu'il y avait à comprendre derrière cette phrase sibylline.

— R'garde-moé pas de même, j'ai pas l'nez croche, pis t'as ben compris. J'avais pas plusse envie de dormir que d'aller m'tirer dans l'fleuve, comme j'disais t'à l'heure à Laura. C'est juste que… que… C'est juste que je savais pas quoi faire de ma peau. J'm'ennuie d'mon gars, si tu veux savoir, pis j'ai ben peur que j'vas m'ennuyer pour un sacré boutte, rapport que la ville y'ousqu'y' reste, c'est loin en verrat. Mais virer en rond dans ma chambre, ça changera rien à l'ennui, pis ça pourrait me rendre mauvaise. J'ai l'air de rien comme ça, mais j'me connais. Ça fait que j'me suis dit que j'étais aussi ben d'sortir de ma chambre au plus sacrant avant d'me mettre à cracher l'feu. Pis tant qu'à dire les vérités vraies, comme à confesse, ben j'ai pas le rhume non plus. Mais ça, rien qu'à voir ta face, j'pense que tu l'avais deviné.

Bernadette avait souri à sa belle-mère. Nul besoin de réponse, un simple regard avait suffi aux deux femmes pour se comprendre. D'une main experte, elle avait vérifié le fond de l'évier avant de dire :

— C'qui fait que j'ai pas pu attraper vot' rhume, vu que vous l'avez pas. Donc, moé non plus, chus pas malade. Mes yeux rouges d'à matin, ça devait être aut' chose, avait-elle fini par avouer en enlevant la bonde de l'évier.

— Ouais, aut' chose, avait répété Évangéline, songeuse. Mettons qu'on a attrapé le même mal. L'ennui de quèqu'un, ça peut avoir ben des manières de s'montrer, pis ben des raisons pour exister.

Puis, avec un sourire coquin que Bernadette ne lui avait jamais vu :

— Adrien m'a longtemps parlé hier. Pis j'pense qu'y' a ben des affaires que j'ai enfin compris. Comme de pus t'appeler Bedette… Faut quand même admettre que c'est un gars dépareillé, mon Adrien.

Bernadette lui avait rendu son sourire.

— Pour ça, j'peux pas dire le contraire, Évangéline. Des comme lui, smat, pis plein d'attention, y' s'en fait pas beaucoup.

— C'est pas moé qui l'a dit !

Évangéline avait pris une poignée d'ustensiles et se tournant vers un tiroir, elle s'était mise à les essuyer, tout en continuant à parler.

— C'est ben pour dire ! Avoir eu deux gars qui se ressemblent comme deux gouttes d'eau, mais qui sont aussi différents l'un de l'autre que le ciel pis l'enfer. Pis ça, c'est depuis qu'y' sont des bebés, viarge ! Adrien, ça dormait tout l'temps, pis Marcel, ça braillait tout l'temps !

La voix d'Évangéline avait retrouvé son timbre coutumier, brusque et autoritaire. Pourtant, après un bref silence, elle avait ajouté d'une voix lointaine :

— Faut dire que la vie était pas facile quand Marcel était p'tit. Vraiment pas facile. J'ai pas eu ben, ben l'temps de m'en occuper, de c't'enfant-là. Petête que si mon défunt mari était pas mort, ça aurait été ben différent. Ouais, ben différent... Pis petête que si les deux p'tites filles que j'ai eues entre Adrien pis Marcel avaient vécu...

Évangéline s'était tue brusquement, comme si elle avait eu peur de trop en dire. Bernadette n'avait pas osé la relancer. C'était la première fois qu'elle entendait parler de cet épisode de la vie d'Évangéline. Deux enfants, deux filles, probablement mortes en bas âge ou à la naissance...

Bernadette avait fermé les yeux une fraction de seconde. Une simple pensée pour sa Laura et son cœur s'était serré. Submergée par les émotions depuis le matin, Bernadette avait rouvert les yeux précipitamment avant qu'elle ne se remette à pleurer. Elle aurait été beaucoup trop mal à l'aise d'essayer d'expliquer à sa belle-mère que le départ d'Adrien était plus qu'un simple départ à ses yeux, et que depuis le matin, elle avait le cœur dans l'eau pour un oui ou pour un non. Elle avait reniflé discrètement avant de se retourner, tout en essuyant ses mains sur son tablier.

Évangéline était en train de ranger les assiettes dans

l'armoire et lui tournait le dos. Alors Bernadette s'était emparée du linge à vaisselle qui traînait sur le comptoir et s'était mise à tout essuyer vigoureusement, le comptoir, le robinet, le bord de la fenêtre, essayant de concentrer ses pensées sur les gestes qu'elle posait. Peine perdue ! Cette routine, elle la faisait si souvent, si machinalement, que son esprit n'avait rien trouvé de mieux que de retourner sur une route filant vers le Sud, tandis que ses mains frottaient l'évier. C'est pourquoi elle avait violemment sursauté quand la main noueuse d'Évangéline s'était posée sur son bras.

— J'pense que tu l'as assez frotté comme ça. Y' shine comme le bumper d'un char neu' en plein soleil, viarge ! Si tu continues, tu vas l'trouer.

Évangéline avait repris le linge des mains de Bernadette et l'avait suspendu à la poignée du fourneau, avant de regarder tout autour d'elle, visiblement satisfaite de ce qu'elle voyait.

— Je l'aime, ma maison, avait-elle confié. C'est c'que j'disais à Adrien pas plus tard qu'hier. Pas question de partir d'icitte. Pasqu'imagine-toé donc qu'y' voulait m'emmener avec lui pour un voyage au fin fond de son Texas. Mais moé, ça m'tente pas de laisser ma maison comme ça. J'ai travaillé dur pour la garder, mais ç'en valait la peine. Pis sais-tu c'qu'y' me fait le plusse plaisir dans tout ça ?

D'un signe de tête, Bernadette lui avait fait comprendre qu'elle ne devinait pas du tout où elle voulait en venir.

— Ben c'est de savoir que le jour ousque j'serai pus là, c'est toé qui vas continuer à en prendre soin. T'es une bonne fille, Bernadette. Une bonne femme d'intérieur, pis ça pour moé, c'est ben important. Bon, astheure que j't'ai toute dit ça, m'en vas aller changer les draps du litte pour que Laura a' puisse dormir dans sa chambre à soir. J'l'ai trouvé ben blood de passer sa chambre comme a' l'a faite. C'est pour ça que j'ai eu envie d'y' donner des patins neu'.

C'était si étrange d'entendre tous ces compliments couler de la bouche d'Évangéline, que Bernadette n'avait pas bougé d'un poil, sidérée, silencieuse. Mais, pour une fois, Évangéline n'attendait aucune réponse à ses propos. Elle avait donc poursuivi sur le même ton bourru qui cachait bien ses émotions :

— Pis sais-tu c'qui m'ferait plaisir ? avait-elle dit, tout en se dirigeant vers le corridor. Ça serait que tu fasses un pâté avec le restant d'la dinde. Un bon pâté avec des carottes, des p'tits pois, des patates pis d'la dinde, comme de raison, dans une bonne sauce blanche ben épaisse, pis ben goûteuse, comme tu sais la faire avec le restant d'la sauce. Que c'est t'en penses ?

Bernadette avait dû tousser à deux reprises pour arriver à parler tant elle était encore sous le coup de la surprise.

— Ben, j'pense que ça serait une verrat de bonne idée. J'me demandais justement quoi faire avec les restants. Pis en plusse, les enfants aiment ben ça, le pâté au poulet ou ben à dinde. Avec les atacas qui restent du réveillon, ça va nous faire un bon souper.

— C'est c'que j'me disais aussi. Ah oui…

Évangéline était revenue sur ses pas, jusque dans l'embrasure de la porte de la cuisine. Elle hésita un instant puis, regardant Bernadette droit dans les yeux, elle avait ajouté :

— Si c'est pas faite encore, t'es pas obligée d'appeler Marcel tusuite, tu sais. De toute manière, y' doit être à sa job pis ça l'dérangerait. Si t'aimes mieux attendre après l'souper, j'comprendrais ça. Pour moé, ça ferait pas une grosse différence. Bon ben, assez jasé ! M'en vas faire le litte comme j'avais dit.

C'est ainsi que Bernadette avait passé l'après-midi à cuisiner, ce qu'elle aimait bien. Tout l'appartement sentait bon le pâté mis à cuire et la tarte aux pommes qu'elle avait ajoutée au menu.

Le soleil avait fait fondre un peu du givre qui maquillait la vitre et Bernadette admirait le hangar coiffé de neige scintillante. Dans quelques instants, le soleil plongerait derrière le bâtiment de bois grisâtre et la cour serait de plus en plus sombre. Encore un gros mois avant que les jours commencent à rallonger pour la peine. Bernadette soupira en même temps que, par habitude, elle se dit que Laura devait être sur le point de rentrer. D'ici une demi-heure, elle serait à la maison. Sa Laura était une fille de parole. Dès son arrivée, ils mangeraient tous les quatre, Évangéline, les enfants et elle ; après la vaisselle, elle téléphonerait à Marcel. Et si jamais il voulait savoir pourquoi elle ne l'avait pas appelé plus tôt, elle se servirait de l'excuse d'Évangéline : Adrien était parti bien trop de bonne heure pour qu'elle l'appelle à ce moment-là, et par la suite, elle ne voulait surtout pas le déranger à son travail. Si Noël était chose du passé, le jour de l'An, lui, arrivait à grands pas, et cette fête était tout aussi importante, sinon plus. Le Nouvel An, c'étaient les grandes assemblées familiales, et même ici, en ville, plusieurs se faisaient un devoir de célébrer le premier jour de l'année autour d'une table bien garnie, d'où l'importance de ne pas interrompre la journée de Marcel. Il avait sûrement dû être débordé !

Satisfaite de l'explication qu'elle aurait probablement à donner, Bernadette ébaucha un sourire. La grande ressemblance entre Marcel et Adrien qu'elle avait trouvé si déstabilisante lorsque son beau-frère était arrivé devrait, maintenant, l'aider à moins s'ennuyer. Le temps d'un regard et elle pourrait imaginer qu'Adrien était encore là, même si, dans l'attitude, il y avait un monde entre Adrien et Marcel.

Bernadette poussa un second soupir, consciente de la puérilité de sa réflexion. Malgré cela, elle était prête à s'accrocher à n'importe quoi.

Elle ouvrit un tiroir et prit une nappe. Cela devrait faire plaisir à Évangéline de manger sur une belle nappe. Sa belle-mère était une femme pour qui les apparences avaient beaucoup d'importance, et curieusement, ce soir, Bernadette avait envie de faire plaisir à sa belle-mère.

Tout en préparant le repas, Bernadette avait tenté de donner un sens à la nouvelle attitude de cette femme qu'elle croyait bien connaître et qu'elle apprenait à découvrir depuis quelque temps. Était-ce la longue discussion de la veille qui avait porté ses fruits ? Était-ce Adrien qui avait conseillé à sa mère d'être plus avenante ? Probablement. Il n'avait pas son pareil pour dérider Évangéline.

Chose certaine, et de cela Bernadette était de plus en plus convaincue, ce n'était pas l'humeur sombre d'Évangéline qui déteignait sur Marcel, comme elle l'avait toujours cru. C'était plutôt l'inverse qui se produisait. Son mari arrivait régulièrement à faire enrager tout le monde. De là à comprendre que c'était lui qui faisait choquer Évangéline, il n'y avait qu'un tout petit pas à faire. Malheureusement, sa belle-mère avait la rancune longue et facile.

Sans un Adrien pour désamorcer les tensions, Bernadette se demanda ce que serait leur vie désormais. Évangéline redeviendrait-elle la belle-mère acariâtre qu'elle avait toujours connue ? Resterait-elle la femme plus agréable qu'elle était devenue, et ce, malgré l'absence de son aîné ?

Bernadette inspira profondément pour refouler la boule

de chagrin qui lui encombrait la gorge et elle commença à placer les assiettes sur la nappe à carreaux.

Devant elle, comme un interminable chapelet, tous ces mois et toutes ces années à venir ; elle ne savait trop ce qu'elle devait y voir. Ce qu'elle devait en espérer.

D'un côté Marcel, de l'autre, Évangéline, et entre les deux, Laura et Antoine… Puis, au loin, si loin, il y aurait toujours Adrien…

Reprendre la vie là où elle en était, il y a de cela quelques mois à peine, lui semblait impossible, et pourtant, c'est ce qu'elle allait faire. Elle n'avait ni le choix ni le droit d'agir autrement. La vie était ainsi faite.

Plus que jamais, elle ferait de ses enfants le centre de son univers. Comme sa mère l'avait fait avant elle. Comme toutes les femmes avec un cœur à la bonne place le faisaient quotidiennement autour d'elle. Comme Évangéline, probablement, l'avait fait elle aussi, malgré tout ce qu'elle avait pu en penser jusqu'à aujourd'hui.

Bernadette ouvrit un tiroir, prit une pleine poignée d'ustensiles.

Désormais, l'ennui porterait un nom et ce serait celui d'Adrien, mais ici, sous le toit d'Évangéline, et autour d'elle, auprès de ses amies, personne ne le saurait ni même ne s'en douterait. Jamais.

— Calvaire ! Ça sent ben bon icitte !

Bernadette était tellement concentrée sur sa réflexion qu'elle n'avait pas entendu Marcel entrer. Elle en sursauta et échappa les ustensiles qu'elle avait dans les mains. Penser à Adrien à l'instant précis où Marcel entrait la troubla, comme si son mari avait pu lire dans ses pensées.

— Marcel ? Mais que c'est tu…

— Pas contente de m'voir ?

Marcel ne s'était pas déchaussé. Il laissait une trace mouillée sur le plancher tandis qu'il avançait dans la cuisine en regardant tout autour de lui.

— Quand j'ai vu que l'char d'Adrien était pas là, j'me suis dit que c'était en plein l'temps pour venir chercher mon linge pour la job, demain.

— La job ? Demain ?

Bernadette se souvint brusquement que Marcel n'avait pas travaillé aujourd'hui. Il était en congé. L'excuse si facilement trouvée pour ne pas l'appeler, ne tenait plus. Elle se mit à rougir violemment et se détourna pour que Marcel ne le remarque pas.

— Ben oui, la job ! Chus boucher, calvaire. Tu l'aurais-tu oublié ?

— Ben non, Marcel. C'est ben sûr que non. J'avais juste oublié que tu travaillais pas aujourd'hui, c'est toute.

Marcel ne l'écoutait déjà plus. Il regardait le corridor en étirant le cou.

— Y' est où, lui ?

— Qui ça ?

— Fais pas la niaiseuse, calvaire ! J'parle d'Adrien.

Pour gagner du temps, Bernadette s'était penchée pour ramasser la pile d'ustensiles qu'elle avait échappés. Elle répondit sans se retourner.

— Y' est parti.

— Prends-moé pas pour un imbécile, j'haïs ça. Je l'vois ben qu'y' est parti, son char est pas là. J'veux savoir où c'est qu'y' est. Me semble que c'est pas dur à répondre, ça, sacrament.

— Sacrament... C'est nouveau. Ça vient de Bertrand ? J'espère que tu l'diras pas devant nos enf...

La voix de Bernadette était étouffée. À quatre pattes, elle

prenait tout son temps pour récupérer couteaux, cuillères et fourchettes qui avaient glissé sous la table.

— Calvaire que t'es fatiquante. Essaye pas de m'changer les idées. Pis j'parlerai ben comme j'veux. Anyway, les enfants sont pas là. Pis ? Tu vas-tu répondre ? Y' est où, Adrien, pis y' r'vient quand ? J'ai-tu l'temps de manger icitte ou ben y' faut que j'retourne à taverne ? Ça commence à coûter cher en calvaire, c'te sacrament d'histoire-là.

— J'viens de te l'dire, verrat, y' est parti. Chez eux, dans l'Sud.

Bernadette avait repoussé une chaise et elle tendait le bras pour attraper une dernière cuillère qui avait glissé jusqu'au mur sous la table. Quand elle se redressa, elle vit clairement que l'humeur de Marcel vacillait sur deux pôles totalement opposés. Il posait sur elle un regard concupiscent, alors que sa bouche dessinait une moue amère, remplie de colère.

— Calvaire que j'aime ça t'voir à quatre pattes de même, fit-il d'une voix traînante, grossière, esquissant en même temps une grimace qui pouvait passer pour un sourire. Ça m'donne envie de r'venir à maison. Trois nuittes, tuseul dans un litte, c'est long en sacrament. J'étais pas sûr en arrivant, mais là, j'pense que chus content d'être icitte.

Les reins appuyés contre le comptoir, les deux mains posées à plat derrière lui, Marcel détaillait la silhouette de sa femme. Les quelques rondeurs laissées par ses deux maternités n'étaient pas pour lui déplaire. Par contre, il préférait qu'une femme se maquille, chose que Bernadette avait toujours refusé de faire. Marcel ferma les yeux à demi, fixant Bernadette de son regard pâle, imaginant sa bouche d'un beau rouge vif et ses paupières soulignées de noir. Il refit l'ébauche d'un sourire, satisfait de l'image que son imagination lui suggérait. Le maquillage, il en ferait sa priorité.

Maintenant qu'il était de retour, certaines choses allaient changer. Il venait d'avoir trois longues journées pour y réfléchir. Mais avant...

Marcel inspira bruyamment, ramenant les bras devant lui pour les croiser sur sa poitrine. Il redressa les épaules pour dominer Bernadette d'une bonne tête. Il savait que cela l'intimiderait.

— C'que j'trouve moins drôle, par exemple, c'est que tu m'as pas appelé, fit-il remarquer d'un ton menaçant, en faisant un pas vers sa femme. Pourquoi c'est faire que t'as pas téléphoné si Adrien est vraiment parti pour le Sud, comme tu dis ? C'est c'que t'étais supposée faire, comme j'avais demandé, hein Bedette !

— Bernadette, Marcel ! Ta femme s'appelle Bernadette. T'aimerais-tu ça, toé, que j't'appelle Ti-cul pasque t'es l'plus jeune ? Pis si a' t'a pas appelé, Bernadette, c'est pasque j'y' ai dit que j'm'en occuperais. C'est toute.

Debout dans l'embrasure de la porte, Évangéline jetait un regard sombre sur son fils qui venait de tourner vivement la tête dans sa direction. La voix d'Évangéline l'avait fait sursauter, tout comme Bernadette qui buvait les paroles de sa belle-mère. Depuis le matin, elle était en train de découvrir une femme qu'elle ne soupçonnait même pas d'exister. Évangéline Lacaille n'était peut-être pas celle qu'elle croyait. En attendant, celle-ci avait fait quelques pas dans la cuisine sans quitter son fils des yeux. Tout ce qu'Adrien lui avait demandé la veille lui revenait à l'esprit. Elle resta un long moment silencieuse, fixant Marcel, le détaillant à son tour de la tête aux pieds.

— J'étais pas encore prête à te r'voir, tu sauras, précisa-t-elle enfin, alors que Marcel sentait l'impatience lui monter au nez. C'est juste pour ça que Bernadette t'a pas téléphoné.

Ta crise de l'aut' nuitte, en plein réveillon, ben je l'ai encore en travers du gorgoton, imagine-toé donc ! Pis ta maudite jalousie que j'comprends pas avec ! J'pensais que c'était fini, ces simagrées-là. J'pensais que t'étais rendu un homme. Faut croire que j'm'étais trompée. Pis tu l'sais, hein Marcel, tu l'sais que j'haïs ça m'tromper. Ça m'rend de mauvais poil. Pis quand chus de mauvais poil, va donc savoir de quoi chus capable ! J'en parlais justement à ta femme, pas plus tard qu'à midi. J'ai mauvais caractère, mais je l'sais. Ça fait que tu sais dans quoi tu te rembarques en r'venant à maison. C'est ben certain que ta place est icitte avec ta famille, mais pas à n'importe quel prix. J'pense que tu serais mieux de jamais l'oublier. Astheure que t'es là, dégraye-toé. On va manger, j'ai faim.

Évangéline détourna les yeux vers Bernadette.

— Ton pâté sent ben bon, Bernadette, dit-elle en guise d'appréciation, en insistant lourdement sur le prénom de sa belle-fille, bien déterminée à tourner la page, comme elle l'avait promis à Adrien. M'en vas aller chercher Antoine pour qu'y' vienne manger, pis j'vas en profiter pour r'garder les dessins qu'y' a faites après-midi. C'est Adrien qui m'disait comment y' aimait ça, lui avec, dessiner quand y' était p'tit. J'm'en rappelais pus, mais c'est vrai. Même que j'dois avoir une boîte avec quèques dessins dedans, rapport que j'trouvais qu'y' étaient ben beaux. Faudrait ben que j'la r'trouve pour montrer ça à Antoine. J'pense que ton gars y' a attrapé c'te talent-là d'Adrien.

Tout au long du monologue d'Évangéline, Bernadette n'avait pas bougé d'un poil. Elle s'était contentée de fixer Marcel, dont elle avait vu les veines du cou saillir quand sa mère l'avait interpellé. Puis, elle avait détourné le regard quand Évangéline s'était adressée à elle et elle avait entendu

Marcel accrocher son manteau dans l'entrée. Comme d'habitude, il ne répliquerait pas à sa mère. Elle osa croire que c'était bon signe. C'est à cet instant que Laura entra à son tour, butant sur son père qui était à se déchausser. La gamine, encombrée de son tourne-disque et du lourd sac contenant ses disques se mit à rougir violemment, son embarras se mêlant à la rougeur de ses pommettes marquées par le vent cinglant de cette froide journée d'hiver.

— Ah popa ! T'es là.

Marcel se redressa brusquement.

— Ben oui, chus là. Que c'est que tu t'imaginais ? Que je r'viendrais pus jamais ? T'as l'air surprise de m'voir là, sacrament.

Puis, tournant la tête vers Bernadette, il ajouta avec humeur :

— Coudon ! On dirait ben que personne est content de m'voir revenir, dans c'te calvaire de maison-là.

— Ben non, voyons !

Bernadette s'activait, finissant de mettre la table en ajoutant un couvert.

— C'est juste la surprise. Laura est comme moé, pis ta mère avec. On était toutes sûres que t'arriverais juste à soir plusse tard. On avait toutes oublié que t'étais en congé, pis on voulait pas te déranger à job. C'est toute. Astheure, assis-toé, j'm'en vas te servir une belle grosse portion de pâté à dinde. Pis comme y' reste pas ben gros d'atacas, c'est à toé que j'vas les donner, vu que t'aimes ça ben gros. Envoye, Laura, va mettre tes affaires dans ta chambre, lave-toé les mains, pis dis à ton frère pis à ta grand-mère que l'souper est servi.

DEUXIÈME PARTIE

Quelque part entre l'enfance et… autre chose

CHAPITRE 5

Comme l'argile
L'insecte fragile
L'esclave docile
Je t'appartiens
...Si tu condamnes
Jetant mon âme
Au creux des flammes
Je n'y peux rien

Je t'appartiens (Pierre Delanoë / Gilbert Bécaud)
Par Gilbert Bécaud, 1955

14 et 17 septembre 1955

— Je l'sais pas, Francine, si chus contente !

Assises sur une des balançoires de la cour d'école, Laura et Francine profitaient d'une fin de journée particulièrement agréable. En fait, aujourd'hui, l'école avait été de trop sous ce soleil brillant qui ressemblait étrangement à celui de l'été. Côté température, la journée avait été parfaite. Ni trop chaude ni trop froide, un ciel sans nuages et une brise qui frôlait délicatement la peau. Au premier coup de la cloche annonçant la fin des classes, les deux amies n'avaient pas hésité avant de s'élancer vers les balançoires. Elles étaient maintenant promues élèves du groupe des grandes et les finissantes de septième année avaient le droit de profiter de la cour d'école après les heures de classe. Les deux amies en abusaient jour après jour, d'autant plus qu'encore une fois cette année, elles n'étaient toujours pas dans le même groupe. Ainsi, chaque après-midi, à la sortie des classes, c'était la fête de se retrouver.

— Je l'sais pas si c'est une aussi bonne affaire que tu l'dis, poursuivait Laura, sur la défensive, une fesse perchée de travers sur la planche de bois usée, en équilibre sur une jambe ; elle lançait un peu de sable devant elle du bout d'un de ses souliers. Pis j'trouve ça fatiquant en mautadine de pas pouvoir savoir à l'avance si j'vas garder ma chambre à moé tuseule ou ben si j'vas être obligée d'y faire une place.

Francine, qui tourbillonnait sur elle-même, les cordes de la balançoire tortillées au-dessus de sa tête, posa énergiquement les pieds à terre et s'arrêta au bout de quelques instants dans un nuage de poussière qui grisonna ses bas et ses chaussures. Encore étourdie, elle fixa Laura le temps de retrouver ses esprits, puis elle soupira en levant les yeux au ciel, découragée.

— Quand même, Laura ! Tu trouves pas que t'exagères ? Moé, j'partage ma chambre avec Louise pis Vovonne depuis toujours, pis chus pas morte ! C'est pas si pire que ça, tu sais, avoir quèqu'un dans sa chambre.

— Ben non ! lança Laura d'une voix sarcastique, envoyant valser une poignée de cailloux jusque sur leurs sacs d'école, appuyés contre un gros érable à quelques pieds de là. C'est sûr que c'est pas si pire que ça. Sauf que vous passez vot' temps à vous chicaner pour savoir qui va avoir la table de travail, par exemple. Pis en plusse, y' a du linge qui traîne partout! C'est pas mêlant, des fois on sait pus où mettre les pieds tellement qu'y' a des affaires su' l'plancher de vot' chambre.

Vexée, Francine haussa une épaule, comme si elle était indifférente aux propos de son amie.

— C'est pas important, ça, le linge qui traîne! fit-elle du bout des lèvres, ne trouvant aucune autre réponse satisfaisante, puisque Laura n'avait pas tort.

— Ben pour moé, ça l'est, important, tu sauras. J'aime pas ça, le désordre. Chus pas habituée de partager mes affaires, pis chus pas sûre que ça m'tente de l'apprendre à douze ans.

— Presque douze ans, Laura Lacaille! rectifia prestement Francine, d'un ton hautain, trop heureuse de prendre sa revanche sur la remarque désobligeante concernant l'ordre de sa chambre. T'as pas encore douze ans. C'est juste la semaine prochaine, mardi, que tu vas l'avoir!

Laura jeta un regard assassin sur son amie.

— Maudite marde, Francine! On dirait que tu fais par exprès pour m'faire choquer, toé. C'est pas quatre jours de plusse ou ben quatre jours de moins qui va changer le fait que j'ai douze ans. Me semble que ma vie est assez compliquée comme ça. T'as pas besoin d'en rajouter. Pis essaye pas de changer de sujet. Si toé tu veux pas en parler avec moé, avec qui c'est que j'vas pouvoir le faire?

— Avec ta mère petête? suggéra Francine qui n'en revenait pas de voir à quel point son amie pouvait être compliquée parfois.

— Ça m'tente pas, rétorqua Laura, boudeuse. Pis est ben fatiguée depuis quèque temps, ma mère. C'est pas l'temps de l'achaler avec mes histoires. Si j'y' dis, à ma mère, que j'sais pas si chus contente de c'qui nous arrive, j'ai peur que ça y' fasse d'la peine. Pis ça, tu sauras, j'serais pas capable de l'endurer.

— Ben si c'est d'même, t'as juste à te dire que t'es contente, pis arrête d'y penser, sainte bénite ! Depuis l'début d'la semaine, tu parles juste de ça.

— C'est que j'arrive pas à m'faire une idée.

— Saudit, que t'es difficile à suivre, toé ! Des fois, tu dis que t'es contente, que ça va faire changement, que ça serait l'fun d'avoir une sœur, pis d'autres fois, t'es comme là, tu sais pus c'que tu veux. Ça fait des mois que ça dure ! T'es pire qu'un vrai yo-yo. Me semble que c'est pas si compliqué que ça de s'faire une idée : avoir un nouveau bebé dans une famille, c'est une bonne affaire. Point final, comme dit mon père quand y' sait qu'y' a raison. En plusse, c'est ma mère qui l'dit, pis ma mère, tu sauras, a' sait de quoi a' parle, vu qu'on est cinq enfants chez nous.

— Ben petête que chez vous, vous trouvez que c'est une bonne affaire, mais juste à voir, comme ça, me semble pour moé que c'est pas si l'fun que ça. Y' a des fois, chez vous, qu'on s'entend pus penser tellement qu'y' a du bruit.

— Ben tu sauras, Laura Lacaille, que c'est ça, justement, qu'y' est l'fun !

— Ah ouais ?

— Ah ouais ! Même mes chicanes avec Bébert, j'pense que c'est pas mal mieux que de rester dans l'silence pasqu'une grand-mère toujours de mauvaise humeur veut écouter ses saudits de programmes plates dans l'radio.

— Ma grand-mère, tu sauras, est pus toujours de mauvaise humeur. Même que des fois, est presque gentille. Anyway, ç'a même pas rapport avec ma vie, c'que tu viens de dire là.

— Oui, ç'a rapport. C'est toé qui veut rien comprendre depuis un boutte.

— Ben explique-moé ça, d'abord.

Francine prit une longue inspiration avant de commencer.

— C'est juste que c'est plate, être obligée de garder le silence. C'est ben assez d'être obligé de l'faire à l'école toute la sainte journée. Quand j'arrive chez nous, chus ben contente de pouvoir parler pis m'amuser. Ma mère, elle, a' dit jamais qu'on fait trop d'bruit. Quand l'bebé va t'être arrivé, chez vous, toé avec tu vas pouvoir parler pis t'amuser, vu que le bebé, lui, y' va en faire, du bruit, pis ta grand-mère, a' pourra pas toujours le faire taire. Y' est là, le rapport, Laura Lacaille.

— Ouais, vu d'même…

Francine poussa un profond soupir de soulagement. Enfin ! Laura semblait vouloir partager son point de vue !

— C'est juste que tu te rappelles pas comment c'était, ajouta-t-elle, conciliante. T'étais encore trop p'tite pour t'en souvenir quand Antoine y' est arrivé. Mais moé, j'me rappelle très bien du jour ousque ma mère est r'venue de l'hôpital avec Serge. Pis c'te jour-là, figure-toé donc, j'étais contente, pasque ma mère a' l'a voulu que j'le prenne dans mes bras, pis prendre un p'tit bebé dans ses bras, c'est quèque chose de ben spécial. Tu vas voir c'est quoi quand ta mère a' va revenir de l'hôpital. Ça fait que si j'te dis que c'est l'fun avoir un bebé dans maison, ben tu devrais me croire.

— Petête.

La mauvaise foi de Laura était palpable. Son désarroi aussi, mais cela, Francine, du haut de ses douze ans, ne pouvait le comprendre. C'est pourquoi, devant l'entêtement de Laura, elle lança, espérant mettre un terme à une discussion qu'elle jugeait aussi inutile que les cours de mathématiques :

— Quand ben même on en parlerait jusqu'à demain matin, ça changera pas grand-chose à c'qui s'en vient.

D'un coup de talon, Francine s'était donné un élan, et lentement, la balançoire commençait à s'élever dans le ciel de ce beau vendredi de septembre, les attaches grinçant de plus en plus fort dans l'anneau de métal qui les retenaient.

— Va falloir que tu t'y fasses, Laura, déclara-t-elle d'une voix de prédicateur, haussant le ton pour se faire entendre par-dessus l'horrible couinement de poulie que produisait sa balançoire. Dans une semaine ou deux, à peu près, y' va y' avoir un bebé chez vous, que ça fasse ton affaire ou non.

— C'est ben ça l'pire, maudite marde !

Sur ce, Laura se leva et se rendit jusqu'à l'érable pour récupérer son sac d'école. Brusquement, elle n'avait plus envie de parler de cet hypothétique bébé qui leur tomberait dessus dans une dizaine de jours. Elle n'avait même plus envie de voir Francine, bouleversée sans trop savoir pourquoi.

Les deux mains agrippées solidement aux cordes, volant entre ciel et terre, Francine observait Laura, se tordant le cou pour ne pas la perdre de vue, chaque fois que la balançoire s'élevait.

— Où c'est que tu t'en vas ? cria-t-elle, voyant que Laura saisissait son sac et faisait passer la bretelle par-dessus sa tête.

Laura ne répondit pas. Si elle l'avait fait, elle se serait mise à pleurer, comme ça, sans raison, et elle ne voulait surtout pas passer pour un bébé devant son amie. Il y avait déjà suffisamment de bébé dans toute cette histoire.

Elle passa devant Francine sans la regarder.

— Va-t-en pas comme ça, sainte ! Attends-moé, au moins.

Laura approchait de la porte cochère qui donnait sur le trottoir.

— Bonté divine, Laura ! Veux-tu ben m'dire c'qui t'arrive tout d'un coup ?

C'est à peine si Laura esquissa un léger haussement d'épaules pour signifier qu'elle avait entendu Francine qui, à chaque passage de la balançoire, griffait le sol avec la pointe de son soulier pour arriver à s'arrêter. Le nuage de poussière lui montait maintenant jusqu'aux cuisses sans que, pour autant, la balançoire ait suffisamment ralenti pour qu'elle puisse sauter en bas sans risquer de tomber et de s'écorcher les genoux. Alors, jouant le tout pour le tout, voyant que son amie allait passer la porte sans même se retourner, Francine asséna la menace ultime, espérant qu'elle serait suffisante pour arrêter Laura dans son élan :

— Si tu t'en vas comme ça, Laura Lacaille, sans m'parler une miette, ben tu sauras que t'es pus mon amie.

Même cette éventualité calamiteuse ne fit pas ralentir Laura, qui poursuivit son chemin, comme si de rien n'était, la tête haute et le regard braqué droit devant elle. Elle passa sous la porte cochère, son sac passé en bandoulière lui battant le mollet au rythme de toutes les déceptions et les incompréhensions de cette interminable semaine ; puis, elle tourna à gauche et disparut du champ de vision de Francine.

— Ben là… ben là…

Francine était atterrée. La balançoire s'était enfin immobilisée, et pourtant, plutôt que de s'élancer à la poursuite de Laura, elle restait assise, immobile, une main tenant toujours la corde et l'autre, pendant mollement entre ses deux jambes, le regard fixé sur la porte, espérant peut-être que son ex-amie changerait d'avis et reviendrait sur ses pas pour faire la paix. Au bout d'un long moment, Francine dut se rendre à l'évidence : Laura était bel et bien partie.

— Bonté divine ! Est partie sans m'dire bonjour !

s'écria-t-elle, prenant l'érable à témoin. J'en r'viens pas. Y' a pas à dire, c'te bebé-là est en train d'la faire virer folle. Pis en plusse, c'est vendredi. La soirée va t'être longue en saudit, maintenant qu'est pus mon amie !

La mort dans l'âme, regrettant amèrement une menace proférée sans la moindre conviction, Francine prit lentement le chemin du retour. Une cour d'école, quand on s'y retrouve seule, c'est grand, beaucoup trop grand.

Quand Francine tourna le coin de la rue qui menait chez elle, elle aperçut Laura qui était déjà arrivée à l'autre bout de l'impasse. Impulsivement, elle leva le bras pour l'interpeller.

Elles n'allaient toujours bien pas se bouder à cause d'un tout petit bébé de rien du tout qui n'était même pas encore né !

Francine ouvrit la bouche, mais la referma aussitôt, curieusement gênée. En soupirant, elle laissa retomber son bras contre sa tunique. Sans trop savoir pourquoi, elle n'osait relancer son amie. Elle resta un long moment immobile, espérant de tout son cœur que Laura allait se retourner. Peine perdue ! Quand son amie eut disparu au bout de la ruelle tout à côté de la maison d'Évangéline, Francine soupira une seconde fois, le cœur gros, et se dirigea vers chez elle en traînant les pieds.

Ce merveilleux vendredi d'automne allait-il sonner le glas de leur amitié ?

Mais alors que Francine se perdait en divagations de toutes sortes, spectres de solitude insoutenable à l'horizon, Laura, elle, n'avait pas pris la menace très au sérieux. Une amitié comme la leur avait suffisamment d'étoffe pour survivre à cette dernière heure. La menace de Francine ne tenait qu'à un fil. Il suffirait d'un problème de calcul résolu ou un cinq cennes transformé en sac de chips ou en barre de chocolat pour remettre les pendules à l'heure. Pour l'instant, tout ce qu'elle voulait, la jeune Laura, c'était un coin tranquille pour réfléchir, car malgré les apparences, les propos de son amie l'avaient profondément troublée.

Et si Francine avait raison ?

Et si c'était vrai que la présence d'un nouveau bébé, dans une famille, était une source de joie ?

Et, surtout, si c'était vrai que c'est à sa mère qu'elle devrait parler de ses réticences, malgré le risque de la peiner ?

Laura tourna le coin de la maison avec la ferme intention de s'asseoir dans l'escalier d'en arrière, le dos accoté sur les briques chauffées par le soleil pour réfléchir sérieusement aux allégations de Francine. Après, si elle le jugeait à propos, il serait toujours temps d'en parler à sa mère. Elle déposa son sac contre la maison et s'approcha de l'escalier. C'est en mettant le pied sur la première marche qu'elle aperçut Bernadette. Déçue, Laura échappa un léger soupir.

Assise sur une chaise de cuisine qu'elle avait installée sur le perron, les deux mains appuyées nonchalamment sur son énorme ventre, Bernadette semblait dormir, le visage offert à la tiédeur du soleil baissant.

Laura resta immobile, indécise. Elle ne voulait surtout pas déranger sa mère, d'autant plus que celle-ci n'arrêtait pas de se plaindre que le bébé l'empêchait de bien dormir la nuit.

Pourtant, Bernadette ne dormait pas du tout. Qui plus est, elle avait entendu Laura arriver en projetant des cailloux devant elle, puis, elle avait compris qu'elle lançait son sac d'école contre la maison. Elle se l'imaginait, en bas de l'escalier, hésitante. Les contacts entre elles n'avaient plus la spontanéité d'avant, et Bernadette sentit son cœur se serrer.

Était-ce l'âge, était-ce autre chose ?

Bernadette fronça les sourcils sans ouvrir les yeux. Depuis qu'elle avait annoncé sa grossesse, elle avait remarqué les regards que sa fille posait sur elle, remplis d'interrogation, ce qu'elle comprenait fort bien, mais aussi teintés de tristesse, ce qu'elle s'expliquait beaucoup moins.

N'empêche que...

Bernadette inspira longuement, comme plongée dans un profond sommeil. Elle aussi avait connu toute la gamme des émotions quand elle avait compris qu'elle était enceinte. La peur, surtout, avant même les premiers jours de retard dans ses règles. Cette nausée, un certain matin de janvier, et ses seins douloureux... Pour une première fois dans leur vie de couple, ce soir-là, Bernadette avait fait des avances à Marcel, osant mettre ce rouge à lèvres qu'il lui avait offert, jouant du regard et des hanches, espérant que ce serait suffisant. Et ça l'avait été. Marcel en avait perdu la tête. Trois semaines plus tard, quand elle lui avait annoncé qu'elle était de nouveau enceinte, elle avait eu droit à une colère magistrale, certes, mais elle s'y attendait. Par contre, il n'y avait eu aucun soupçon, et c'est tout ce qu'elle avait espéré.

— Maudit calvaire ! Me semble que deux enfants, c'était ben assez. C'est de ta faute, aussi. Si on s'en tenait à c'que moé j'veux, on en serait pas là. Tu pourras toujours ben pas dire l'contraire ! Même si ça t'écœure, comme tu dis, avec ma façon d'faire, j't'aurais pas engrossée.

Puis, il avait soupiré.

— Comme pour Antoine, calvaire ! La même calvaire d'histoire, sacrament !

La grossièreté de Marcel avait blessé Bernadette. Pourtant, elle n'avait pas répondu, l'esprit en partie ailleurs et le cœur complètement fermé à cet homme qu'elle n'aimait plus.

L'avait-elle seulement aimé un jour ?

— Comment c'est que j'vas faire pour élever trois enfants, moé, astheure ? Va-tu falloir que j'travaille jour et nuitte, calvaire ? Maudit sacrament, de viarge ! Toé, là ! Si j'me retenais pas, j'pense que...

Marcel ne voyait que lui, ne pensait qu'à lui. Bernadette avait quitté leur chambre sans lui répondre, sans même finir d'écouter ce qu'il avait à dire, fuyant sa main levée qu'elle savait fort leste quand il était en colère. Pourtant, à trente ans, avec deux enfants à l'école, un mari qu'elle tolérait de moins en moins et une belle-mère pas tous les jours facile, elle aussi considérait que c'était amplement suffisant comme famille.

Le lendemain matin, quand elle s'était retrouvée seule à la maison, elle avait écrit une longue lettre où elle laissait son cœur s'épancher. Cette lettre avait été la première d'une série qu'elle n'avait toujours pas envoyée, cachant ces enveloppes sans adresse sous une pile de sous-vêtements, dans le tiroir que Marcel n'ouvrait jamais. Puis, le quotidien, cette routine dont elle avait parlé avec Adrien, avait revendiqué ses droits, et lentement, l'ennui d'un homme qui resterait toujours inaccessible avait cédé la place à l'espoir de cet enfant à naître.

Comme elle l'avait vécu auparavant avec Laura et Antoine, dès les premiers mouvements du bébé, la magie avait opéré. Elle ne serait plus jamais seule, il y aurait ce tout-petit fait avec amour dans un instant de folie qui n'appartenait qu'à elle. Il y aurait aussi et pour toujours Laura et Antoine, quelles qu'aient été les circonstances de leur conception. Eux aussi, ils avaient été faits par amour, puisque Bernadette les avait désirés plus que tout. Même Évangéline faisait partie de cet avenir qu'elle voulait beau et lumineux, car depuis qu'elle était enceinte, sa belle-mère était de plus en plus gentille avec elle, ce qu'elle n'avait pas été lors de ses grossesses précédentes.

La venue d'Adrien avait changé tellement de choses sous le toit d'Évangéline Lacaille, à commencer par Évangéline elle-même.

Quant à Marcel, il ne serait plus que le mal nécessaire. Elle avait besoin de lui, de cette stabilité qu'il offrait à leur famille. Que deviendrait-elle sans le salaire qu'il touchait chaque vendredi ? Pour ses enfants, ses trois enfants, elle acceptait à l'avance les chicanes et les bousculades, les remontrances et les moqueries. Elle acceptait aussi que le stratagème employé pour le berner devienne habitude entre eux. Le soir, quand les enfants étaient au lit, Bernadette sortait, et de plus en plus régulièrement, le rouge à lèvres vermillon et les souliers à hauts talons que Marcel lui avait offerts récemment, les yeux brillants de concupiscence.

— Maudit calvaire, faut ben que ça serve à quèque chose, que tu soyes enceinte. Au moins, on a pas besoin de faire attention.

Bernadette faisait semblant d'être d'accord. Certaines de ses amies connaissaient pire sort que le sien.

Elle avait traversé le printemps et l'été l'esprit perdu dans des chimères, à se bâtir des scénarios impossibles où la vie était tellement différente de celle de Montréal. Contre toute attente, et faisant écho aux rêveries de Bernadette, Évangéline devisait abondamment d'Adrien. Elle disait que d'en parler l'aidait à moins s'ennuyer. Bernadette en profitait sans vergogne, lui donnant joyeusement la réplique. Après tout, elle était la belle-sœur, l'amie. Personne ne savait, personne ne pourrait jamais savoir.

Tous les matins, durant les premiers mois, elle avait surveillé le courrier, espérant une lettre qui n'était pas venue.

Adrien se contentait de la saluer dans les longues missives qu'il faisait régulièrement parvenir à sa mère. Même si elle était déçue, Bernadette savait que c'était mieux ainsi. Les lettres aussi faisaient partie de ses rêves qu'elle entretenait au fil des jours. Elle retombait les pieds sur terre quand les enfants revenaient de l'école ou du parc. Ils étaient sa richesse et sa raison de vivre.

Et voilà que Laura était là, à quelques pas, n'osant venir jusqu'à elle. Malgré la tristesse qu'elle en ressentait, Bernadette ne bougea pas. Les confidences ne se provoquent pas, elles s'accueillent quand elles sont mûres, comme on cueille une belle grosse pomme rouge à l'automne.

Ainsi, Bernadette attendit, sentant la présence de sa fille, percevant le murmure de son souffle court qui se mêlait à la brise.

Quand le souffle léger devint soupir prolongé, quand le frottement d'une chaussure grattant le bois usé de la marche monta jusqu'à elle, Bernadette comprit que l'heure était venue. Laura voulait qu'elle sache qu'elle était là. Alors, sans ouvrir les yeux, elle demanda :

— C'est toé, Laura ?

Il y eut un silence, puis une voix hésitante.

— Oui, c'est moé… J't'ai pas réveillée, au moins ?

— Ben non ! J'dormais pas, j'me reposais. C'est pas pareil.

Bernadette tourna la tête et se redressa sur sa chaise en grimaçant. Laura se dandinait en bas de l'escalier, sans oser lever les yeux, concentrée sur la pointe de son soulier qui dessinait des arabesques sur le bord de la marche.

— Que c'est tu fais là, plantée comme un coton de blé d'Inde ? Pourquoi c'est faire que tu montes pas ? On dirait que j'te fais peur !

L'idée d'avoir peur de sa mère fit sourire Laura. Quand même ! Intimidée peut-être, surtout depuis qu'elle était enceinte, troublée par cette maternité qui portait en soi une grande part de mystère, et en colère en raison de cet avenir qu'elle ne contrôlait pas, mais elle n'était pas effrayée. Elle leva hardiment la tête et son regard croisa celui de Bernadette. Le sourire s'accentua.

— Ben non, j'ai pas peur de toé. Pourquoi c'est faire que j'aurais peur de ma mère que j'connais depuis toujours ?

Bernadette haussa les épaules.

— J'sais pas. Y' a juste toé qui pourrait répondre à ça.

Laura ferma les yeux à demi sur une brève réflexion.

— C'est vrai, admit-elle enfin. Mais j'ai pas de réponse à t'donner pasque j'ai pas peur de toé.

Laura faillit ajouter que c'était de son père dont elle avait peur depuis l'hiver, mais elle n'osa pas. Ce n'était ni le temps ni l'endroit pour en parler.

Se détournant, Laura attrapa alors son sac d'école par la ganse et se décida à monter l'escalier d'un pas un peu lourd. Allait-elle, oui ou non, finir par avouer tout ce qu'elle avait sur le cœur ? La trop brève réflexion qu'elle venait d'amorcer ne lui avait fourni aucune piste valable. Si, au moins, elle arrivait à s'expliquer à elle-même ce qu'elle vivait, ce serait peut-être un peu plus facile pour en parler avec sa mère. Mais voilà ! Hormis un mal d'être aussi indéniable qu'obscur, Laura ne comprenait pas ce qui lui arrivait. Dire que cela semblait si simple pour Francine ! Durant un court instant, elle envia farouchement la légèreté apparente de son amie, même s'il lui arrivait régulièrement, et de plus en plus souvent, de la trouver un peu superficielle.

Voyant que Laura semblait mal à l'aise, ce qui était franchement nouveau entre elles, Bernadette s'installa le plus confortablement possible sur sa petite chaise droite, et glissant une main dans son dos pour masser ses reins, elle demanda :

— Pas l'air de filer, ma belle ? Ça s'est pas ben passé à l'école ? Pourtant, verrat, c'est vendredi. D'habitude, t'es pas mal plusse grouillante que ça, l'vendredi soir. T'as toujours des tas d'affaires de prévues pour la fin d'semaine… Oh ! J'pense que je l'sais ! Tu t'es chicanée avec Francine. J'vois rien que ça pour te donner l'air caduc de même… Ou ben c'est ta grand-mère qui t'as vue avec elle depuis l'balcon d'en avant, pis a' t'a disputée.

À tendre plusieurs perches, Bernadette se disait que Laura n'aurait qu'à en saisir une si elle voulait lui parler.

— Pantoute. Chus même pas r'venue de l'école avec Francine.

Bernadette exagéra la surprise en ouvrant tout grand les yeux et en se tapant sur la cuisse.

— Ben, maudit verrat, j'avais raison : tu t'es chicanée avec ta meilleure amie. Me semblait, aussi ! D'habitude, vous r'venez toujours ensemble.

Laura hésita, ramenant son regard à la pointe de ses souliers.

— Chicanées, murmura-t-elle en soupirant. On pourrait dire comme ça, ouais. Même si c'est pas vraiment ça.

— Bâtard ! Ça donc ben l'air compliqué, vot' affaire ! J'peux-tu savoir c'qui s'est passé ? Pis assis-toé donc un peu, si on est pour jaser. Ça m'fatique de lever la tête comme ça pour te voir. En plusse, t'arrives juste vis-à-vis l'soleil.

Laura se laissa tomber sur les planches vermoulues de la galerie. Elle recroquevilla les jambes sous les plis de sa tunique et se mit aussitôt à gratter une longue écharde du bout de l'ongle.

— Bon ! Ben là, j'te vois comme faut ! Astheure, tu vas-tu me l'dire, c'qui s'est passé, pour que tu r'viennes tuseule de l'école ?

Le doigt qui grattait le bois s'acharna sur la longue écharde grisâtre tandis que Laura restait silencieuse. C'est à cet instant que le bébé décida de bouger vigoureusement. Bernadette se redressa en jetant les épaules vers l'arrière pour enlever un peu de tension sur sa cage thoracique. Puis, jugeant que le jeu du chat et de la souris avait suffisamment duré, elle se pencha le plus qu'elle le pouvait et elle attrapa le bras de Laura pour poser d'autorité une main crispée sur son ventre rebondi.

— Reste molle un peu, pis attends une menute ! Si tu bouges pas, tu vas l'sentir. Y' gigote comme un mené, le p'tit bonyenne.

C'est alors que Laura sentit la forme d'un petit talon tout rond frôler la paume de sa main, au moment où Bernadette lui expliquait :

— D'habitude, j'aime pas trop ça quand l'monde met la main su' mon ventre, de même. Mais toé, c'est pas pareil.

Laura leva les yeux vers sa mère.

— Pourquoi t'aimes pas ça, pis pourquoi, moé, c'est pas pareil ?

— J'aime pas ça pasque c'te bebé-là, y' est à moé tuseule tant qu'y' est pas sorti de mon ventre. J'pourrais pas t'expliquer ça autrement. C'est comme pour quèque chose qu'on aime beaucoup, vraiment beaucoup, pis qu'on voudrait pas que l'monde jouse avec pasqu'on aurait peur qu'y' le brise.

Laura avait oublié l'éclisse dans la planche de la galerie. Un bras posé sur la cuisse de Bernadette et la main toujours sur son ventre, elle buvait ses paroles.

— Pis si toé, c'est pas pareil, poursuivait Bernadette, consciente qu'elle venait de mettre en lumière une partie du problème qui tarabustait sa fille, ben, c'est pasque toé aussi, t'as déjà été dans mon ventre. On dirait que pour moé, ça t'donne des droits su' c'te bebé-là. Après toute, ça va être ton frère ou ben ta sœur dans pas longtemps, pis j'compte su' toé pour m'aider quand c'est qu'y' va être né.

— C'est vrai ?

— Ben comment, verrat ! Avec Antoine, ton père pis ta grand-mère, on sera pas trop de deux pour y' voir, à c't'enfant-là.

Laura était rouge de plaisir. Brusquement, elle venait de comprendre que non seulement elle ne perdrait pas sa place, mais qu'en plus, elle venait de gagner de l'importance aux yeux de sa mère. C'est à elle qu'elle demanderait de l'aide ! Il avait suffi de quelques mots coulant de la bouche de Bernadette pour que Laura trouve enfin une explication au malaise qu'elle ressentait. Elle avait peur que le bébé prenne toute la place. Francine avait raison. Il n'y avait que sa mère pour dissiper la tristesse qu'elle ressentait.

— J'pensais pas que tu voudrais que je... Oh ! J'pense que j'viens de l'sentir... Ça fait-tu mal quand y' bouge de même ?

— Mal ?

Bernadette éclata d'un long rire tout joyeux, ce rire cristallin qui avait séduit Adrien sans qu'elle ne s'en doute.

— Pas une miette, ma belle. C'est doux comme un p'tit chat qui ronronne.

Laura regarda le visage de sa mère et lui sourit. Puis, son regard glissa jusqu'à son gros ventre, remonta à son visage. Le sourire était toujours aussi franc. Elle se sentait tellement mieux ! Le bébé bougeait toujours contre sa main.

— J'comprends mieux astheure pourquoi tu dis que t'as

d'la misère à dormir. Ça gigote sans bon sens là-dedans.

— Pis ça commence à être pas mal pesant. Y' est temps qu'y' arrive. J'ai hâte.

À ces mots, le visage de Laura se rembrunit.

— Pis si c'est une fille ?

— Ouais ?

Bernadette regardait Laura, les paupières plissées, et ce n'était pas à cause du soleil qui venait de se couler derrière le hangar de tôle grise.

— Pourquoi tu dis une fille su' c'te ton-là, Laura ? Pour l'instant, ça peut aussi ben être un p'tit gars qu'une p'tite fille. J'ai pas de contrôle là-dessus, tu sauras. Mais j'sais par expérience qu'un gars ou ben une fille, c'est aussi fin.

— J'sais ben ! Mais si c'est une fille, m'en vas être obligée d'y' faire d'la place dans ma chambre, par exemple. Pis ça...

— Pis ça, ça te tente pas ! compléta Bernadette, interrompant malicieusement sa fille.

Laura avait retiré sa main.

— Non, c'est vrai que ça m'tente pas. Pas pantoute à part de ça, confessa-t-elle enfin, le regard de nouveau au sol. Chus pas habituée, se justifia-t-elle précipitamment pour atténuer les propos qu'elle venait de tenir. C'est justement en parlant de ça que Francine pis moé on était pas d'accord, pis que chus partie tuseule avant qu'on se chicane pour de vrai. Elle, a' dit que c'est pas si pire avoir quèqu'un dans sa chambre, tandis que moé, chus vraiment pas sûre.

— Si j'te disais que j'pense qu'a' l'a raison, ton amie ? Savais-tu que moé, quand j'étais chez mon père, j'avais quatre sœurs qui partageaient ma chambre ?

— Quatre ? Ça veut dire que vous étiez cinq dans même chambre ?

— Ouais, ma belle. Cinq dans même chambre, pis deux dans l'même litte. Chez nous, y' avait juste deux chambres pour les enfants. Une pour les quatre gars, pis une pour les cinq filles.

— Dans l'même litte ? reprit Laura qui était restée agrippée à cette image. Tu dormais avec une de tes sœurs ? Ben ça, par exemple... Ça doit être écœurant !

Tout en parlant, Laura avait esquissé une moue de dégoût qui suscita aussitôt un geste de reproche chez Bernadette. Elle s'empressa de morigéner sa fille d'une voix sentencieuse, tout en la pointant d'un index impatient.

— Tu sauras, Laura Lacaille, qu'y' a des choses ben pires que ça dans une vie. Là, tu parles d'une chose que tu connais pas. Tu fais juste imaginer c'que ça peut t'être, pis tu y es pas pantoute. Partager sa chambre, c'est pas quèque chose de déplaisant. Ben au contraire. C'est d'même que ta tante Monique pis moé, on a appris à s'connaître. Si a' l'avait eu sa chambre à elle tuseule, pis moé la mienne à côté, avec nos six ans de différence, ben j'pense qu'on serait jamais devenues amies comme on l'est astheure. Tu vois, au boutte du compte, partager sa chambre, ça peut être le fun. Là-dessus, chus ben d'accord avec ton amie Francine. C'est elle qui a raison, pas toé.

Au fur et à mesure que Bernadette parlait, le regard de Laura lançait des éclairs de colère, tandis que son visage se renfrognait. Sa mère lui tenait le même discours que Francine. Si le bébé était une fille, elle n'y échapperait pas, elle devrait partager sa chambre. Laura échappa un long soupir de contrariété, à l'instant précis où Bernadette annonçait :

— Mais, anyway, tu t'en fais pour rien. L'histoire de la chambre, c'est vraiment pas pour tusuite.

Le visage de Laura se crispa d'interrogation, l'éclat de son regard changeant radicalement en l'espace d'une fraction de seconde.

— Comment ça, pas pour tusuite ? demanda-t-elle, méfiante. Y' est pas supposé arriver la semaine prochaine, c'te bebé-là ?

— Pour ça, c'est presque certain qu'y' va nous arriver la semaine prochaine ou l'autre d'après, même si on sait jamais la date précise à l'avance. Mais ça veut pas dire qu'y' va se retrouver dans ta chambre drette de même !

— Ah non ?

— Ben non, voyons ! Demain, ton père va aller chercher le litte à barreaux qui est dans cave, pis y' va le mettre dans not' chambre. C'est là que l'bebé va dormir pendant au moins six mois.

— Six mois ?

— Ouais, six mois, petête même un peu plus. Pis après, comme y' a une bonne différence d'âge entre toé pis l'bebé, j'pense que j'vas l'mettre dans chambre à Antoine, même si c'est une fille.

— Ah ouais ?

— Ouais ! Imagine-toé donc, ma belle, que j'y avais pensé que tu serais pas d'accord d'avoir un bebé dans ta chambre. Pis que même si j'sais que c'est pas désagréable d'avoir quèqu'un dans sa chambre, j'peux comprendre que ça te tente pas. T'es juste pas habituée, comme tu l'as dit. Pis faut quand même pas oublier que l'an prochain, tu vas être rendue au couvent. On rit pus ! Tu vas sûrement avoir plusse de devoirs, pis tu vas avoir besoin d'être tranquille pour étudier.

— Ah ouais ?

Laura avait l'air tellement soulagée qu'un large sourire

illumina le visage de Bernadette, alors que son regard pétillait d'espièglerie.

— Ben coudon, toé, t'aurais-tu désappris à parler ? On dirait que tu sais pus faire des phrases complètes, comme quand t'étais toute p'tite ! R'garde donc ça ! Ah ouais, ah ouais, psalmodia-t-elle moqueuse. Si c'est d'même, le problème de la chambre, y' va être réglé ben vite. Deux bebés filles ensemble, ça serait parfait ! J'aurais pus besoin d'me casser la tête !

Laura éclata de rire.

— Moque-toé pas de moé, moman. Tu l'sais ben comment j'me sens.

— J'pense que oui.

Bernadette avait mis la main sur la tête de sa fille et caressait doucement ses longs cheveux bouclés. L'instant était merveilleux de cette complicité revenue s'imposer naturellement entre elles.

— Pis j'pense avec qu'y' a une Francine qui serait ben heureuse de t'voir arriver chez eux, poursuivit Bernadette sur le même ton un peu moqueur. J'la connais pas ben, ben, rapport qu'a' vient jamais icitte, mais c'que tu m'en dis me laisse deviner qu'a' doit être malheureuse de vot' p'tite chicane. Si tu profitais de c'que l'souper est pas prêt tusuite pour aller y' dire, à ton amie, de pas manger de dessert après son souper, hein ? Que c'est tu penserais de ça ?

De toute évidence, Laura ne voyait pas où sa mère voulait en venir. Elle la regardait avec une interrogation au fond des prunelles.

— J'vois pas trop ben pourquoi j'y dirais ça. C'qu'a' mange pour souper, ça me r'garde pas vraiment. C'est même toé qui me disais de me mêler de mes affaires, l'aut' jour. Anyway, c'est pas d'même qu'on va faire la paix.

— C'est ben sûr qu'en temps normal, t'as pas à te mêler des affaires des autres. Mais si tu y' offres d'aller manger un *sundae* su' Albert, après souper, petête que là, ça te donnerait le droit d'y parler de son dessert, pis qu'a' va t'écouter. Que c'est t'en penses ?

— Un *sundae* ?

Visiblement, Laura était ravie.

— Ouais, un *sundae*, répéta Bernadette, malicieuse. Avec l'argent que j'vas te donner, rapport qu'y' fait beau sans bon sens pis que ça achève, des belles journées de même. Dans pas longtemps, y' va commencer à faire de plus en plus frette, pis on aura pus ben, ben envie d'en manger, des *sundae* su' Albert !

— Ben là, moman !

En moins de temps qu'il n'en faut pour le dire, Laura était debout, son sac d'école à la main.

— J'pense que c'est une mautadine de bonne idée que t'as là, cautionna-t-elle le plus sérieusement du monde. J'sais pas trop si Francine est choquée pour vrai après moé, même si a' m'a dit qu'était pus mon amie, mais c'est sûr qu'avec un *sundae*, a' va déchoquer ben raide.

Laura était déjà dans la cuisine, légère comme une plume.

— J'vas me changer, pis j'y vas drette là ! lança-t-elle par-dessus son épaule. J'vas dire comme toé : avec un *sundae*, ça m'donne le droit d'y parler de son souper. J'vas me dépêcher, pasqu'y' mangent ben de bonne heure, chez les Gariépy.

Bernadette se retenait pour ne pas éclater de rire. Elle trouvait que Laura était drôle, ses réparties coincées entre l'enfance et l'âge adulte, qu'elle cherchait désespérément à imiter. Bernadette était heureuse de la voir ainsi, encore enfant et un peu femme en même temps. Elle poussa un long soupir de bien-être.

— Bonne idée, ma belle ! approuva-t-elle enfin. Le temps

d'y aller, pis not' souper à nous autres va t'être prêt, lui avec. J'ai faite du hachis avec le restant du rôti d'hier.

— Ça va t'être bon ! J'ai faim en mautadine !

La voix de Laura parvenait maintenant depuis le fond du corridor. Deux minutes plus tard, changée de la tête aux pieds, elle ressortait en coup de vent. Bernadette se releva pour la laisser passer, s'attendant à la voir dévaler l'escalier comme elle le faisait habituellement quand elle était pressée de retrouver son amie. Pourtant, cette fois-ci, Laura s'arrêta brusquement sur la troisième marche et resta immobile un long moment. Puis, elle se retourna et regarda Bernadette droit dans les yeux, l'air sérieux.

— Merci, moman ! T'es ben fine de penser à des affaires de même. C'est pas toutes les mères qui font ça. On est chanceux, Antoine pis moé, d'avoir une mère comme toé. Pis le bebé qui s'en vient avec. J'sais pas c'qu'y' m'a pris de pas te parler avant. J'étais comme gênée, mais j'sais pas pourquoi. Astheure, j'pense que j'commence à être contente d'avoir un bebé chez nous. Ouais, répéta-t-elle songeuse, j'pense que ça va t'être ben l'fun un p'tit bebé juste à nous autres.

Laura resta silencieuse un moment, les yeux perdus dans un monde intérieur qui n'appartenait qu'à elle, puis son regard reprit sa vivacité coutumière.

— Bon, ben, astheure, j'file direct chez Francine. J'voudrais pas qu'a' l'aye déjà mangé son dessert. Je reviens tusuite après.

Un sourire flottait encore sur le visage de Bernadette lorsque Laura tourna le coin de la maison sur une patte. Quand sa fille eut disparu, Bernadette se retourna et elle déplaça sa chaise, la déposant délibérément de telle sorte qu'elle soit assise face au sud. Puis, repoussant son ventre vers l'avant, elle s'étira longuement pour détendre les muscles de son dos avant de se rasseoir. La galerie était maintenant plongée dans l'ombre, la clarté du soleil se concentrant en un long harpon de lumière qui déchirait la ruelle en deux. La cime des arbres était teintée de reflets mordorés, et la brise commençait à sentir la feuille morte. Bernadette inspira profondément. Elle avait toujours eu un petit faible pour l'automne. À l'intérieur, dans la cuisine, elle entendait Évangéline qui avait commencé à mettre la table en fredonnant une chanson assez récente qu'elle aimait beaucoup et qui convenait tellement bien à son état.

— Une chanson douce que me chantait ma maman, en suçant mon pouce, j'écoutais en m'endormant, cette chanson douce…

Un sourire fleurit au coin des lèvres de Bernadette. Depuis quelque temps, Évangéline chantait de plus en plus souvent.

À cet instant bien précis, sans compromis ni questionnement, Bernadette était heureuse. Au bout du compte, la vie n'était pas trop dure envers elle.

Laura était une bonne fille et Antoine avait trouvé, en la personne de son professeur de deuxième année, monsieur Romain, un homme sensible et attentionné, capable de le comprendre. Bernadette n'avait que du bien à dire de lui, l'ayant rencontré dans la cour d'école alors qu'elle allait chercher Antoine au début de l'année scolaire. Après les quelques salutations d'usage, monsieur Romain avait adroitement dirigé la conversation vers un sujet qu'il qualifiait d'essentiel pour Antoine.

— Si vous le permettez, madame Lacaille, j'aimerais garder votre fils après la classe, le vendredi. Je crois que je pourrais l'aider à perfectionner ses dessins. J'espère que vous êtes consciente qu'il a un talent rare, n'est-ce pas ?

Que dire de plus ?

Bernadette était aux anges. Elle avait vogué quelques instants sur la vague des belles paroles de monsieur Romain, jusqu'à ce que la réalité de l'abordage ne la rejoigne, lui ramenant brutalement les deux pieds sur terre. Qui dit cours, dit prix à payer, et Bernadette, si elle pouvait se permettre quelques petites libertés comme un sac de chips ou un *sundae* à l'occasion, n'avait pas les moyens d'offrir un cours privé à son fils. Le talent ne faisait pas pousser l'argent aux arbres ! Le temps de digérer l'amertume de la déception, puis elle déclinerait poliment l'offre du professeur, le cœur en miettes, lui avouant bien humblement qu'elle n'avait pas les moyens de payer un cours de dessin à Antoine. C'était bien malheureux, mais elle n'avait pas le choix.

Cependant, elle n'avait eu que le temps d'ouvrir la bouche pour répondre que monsieur Romain la devançait, lui faisant comprendre que toute la classe, « que dis-je, chère madame Lacaille, toute l'école ! » bénéficierait du talent d'Antoine, puisqu'il serait l'unique concepteur et dessinateur des affiches en tous genres, annonçant spectacles et activités de l'école, le tout sous l'habile gouverne de ses conseils avisés.

En contrepartie, avait-il expliqué, les cours seraient gratuits.

Bernadette en était restée bouche bée un long moment, avant de se répandre en remerciements volubiles. Du coup, le petit homme au cheveu rare et au nez démesuré en avait rougi violemment, visiblement dépassé d'avoir provoqué un tel déluge de paroles, ce qui n'améliorait en rien sa physionomie ingrate, mais aux yeux de Bernadette, il s'était métamorphosé en bonne fée !

C'est ainsi qu'en cette belle fin d'après-midi, Bernadette

attendait aussi le retour de son fils qui venait d'assister à son premier cours. Elle avait hâte qu'il lui raconte comment s'était passée cette heure en compagnie de monsieur Romain.

Dans quelques instants, Marcel serait de retour, et tous ensemble, ils pourraient passer à la table. Même si aujourd'hui, elle savait qu'elle n'avait jamais vraiment aimé son mari, ses dix-huit ans s'étant laissés éblouir par son charme, persuadés qu'il s'agissait d'un coup de foudre qui allait durer toute la vie, Bernadette savait reconnaître que leur vie était supportable. C'était grâce à ce même Marcel, parfois brutal, souvent désagréable, si le vendredi, il lui restait quelque menue monnaie à distribuer aux enfants. Bernadette n'était pas une ingrate et savait reconnaître les qualités de son mari. C'était un bon travaillant. Néanmoins, depuis le soir du réveillon, devant cette violence qu'il avait manifestée de façon aussi gratuite qu'inattendue en cette nuit de réjouissances, elle avait peur de lui comme jamais auparavant.

S'il fallait qu'un jour il s'en prenne aux enfants !

Depuis ce jour, surtout depuis le jour où elle avait eu la certitude d'être enceinte, Bernadette disait comme lui pour éviter les confrontations et souscrivait au moindre de ses caprices, cherchant désespérément à lui plaire pour éviter les conflits. Ce qui ne l'empêchait pas, aux moments de solitude comme maintenant, de tourner le regard vers le sud en se demandant ce qu'aurait été sa vie si Adrien n'était pas parti à la guerre. Peut-être bien que ce serait lui qu'elle aurait rencontré chez Albert où elle était serveuse, et Dieu sait ce que sa vie serait devenue…

Fermant les yeux, Bernadette reprit sa rêverie préférée dans laquelle les rues de Montréal, habillée en automne, se mêlaient joyeusement à une campagne imaginaire où les vaches côtoyaient les cactus d'un éternel été.

Il y a un an ou presque, Adrien arrivait du Texas, amenant avec lui un air de fraîcheur et de tolérance qui, miraculeusement, semblait vouloir perdurer. Évangéline n'avait jamais été aussi gentille à son égard que depuis le départ d'Adrien, ce que Bernadette trouvait un brin déconcertant.

Elle en était venue à se dire, après d'intenses réflexions, que l'ennui d'un homme qu'elles aimaient toutes les deux avait permis de tisser des liens que la promiscuité du quotidien n'avait jamais réussi à tramer.

Les yeux fermés, survolant en pensée un large pan de l'Amérique, suivant des routes inconnues qui toutes menaient au Texas, Bernadette tenta d'imaginer ce qu'Adrien faisait à cette heure bien précise. Là-bas, il était quatre heures, une heure de moins qu'ici. Tout comme au Québec, la journée tirait à sa fin. Comme Adrien le lui avait dit, les Prescott avaient l'habitude de prendre un apéritif, assis sur la longue galerie qui ceinturait leur maison, et c'est donc là qu'elle se l'imaginait. Bernadette s'était souvent jointe à cette famille inconnue au cours de l'été qui venait de s'écouler. Elle prenait une chaise et suivait une discussion qu'elle se plaisait à imaginer chaque jour différente, selon ses humeurs. Ce soir, Adrien n'avait d'yeux que pour elle. Bientôt, dans quelques heures peut-être, son enfant allait naître.

Évangéline chantait toujours et Bernadette se laissait bercer par la mélodie et son rêve d'une autre vie.

— Une chanson douce que me chantait ma maman, en suçant mon... Bernadette, tu l'sais-tu, toé, c'est qui qui chante ça ?

Bernadette sursauta, entrouvrit les yeux en fronçant les sourcils.

— J'pense que c'est Henri Salvador, mais chus pas sûre, par exemple.

— Ouais, t'as raison. J'm'en rappelle, astheure. La table est prête. Quand tu voudras manger, t'auras juste à venir me l'dire. M'en vas m'asseoir dans l'salon pour écouter le radio.

Bernadette referma les yeux sans répondre. Encore quelques minutes à elle. À elle et à Adrien.

Machinalement, Bernadette posa la main sur son ventre distendu qu'elle se mit à effleurer de longs gestes circulaires, s'imaginant que la caresse venait d'Adrien. Comme elle venait de le dire à Laura, elle avait l'impression que le bébé ronronnait de plaisir et elle se sentait comblée.

* * *

Durant de nombreuses années, il n'y avait eu que deux endroits dans toute la ville de Montréal où Marcel s'était vraiment senti à l'aise : dans le réfrigérateur, à la boucherie au fond de l'épicerie de Benjamin Perrette et à la taverne du coin, chez Philippe Duclos, que tout le monde surnommait Phil. Marcel fréquentait cette taverne depuis l'âge de dix-sept ans, avec la bénédiction du patron, et contrairement à ce que l'on pourrait croire, ce commerce enfumé avait été sa planche de salut. Le soir, il n'avait plus à vagabonder, désœuvré, dans les rues du quartier pour se soustraire à Évangéline. Il n'avait qu'à se présenter chez Phil pour trouver une table, un verre et une oreille attentive. Phil, tout comme Ben Perrette, lui avait tenu lieu de père et c'était en grande partie grâce à eux si le petit voyou qu'il était n'avait pas poursuivi son chemin sur la pente descendante de la délinquance.

— Tu fais la job d'un homme, t'as l'droit de prendre une draffe comme un homme, avait proclamé Phil de sa voix de stentor, quand le jeune homme s'était présenté chez lui pour une première fois, alors qu'il n'avait pas encore l'âge de fréquenter les débits de boisson. Si les beu' s'amènent, je m'en occupe. M'en vas leur expliquer quèques secrets d'la vie, drette dans le blanc des yeux, pis fie-toé su' moé qu'y' vont comprendre.

À l'un comme à l'autre de ces endroits, Marcel se sentait respecté et apprécié, et on l'écoutait quand il avait quelque chose à dire.

À l'un comme à l'autre de ces endroits, Marcel Lacaille se sentait un homme à part entière, un vrai, comme le disait si bien Phil.

Et depuis un an, l'agrément d'être assis derrière le volant de son auto s'était greffé au plaisir indéniable qu'il avait de se rendre à la taverne, le soir, après une longue journée d'ouvrage et à celui, tout aussi réel, d'être dans sa boucherie. Maintenant, l'horizon des plaisirs de Marcel lui semblait infini, d'autant plus qu'il avait régulièrement droit aux regards envieux de ses amis. Son Dodge beige et brun avait suscité bien du bruit dans le quartier et il faisait encore jaser les jaloux.

Marcel buvait du petit lait!

S'il s'était marié à vingt ans, et ce n'était un secret pour aucun de ses amis, c'était pour éviter l'armée. S'il avait choisi Bernadette parmi tant d'autres, c'était qu'elle le dévorait des yeux chaque fois qu'il allait Chez Albert, qu'elle était assez jolie pour attirer le regard des hommes et que, contrairement aux filles du quartier, elle ne connaissait rien de son passé de bagarreur. Les fréquentations n'avaient duré que deux mois, sous le regard indifférent d'Évangéline, et la cérémonie avait eu lieu à Saint-Eustache, par un matin de grand froid, dans l'église paroissiale qui avait vu grandir la petite Bernadette depuis son baptême. Le voyage de noces s'était résumé à un aller vers Saint-Eustache en train, la veille au soir, et à un retour à Montréal, le samedi en fin d'après-midi, en compagnie d'une Évangéline profondément endormie sur la banquette d'un taxi loué.

Dépité, Marcel avait vite compris que le mariage n'était pas fait pour lui, et qu'en plus, il ne suffirait pas pour éviter la conscription.

La lettre de l'armée était arrivée par un froid matin de mars.

Son patron était alors intervenu et avait réussi à faire décréter que le travail de son employé était essentiel à la survie de leur quartier, d'autant plus que la viande était rationnée et ne s'achetait plus qu'avec des coupons. Il fallait un bon boucher, expert en son domaine, pour arriver à satisfaire tout le monde malgré les restrictions. Marcel était son homme, il n'en démordait pas. Pour avoir la paix, l'armée avait consenti à laisser Marcel tranquille.

Même sans bague au doigt, le jeune Marcel aurait donc pu rester à Montréal et éviter la conscription. Il en avait écumé pendant deux semaines, enseveli sous les quolibets de ses amis qui s'étaient payé sa tête.

Mais le mal était fait. Et doublement fait, puisque à son grand malheur, Bernadette était déjà enceinte de trois mois.

La naissance de Laura n'avait rien changé à l'attitude de Marcel qui subissait son mariage sans grand enthousiasme. Pour lui, les femmes servaient au sexe et à l'entretien de la maison. Pour le reste, elles n'étaient qu'un paquet de troubles avec leurs envies de discussion et leurs états d'âme. Bernadette, sur ce sujet, était probablement la pire de toutes celles qu'il avait connues. L'exemple de sa mère qui s'était battue pour réussir sa vie et les élever, Adrien et lui, sans la présence de leur père, ne changeait rien à sa philosophie, et la naissance de sa fille, bébé énergique et bruyant, était venue le conforter dans sa vision des choses : les femmes étaient différentes des hommes à bien des égards, il ne les comprenait qu'à moitié et il n'avait l'intention de s'y frotter qu'au besoin. À ses yeux, Laura ne serait donc qu'une bouche de plus à nourrir avant d'avoir à payer le gros prix pour la marier.

Puis, quelques années plus tard, Antoine était né d'un instant d'égarement dans une routine amoureuse établie selon l'entendement de Marcel, pour qui la contraception n'avait aucun secret.

— Maudit calvaire ! C'est de ta faute, aussi, avait-il fulminé à l'annonce de cette seconde maternité. J'aurais dû me méfier. C'est clair, astheure, que t'essayais de m'en passer une p'tite vite ! On aurait dû s'en tenir à c'qu'on fait d'habitude : une bonne pipe, ça fait pareil, pis tu te serais pas retrouvée enceinte.

Il en avait longtemps voulu à Bernadette pour ce qu'il appelait encore aujourd'hui sa trahison et il ne s'était pas gêné pour le lui montrer avec force engueulades et brusqueries tout au long de sa grossesse. L'arrivée prochaine de ce nouveau bébé l'indisposait et le rendait particulièrement impatient. Il faisait son possible pour donner le maximum à sa famille, pourquoi s'acharner à lui en mettre encore plus sur les épaules ? Ne voyait-on pas qu'il en avait assez ?

Une chicane à propos de Laura avait dégénéré à un point tel que le lendemain, avec un mois d'avance, Bernadette partait pour l'hôpital, juste à temps pour accoucher d'un petit garçon d'à peine cinq livres. Heureusement, le bébé était en bonne santé. N'empêche que cette fois-là, Marcel avait eu peur. Il était brusque, il savait l'admettre, peut-être même un peu brutal, si jamais il y avait une limite entre les deux, mais il n'était pas méchant. C'est pourquoi, sans trop insister, il avait laissé les femmes de la maison materner et gâter ce fils qu'il voyait déjà en joueur de hockey quand il serait un peu plus grand. Mal lui en prit, Évangéline et Bernadette en avaient fait une sorte de poule mouillée, une vraie tapette ! C'était leur faute si Antoine était si malingre et si tranquille, et Marcel avait continué à ruminer sa rancœur à l'égard de Bernadette, chaque fois qu'il entendait son fils pleurer et rechigner quand il ne voulait pas jouer dehors.

Puis, les années étaient passées. Il s'était habitué à la présence de deux enfants dans sa maison, comme il avait appris à apprécier les bons repas de Bernadette. Il avait vieilli et acceptait maintenant d'être casé, comme ils le disaient entre hommes à la taverne. Il lui arrivait même de s'intéresser aux jeux de Laura qui, il devait l'admettre, avait plus l'allure d'un garçon que son propre fils ! Les répliques intelligentes de cette gamine qu'il avait si longtemps ignorée l'impressionnaient, ses notes à l'école faisaient sa fierté, même s'il ne l'aurait jamais avoué à qui que ce soit. Un homme, par définition, ne s'intéresse pas à ces choses-là ! Par habitude, il continuait d'éviter sa mère autant que possible et s'esquivait carrément quand il la voyait de mauvaise humeur. Ce qui ne l'empêchait pas d'entretenir la maison avec zèle, non pas tant pour plaire à sa mère que pour la garder en bon état, se disant que, forcément, il en hériterait un jour, puisque Adrien brillait toujours par son absence après plus de douze ans. Depuis la fin de la guerre, son frère ne se manifestait que par une laconique carte de Noël, année après année. Quant à Bernadette, si elle se montrait récalcitrante à propos du sexe ou casse-pieds à propos des enfants, ce qui devait arriver une ou deux fois par semaine, il levait le ton ou la main ou plus généralement les deux, et les choses rentraient dans l'ordre.

Depuis qu'il était tout jeune, il avait compris qu'il ne serait jamais à l'aise avec les discussions, sa mère ne l'ayant jamais vraiment encouragé en ce sens. À la moindre escarmouche, au moindre faux pas, elle se contentait d'une gifle pour faire valoir son point de vue.

Et Dieu sait que, des niaiseries, il en avait faites !

À force de recevoir des taloches par la tête et de se faire abîmer de bêtises, il avait rapidement appris la méthode. Avec sa grandeur et sa carrure, il avait aussi vite compris qu'à défaut d'une certaine aisance pour les discussions, il pouvait arriver au même résultat par l'intimidation. Il en usait à bon escient avec ceux qui pouvaient y être sensibles, gardant son respect et sa retenue pour ceux qui le méritaient, Phil Duclos et Benjamin Perrette faisant indéniablement partie de ces derniers. N'empêche qu'il n'était pas un ingrat, et quand il avait à choisir entre sa mère et Bernadette, c'était sa mère qui l'emportait. Après tout, elle aurait pu lui charger un loyer, ce qu'elle ne faisait pas. D'une certaine manière, cet état de choses méritait, lui aussi, une forme de respect qu'il traduisait par son silence face à elle.

Mais calvaire ! qu'il avait envie, parfois, de la remettre à sa place quand elle le contrariait pour des broutilles.

Puis, il y avait eu l'auto, la merveille des merveilles, qui avait su attiser l'admiration de sa mère et aussi celle de Bernadette.

Ce fut donc l'été des livraisons chez Perrette le samedi après-midi, après avoir fait la commande chez Steinberg, le samedi matin, pour faire taire Bernadette. Ce fut aussi la saison des virées en ville avec les *chums* de la taverne le vendredi soir pour les épater et de la tournée des églises de Montréal, le dimanche matin, pour acheter la bonne humeur d'Évangéline.

Dès qu'il était derrière le volant, Marcel pouvait faire preuve d'une grande magnanimité et d'une patience infinie.

L'été 1954 fut, sans contredit, la plus belle saison de sa vie et de celle des gens qui l'entouraient. La possession d'une auto avait changé radicalement Marcel.

Même Antoine avait daigné délaisser ses crayons pour s'intéresser à l'auto que son père laissait exprès dans la rue pour que tout le monde sache que Marcel Lacaille n'était pas n'importe qui. Il était un homme qui avait réussi. Il possédait une auto de l'année !

C'est à partir de là qu'il avait regardé son fils d'un autre œil !

Enfin ! Cet enfant-là n'était peut-être pas le cas désespéré qu'il croyait. Et peut-être bien, après tout, mériterait-il que l'on s'occupe un peu plus de lui.

Ce fut à ce moment-là qu'Adrien avait eu la mauvaise idée de revenir.

Adrien !

D'aussi loin que Marcel puisse se souvenir, Adrien avait toujours été le préféré de leur mère. Les claques en arrière de la tête et les invectives lui avaient toujours été réservées à lui, Marcel. À un point tel que, tout au long de son enfance, il avait secrètement entretenu la fabulation que si son père avait vécu, tout aurait été différent. Du peu qu'on lui en avait dit, il s'était bâti l'image d'un homme viril et fort, sage et juste, à qui Évangéline n'aurait pas eu le choix d'obéir. Et le petit Marcel, qui avait des fourmis dans les jambes, c'était plus fort que lui, aurait enfin trouvé quelqu'un pour le comprendre et l'aimer tel qu'il était. Au lieu de quoi il avait appris à se taire devant sa mère qui l'intimidait, et à fuir le toit familial dès que possible, ne pouvant supporter les comparaisons que sa mère ne se gênait pas de faire. Adrien était si gentil, lui, alors que Marcel ne pourrait jamais compter tous les mauvais coups qu'il avait pu inventer, simplement pour attirer l'attention.

Puis, un certain vendredi soir, un vendredi qui aurait dû être comme tous les autres, passé à boire de la bière sur le bord du chemin de fer au fond du terrain vague en arrière de l'école du quartier voisin, pour être bien certain que personne ne puisse les retrouver, Marcel et Jean-Louis avaient tenu le stupide pari de marcher l'un à côté de l'autre au-devant du train qu'ils entendaient siffler au loin. Après six bières, ils se trouvaient courageux. Ils s'étaient levés, chancelants, pouffant de rire sous les encouragements d'une bande de copains tout aussi saouls qu'eux. Marcel et Jean-Louis marcheraient chacun de leur côté de la voie ferrée, un pied sur le rail et l'autre dans le gravier. Celui qui tiendrait le plus longtemps sans s'éloigner de la voie ferrée se ferait payer la bière par la bande d'amis durant tout un mois.

Jean-Louis y avait laissé la vie, happé par l'appel d'air créé par le train et Marcel avait dégrisé brutalement, prenant brusquement conscience qu'il aurait pu y laisser sa peau, lui aussi. Quelques jours plus tard, il avait laissé tomber l'école, désabusé devant ce qu'il voyait comme la plus monstrueuse des injustices.

Sa vie venait de basculer impitoyablement, Jean-Louis était son meilleur ami depuis toujours.

Marcel s'était alors trouvé un emploi chez Perrette, qui lui avait tout appris du métier de boucher. Manipuler les lourdes carcasses de viande lui avait permis de canaliser cette énergie qu'il avait toujours sentie en lui. Enfoncer le long couteau dans la viande calmait la colère naturelle qui avait toujours été la sienne. Au fil du temps, il avait appris à se servir de son charme pour amadouer les clients et il gardait ses impatiences pour la maison, quand il revenait de l'ouvrage, fourbu et affamé.

Et la vie aurait très bien pu continuer ainsi si Adrien n'avait pas eu la mauvaise idée de revenir à Montréal pour l'embêter.

Du jour au lendemain, il avait eu l'impression de remonter dans le temps. Du jour au lendemain, Évangéline avait retrouvé ses préférences et le ton lénifiant qu'elle avait toujours utilisé pour s'adresser à Adrien, alors qu'elle gardait sa voix sèche et impatiente pour lui. Du jour au lendemain, Marcel avait eu la très nette sensation que tout ce qu'il avait fait depuis tant d'années ne comptait plus. C'était Adrien par-ci, Adrien par-là, et rapidement, il avait vu Bernadette, sa Bernadette, se mettre au diapason d'Évangéline. Elle jouait les petites grues auprès de son propre frère, et le soir, quand ils se retrouvaient dans leur chambre, elle n'avait plus que ce nom à la bouche pour lui parler de sa journée, comme il exigeait qu'elle le fasse.

Comble de frustration, Marcel avait eu l'impression de n'être plus d'aucune utilité dans sa propre famille, le jour où Bernadette lui avait dit qu'elle avait déjà fait sa commande chez Steinberg, la veille en après-midi, avec Adrien et Évangéline, alors que lui travaillait.

— Pis Adrien a dit qu'on va pouvoir y aller toutes les semaines. Comme ça, j'aurai pas besoin de te déranger le samedi matin. Ça devrait faire ton affaire, non ? T'arrêtes pas de chialer que t'aurais d'aut' choses à faire que de m'accompagner su' Steinberg. Profites-en donc ! Pis c'est l'fun, faire la commande avec ta mère. A' l'a plein d'idées nouvelles pour le manger. J'aurais jamais cru…

Que pouvait-il répondre à cela ? Tel est pris qui croyait prendre, Bernadette avait raison, car par principe et par habitude, il tempêtait tous les samedis quand venait le temps de faire l'épicerie. Il récoltait donc ce qu'il avait semé, et le fait de le constater l'avait fait enrager de plus belle.

Et que dire de l'auto d'Adrien ? Bleu ciel avec des banquettes en cuir blanc très fin, décapotable, automatique... Bernadette pouvait bien avoir envie de faire ses courses avec Adrien...

Douze longues années étaient passées, mais rien n'avait changé. Adrien serait toujours le premier en tout. Même Antoine ne regardait plus l'auto familiale du même œil !

Les cadeaux de Noël avaient été la goutte qui avait fait déborder le vase des frustrations de Marcel. De quel droit Adrien se permettait-il de le narguer jusque-là ? Jamais il ne pourrait rivaliser avec la somptuosité des cadeaux choisis par son frère. Il n'en avait tout simplement pas les moyens. Bernadette avait bien tenté de lui prouver le contraire, elle n'y connaissait rien et ce n'était pas elle qui tenait les cordons de la bourse.

Néanmoins, après quelques jours de réflexion, il avait dû admettre qu'elle n'avait pas tort en disant qu'il n'aurait pas le choix de concurrencer son frère s'il voulait garder le respect de ses enfants.

Marcel avait donc fait de gros efforts pour trouver ce qui serait susceptible de plaire à Laura et à Antoine, se doutant qu'Adrien ne rapporterait jamais au magasin ce qu'il avait choisi pour ses neveux. C'était cette même perspective, d'ailleurs, qu'il voyait comme une évidence irréfutable, qui l'avait fait sortir de ses gonds, le soir où il avait découvert le tourne-disque et le train électrique au fond de leur garde-robe. S'il en avait parlé avec Bernadette, c'était davantage par besoin d'exprimer sa rage, même si dans le fond, le prétexte restait valable : il n'envisageait qu'elle, Bernadette, peut-être, et il pensait bien peut-être, pour amener Adrien à revoir ses choix.

En attendant, il s'était dit qu'il ne perdrait rien à essayer de trouver de beaux cadeaux lui aussi. Il n'y connaissait pas grand-chose et sa patience plutôt précaire avait été mise à rude épreuve.

Il y avait réfléchi pendant des jours !

Et il avait fini par trouver.

Pour une première de classe comme Laura, il ne voyait que des livres. Il se rappelait ses années d'école où tous les premiers de sa classe aimaient la lecture. Comme Adrien, finalement.

Heureux hasard, la vendeuse de la librairie pensait comme lui.

Elle l'avait donc assez facilement convaincu qu'aucun enfant aimant la lecture ne pourrait résister à deux livres de Jules Verne, reliure plein cuir rouge, s'il vous plaît, à la tranche dorée.

— Des œuvres de collection, monsieur, avait-elle renchéri. Être encore une gamine, je serais folle de joie de recevoir un tel cadeau. Et remarquez ! Pas besoin de prendre un coupe-papier, les feuilles sont déjà toutes prêtes à la lecture.

Marcel était ressorti de la librairie tout fier de sa trouvaille, même s'il trouvait nettement exagéré de payer dix dollars pour quelques feuilles de papier minces comme tout, et couvertes de mots qu'on devait quasiment lire avec une loupe. Mais comme il s'était juré de faire plaisir à ses enfants et que la vendeuse semblait persuadée de son affaire...

Il irait donc jusqu'au bout.

Adrien ne serait pas le seul à faire le jars, le soir de Noël.

Pour Antoine, la réflexion avait été de plus courte durée.

Depuis le temps qu'il espérait le voir s'intéresser au hockey, il allait donner un cadeau auquel son fils ne pourrait résister. Sans regarder à la dépense, il avait acheté deux billets pour une partie contre les Bruins de Boston, sa deuxième équipe préférée, tout près du banc des joueurs des Canadiens. Une vraie fortune, d'autant plus que ce ne serait que pour quelques heures. Mais tant pis. Il amènerait Antoine à apprécier le hockey de façon détournée. Aucun gamin du Québec ne pourrait rester insensible au fait d'être assis à quelques pieds à peine du grand Maurice Richard.

Aucun gamin, sauf peut-être Antoine…

Quand il avait constaté le peu d'enthousiasme manifesté par son fils en découvrant son cadeau, Marcel avait vu rouge. Pourtant, il s'était contenu, se contentant de quelques remarques bien placées. Après tout, c'était Noël, et Antoine n'était qu'un enfant. Il ne pouvait savoir à l'avance le plaisir qu'il aurait à assister à une partie des Canadiens, lui qui disait détester le hockey.

Quand il avait compris que son frère avait acheté un cadeau à leur mère, il avait regretté de ne pas y avoir pensé. Mais comment aurait-il pu savoir, ce geste n'ayant jamais fait partie de leurs habitudes familiales ? Il avait donc décidé de se montrer beau joueur et il n'avait rien dit.

Le cadeau offert à Bernadette avait été plus difficile à encaisser. De quel droit Adrien osait-il offrir un cadeau à une femme qui n'était pas la sienne ? D'autant plus que Marcel et Bernadette avaient toujours dit que les cadeaux, c'étaient pour les enfants. De toute évidence, Bernadette ne pensait pas ce qu'elle disait et lui avait menti. Jamais il ne l'avait vue aussi émue, et tout ça, à cause d'une vulgaire catin, comme celles qu'on offre aux petites filles sages. L'image de Bernadette, les joues rougies et le regard brillant, avait commencé à lui échauffer les sangs. Que se passait-il donc entre Adrien et Bernadette ?

C'est quand il avait entendu les cris de joie poussés par les enfants devant les cadeaux d'Adrien qu'il n'avait pu retenir sa fureur. C'était la goutte qui avait fait déborder le vase de ses humiliations. Ou bien Bernadette lui avait menti et elle n'avait pas parlé à Adrien comme elle jurait l'avoir fait, et elle allait voir de quel bois il se chauffait. Ou bien son frère était un imbécile et n'avait rien compris à sa demande, et lui aussi il allait voir de quel bois il se chauffait.

Quoi qu'il en soit, Adrien n'avait pas le droit de s'*accaparer* sa famille comme il le faisait.

Au-delà de la colère qui bouillait en lui, Marcel était malheureux. Profondément. Alors, il avait fait part de son désarroi de la seule façon qu'il connaissait : il avait montré les poings.

Il n'était pas dit qu'il passerait toujours en second sous le toit de sa propre maison, même si cette maison appartenait toujours à Évangéline.

Une fois de plus, la méthode avait été efficace.

Deux jours plus tard, Adrien repartait et Marcel espérait que la vie, leur vie, reprendrait là où elle s'était interrompue en septembre dernier.

C'était encore une illusion !

Voir Maurice Richard enfiler trois buts dans la même partie n'avait pas suffi pour que son fils apprécie le jeu préféré de tout bon Canadien français qui se respecte. Son cadeau de Noël, choisi avec tant d'espoir, n'avait été qu'un pétard mouillé, d'autant plus qu'Adrien avait jeté de la poudre aux yeux de son fils en lui affirmant que, lui aussi, quand il était petit, il préférait le dessin et la lecture aux sports d'hiver. C'était Antoine lui-même qui lui avait répété ces paroles, avec un petit air défiant que Marcel avait détesté au plus haut point. Son autorité, qu'il voyait écrite en majuscules, n'avait plus d'emprise sur Antoine qui, penché sur sa feuille, ne s'occupait déjà plus de lui.

À la suite de cela, il n'avait même pas osé demander à Laura si les livres avaient été agréables à lire, puisqu'elle-même ne lui en avait jamais reparlé. En fait de déceptions, il avait été servi, il n'irait pas au-devant des coups !

Quant à la poupée, heureusement, elle s'était retrouvée sur le bureau de Laura. Pour une fois, Bernadette avait fait preuve de bon sens et elle avait compris que le cadeau d'Adrien était complètement ridicule. Curieusement, d'ailleurs, depuis la visite d'Adrien, Bernadette avait changé, et pour le mieux. Elle ne s'amusait plus à le contredire pour des insignifiances, elle était disponible à toutes ses avances et elle semblait mieux s'entendre avec sa mère, ce que Marcel appréciait au plus haut point.

Enfin, il avait la paix quand il rentrait chez lui. Janvier, malgré sa froidure et ses tempêtes, avait été un mois très agréable.

Malheureusement, cette espèce de tranquillité du corps et de l'esprit avait duré, en tout et pour tout, un insignifiant petit mois. Le plaisir avait duré, en fait, jusqu'au jour où Bernadette lui avait annoncé qu'elle attendait un autre bébé.

Calvaire !

Pourquoi Bernadette, sachant qu'il ne serait pas d'accord, avait-elle choisi expressément ce moment-là pour tomber enceinte ?

C'était facile d'oublier que c'était lui qui avait acheté le rouge à lèvres et les talons hauts par l'intermédiaire d'une certaine Guylaine, amie de longue date, qui en connaissait tout un bout sur l'art de la séduction, pour dire les choses poliment. C'était surtout plus commode de se convaincre que c'était Bernadette qui avait fait exprès pour se retrouver enceinte.

En plus, comme si cela ne suffisait pas, les Canadiens n'avaient pas gagné la coupe Stanley, battus par les Red Wings, ce qu'Antoine avait osé souligner :

— Tu vois, popa, le hockey, c'est pas l'fun tout l'temps !

Heureusement pour lui qu'Évangéline était dans la même pièce qu'eux, car la main de Marcel avait dangereusement démangé à ce moment-là.

Marcel planta le couteau profondément dans la carcasse de bœuf qu'il avait commencé à débiter, détachant habilement la chair de l'os. Il aimait son travail. Il aimait cette précision qui était exigée de lui et voyait tout un art dans les gestes qu'il posait depuis maintenant tant d'années. À ses yeux, transformer un amas de muscles en rôtis, en steaks, en côtelettes et en viande hachée relevait de la haute voltige. Les offrir par la suite à toutes ces femmes du quartier qui lui parlaient en roucoulant ajoutait à l'agrément du métier. C'est qu'il avait belle prestance, le boucher de chez Perrette, et il en était agréablement conscient.

Tout en déposant sur l'étal la longe de bœuf qu'il venait de découper, Marcel leva machinalement la tête vers l'horloge placée juste devant lui sur le mur blanc de la boucherie. Il sursauta, évitant de justesse la lame tranchante du long couteau qu'il manipulait.

— Maudit calvaire ! Chus en retard su' l'horaire. L'épicerie à Perrette ouvre dans vingt menutes ! C'est ça, aussi, se mettre à rêvasser comme une femelle.

C'est à cet instant qu'il entendit le téléphone sonner. Le bruit ressemblait à un faible grelottement, venu de très loin.

Puis, aussitôt après, il entendit des pas rapides qui s'approchaient de la boucherie.

— Marcel !

La voix de Benjamin Perrette lui arrivait étouffée par les lourdes portes qui fermaient le réduit réfrigéré où il travaillait. Ces mêmes portes s'ouvrirent à la volée quelques secondes plus tard. Le vieux Perrette avait le visage congestionné et Marcel trouva que ça allait à merveille avec son nez rougeâtre, héritage des nombreuses heures passées à la taverne chez Phil.

Le vieil homme était tout essoufflé.

— Marcel ! Dieu soit loué, t'es là ! C'était ta mère dans l'téléphône. Paraît que ta femme aurait besoin de toé. Ça serait l'heure pour l'hôpital.

Marcel leva ses deux mains ensanglantées.

— Comment voulez-vous que j'réponde, m'sieur Perrette ? M'avez-vous vu l'allure, calvaire ?

Perrette balaya l'objection d'un geste énergique de la main.

— Pas besoin de répondre, j'ai dit que je te trouverais, pis que j'te renverrais à maison au plus sacrant.

Marcel poussa un profond soupir.

— Voir que j'avais besoin de t'ça à matin, calvaire !

— Ben voyons donc, Marcel ! Faut-tu que j'te fasse un dessin ? Ta femme est en train d'accoucher, bout d'viarge ! A' fait pas par exprès pour te déranger.

Le regard que Marcel lui jeta alors semblait dire le contraire.

— Pis ça ?

Marcel avait eu beau avoir huit mois pour se préparer, il ne s'était toujours pas fait à l'idée d'avoir un autre bébé. D'autant plus que, selon les dires de Bernadette, il ne devait pas arriver avant la fin de la semaine ou même le début de la semaine prochaine.

Marcel regarda autour de lui, bouillant d'impatience. Pendus à leur crochet, deux porcs bien dodus attendaient d'être débités en quartiers.

— Calvaire de calvaire ! J'avais vraiment pas besoin de t'ça à matin, répéta-t-il avec humeur, revenant face à son patron. Pis en plusse, j'ai fait livrer deux carcasses de cochons avec celle de bœuf, rapport qu'y commence à faire plusse frette, pis que les clientes vont avoir envie de faire des tourtières pis des rôtis...

Il hésita à peine une fraction de seconde.

— Non, fit-il catégorique, en soutenant le regard désolé de Benjamin Perrette, j'peux pas manquer l'ouvrage aujourd'hui, j'ai pas envie de perdre c'te viande-là ! Anyway, chus ben plusse utile icitte, à boucherie, que là-bas à tourner en rond dans une pièce grande comme un mouchoir, pis pleine de boucane, rapport que les autres pères fument comme des engins du CN. Moé, ça m'écœure, la fumée de cigarettes. J'ai peut-être ben des défauts, mais au moins, j'fume pas, calvaire ! Si ça vous dérange pas trop, j'vous demanderais d'appeler pour moé à maison, chus pas ben, ben équipé pour le faire, expliqua-t-il en levant ses mains une seconde fois. Vous direz à ma mère de dire à Bernadette de prendre un taxi. Y' doit rester assez de p'tit change dans l'verre de la cuisine. Moé, j'vas aller la rejoindre après-midi, à la fin de mon shift.

— T'es ben sûr, Marcel ? J'peux te remplacer, tu sais. Après toute, c'est moé qui t'as appris ton mé...

— Merci ben pour vot' offre, m'sieur Perrette, l'interrompit précipitamment Marcel, mais chus sûr de moé. Ça m'tente pas pantoute de perdre mon temps aujourd'hui. Pis comme ça, on perdra pas not' viande non plus. C'est pas la première fois qu'a' l'accouche, Bernadette, a' l'a pas besoin de moé pour faire ça.

— Ben si c'est d'même...

Benjamin Perrette avait l'air désolé.

— Si jamais tu changeais d'avis, gêne-toé pas. J' peux te remplacer n'importe quand... En attendant, m'en vas aller téléphôner à ta mère comme tu m'as demandé.

— Merci ben.

Marcel avait déjà penché la tête et déplaçait habilement le couteau qui découpait une grande tranche de ronde qu'il placerait par la suite dans le comptoir vitré.

— Pis dites-y donc aussi, à ma mère, de pas m'appeler si jamais le p'tit arrivait ben vite, ajouta-t-il sans lever la tête. C'est pas ça qui va changer de quoi à l'ouvrage que j'ai à faire, pis ça va juste m'énarver. Dites-y seulement que j'vas y aller tusuite après la job, après que j'me soye lavé. C'est ben en masse de même, pis Bernadette, a' va pouvoir dormir autant qu'a' veut. C'est toujours c'qu'a' fait quand a' vient d'accoucher.

Concentré sur son ouvrage, Marcel n'entendit pas le soupir de Benjamin Perrette qui se mêla au chuintement des portes battantes qui se refermaient.

Il comptait déjà mentalement le nombre de steaks qu'il pourrait tailler avant l'ouverture de l'épicerie.

CHAPITRE 6

Quand on n'a que l'amour
Pour unique raison
Pour unique chanson
Et unique secours
Alors sans avoir rien
Que la force d'aimer
Nous aurons dans nos mains
Amis, le monde entier

Quand on n'a que l'amour (JACQUES BREL)
PAR JACQUES BREL, 1956

Le 6 juillet 1956

Quand Bernadette avait ressenti ses premières douleurs, en ce beau matin de septembre, ça n'avait pas été la peur de souffrir qui avait tant fait débattre son cœur, c'était l'affolement. Un affolement qui ressemblait de près à celui qu'elle avait ressenti quand elle s'était aperçue qu'elle était enceinte. À force de prétendre que le bébé n'arriverait pas avant la fin de septembre, voire au début d'octobre, elle avait fini par y croire. Dix à quinze jours d'avance, c'était beaucoup trop, d'autant plus qu'elle était énorme !

Elle avait fini de remplir sa valise les mains tremblantes, écoutant d'une oreille distraite la voix de sa belle-mère qui appelait à l'épicerie depuis la cuisine. Bernadette se demandait quelle serait la réaction de Marcel.

Quand Évangéline lui avait annoncé, le regard désolé, que son mari avait décidé de rester à la boucherie, l'affolement de Bernadette s'était aussitôt métamorphosé en panique. Marcel venait de comprendre toutes ses manigances et il le lui faisait savoir en brillant par son absence. En effet, pourquoi l'aurait-il accompagnée à l'hôpital, puisque cet enfant, de toute évidence, n'était pas le sien ? Bernadette en était convaincue : ce matin, à cause de ce travail qui commençait trop vite, Marcel avait tout deviné et le lui ferait chèrement payer quand elle reviendrait à la maison, à la fin de la semaine.

Évangéline, par contre, à des lieux des préoccupations de Bernadette, était outrée. Devant l'indifférence manifeste de Marcel, elle avait fait preuve d'une grande sollicitude qui, toutefois, avait à peine touché Bernadette.

— Fais-toé-z'en pas, ma belle, m'en vas t'y aller avec toé. Donne-moé juste le temps de m'changer, pis j'vas câler le taxi.

À la suite de quoi, dans le couloir qui menait à sa chambre, elle avait ajouté pour elle-même, mais suffisamment fort pour que Bernadette l'entende :

— Tu parles d'un maudit sans dessein ! Voir qu'a' l'a faite par exprès pour accoucher aujourd'hui ! D'l'ouvrage, qu'y' dit ! Tout l'monde en a, d'l'ouvrage... Viarge qu'y' est imbécile, des fois ! Un bebé, ça arrive quand ça veut. Que c'est j'ai fait au bon Dieu pour mériter un fils pareil ? Y' aurait pas pu ressembler à mon Adrien, non ?

C'est à peine si Bernadette avait souri en entendant ces propos.

Par contre, quelques heures plus tard, quand elle avait su qu'elle venait de mettre au monde un second fils, sa réaction première, faite d'abord et avant tout de joie, avait été teintée d'un grand soulagement.

La question de la chambre était définitivement réglée.

Malgré ce qu'elle en avait dit à Laura, elle n'était pas du tout certaine que Marcel aurait accepté qu'Antoine se retrouve avec une fille dans sa chambre. Avec l'arrivée de ce gros garçon en bonne santé, le problème ne se posait plus.

Il ne lui restait donc qu'à attendre la visite de Marcel, promise pour la fin de la journée. Une grande anxiété, se manifestant régulièrement par une crampe douloureuse dans l'estomac, l'avait accompagnée sournoisement tout au long de l'après-midi, l'empêchant de dormir et de se réjouir sans arrière-pensée de la naissance de ce beau petit garçon dans lequel elle retrouvait un petit peu d'Adrien.

Souvent, cet après-midi-là, le regard de Bernadette s'était dirigé machinalement vers le sud, avant de revenir se poser sur le petit visage chiffonné.

Heureusement que les deux frères, Marcel et Adrien, se ressemblaient comme des gouttes d'eau, s'était-elle dit, non sans malice !

La plus grande surprise de cette curieuse journée avait sans doute été le large sourire de Marcel, qui dissipait l'équivoque. Il venait de passer la porte de sa chambre, et visiblement, il était satisfait de ce qu'il avait vu à la pouponnière.

— Tu parles d'un beau p'tit gars ! Pis costaud, à part de t'ça ! Neuf livres et demi, on rit pus ! Bravo, Bernadette, t'as ben faite ça, pour une fois !

Bernadette avait alors choisi d'y voir un compliment, à défaut d'une preuve d'amour, et l'anxiété ressentie depuis le matin s'était volatilisée comme par magie. Devant l'attitude de Marcel, elle avait même osé croire que les années sombres étaient enfin derrière elle. Si, pour une fois, Marcel était content de l'arrivée d'un bébé dans la famille, tout devrait donc aller pour le mieux à l'avenir.

Puis, en embrassant Bernadette sur les cheveux, geste d'une rare sensibilité, Marcel avait ajouté :

— J'aimerais ben ça qu'on l'appelle Charles. J'arrête pas d'y jongler depuis que la mère m'a appris que c'est un garçon. Me semble que ça sonne ben avec Lacaille. Que c'est t'en penses ?

Devant tant de gentillesse, Bernadette aurait accepté n'importe quoi pour que la lune de miel dure le plus longtemps possible !

— T'as ben raison, Marcel, approuva-t-elle avec enthousiasme, même si ce prénom n'était plus vraiment à la mode. C'est vrai que Charles Lacaille, ça sonne ben en verrat. On va donc l'appeler comme ça. Charles... Joseph, Bertrand, Charles Lacaille. Tu pourras donner c'te nom-là au curé quand tu passeras pour l'enregistrer, pis réserver une place pour le baptême.

Les cinq jours de repos passés à l'hôpital avaient été parmi les plus beaux de sa vie. Bernadette avait l'impression d'être à l'hôtel ! Le petit Charles était un bon bébé qui ne pleurait que pour boire, ce qu'il faisait cependant aux deux heures pile, toujours affamé. De son côté, Évangéline, surprise elle aussi par l'attitude de Marcel, avait poussé la gentillesse à préparer toute seule la réception du baptême, qui aurait lieu dès le premier dimanche, quand Bernadette sortirait de l'hôpital. Laura serait la marraine, et Bertrand, l'ami de Marcel, le parrain. On inviterait aussi Monique et sa famille, ainsi qu'Angélique, une amie d'Évangéline.

Laura ne portait plus à terre.

— Que c'est que je t'avais dit, Laura Lacaille, avait lancé Francine, triomphaliste. Tu l'vois ben que c'est l'fun avoir un bebé dans une famille !

— O.K., t'as gagné, avait admis Laura, bonne joueuse. T'avais raison. Mais chus quand même contente de savoir que j'aurai pas à partager ma chambre. Si ç'avait été une fille, même si ma mère disait l'contraire, j'aurais jamais été sûre au complet, pis ça, tu sauras, ça m'aurait achalé en mautadine !

Francine avait levé les yeux au ciel.

— Faut toujours que t'ayes le dernier mot, hein ? Bonté divine que t'es compliquée, toé, des fois !

Laura n'avait rien répliqué, sachant à l'avance que ça risquait de dégénérer en discussion interminable. Elle n'avait pas du tout le cœur à la chicane. Demain, jour de sa fête, elle prenait congé de l'école en après-midi pour aller voir son nouveau frère à l'hôpital, en compagnie d'Évangéline, et c'était bien suffisant pour être d'excellente humeur. Antoine, lui, ne pourrait y aller, il était trop jeune.

Néanmoins, le sursis que Bernadette avait vu comme définitif et bienvenu n'avait duré que quelques semaines. Dès que Charles avait commencé à manger trois repas par jour, vers l'âge d'un mois et demi, Marcel, lui, avait décrété qu'il était temps qu'il se mêle de son éducation, selon ses propres mots. Il était persuadé que le tempérament d'Antoine avait été lourdement affecté par l'influence néfaste de Bernadette, qui l'avait trop couvé. Cette fois-ci, il ne la laisserait pas faire. Bernadette n'aurait pas l'occasion de faire une tapette de son Charles.

— Maintenant qu'y' mange comme nous autres, pus question de se lever quand y' braille la nuitte.

Marcel était à préparer ses vêtements pour le lendemain

et Bernadette venait de mettre Charles au lit. Dehors, l'hiver arrivait avec un mois d'avance, lui aussi. Il tombait une lourde neige chargée d'eau qui blanchissait déjà la rue. Et dire que l'Halloween n'était que dans deux jours !

— Ben voyons donc !

Bernadette avait vite compris, en entendant ces quelques mots, que la paix était menacée, ce qui ne l'avait pas empêchée de se retourner vivement, prête à l'attaque. S'il fallait que Marcel se mette à voir au bébé, les occasions de disputes se multiplieraient, elle en était persuadée.

— Charles est encore ben que trop p'tit pour faire ses nuittes, avait-elle affirmé, catégorique, espérant que la discussion en resterait là, alors que le principal intéressé dormait déjà comme un ange, emmailloté dans son lit près de la fenêtre.

Marcel avait haussé les épaules, comme pour dire qu'il n'accordait aucune crédibilité aux propos de Bernadette. Sa réponse, quelques instants plus tard, était venue le confirmer.

— Ça, c'est toé qui l'dit ! avait-il rétorqué en lissant le pli de ses pantalons sans se retourner. Y' a rien qui nous prouve que c'est pas du caprice.

— Du caprice ! À un mois ! Veux-tu qu'on appelle le docteur Langevin, pour voir ? Y' va te le dire, lui, que…

— J'ai pas d'argent à gaspiller pour ça. Charles est en parfaite santé, rien qu'à voir, on voit ben. On a pas besoin du docteur.

— Ben r'garde dans le livre du docteur Spock, d'abord. Ça va prendre deux menutes. Tu vas voir que lui avec y' dit qu'un bebé, surtout un gros…

— J'ai pas de temps à perdre avec des niaiseries, avait tranché Marcel, autoritaire. Si je t'avais pas laissé faire à ta tête pour Antoine, petête ben qu'y' serait pas comme ça aujourd'hui.

— *Comme ça ?* Ça veut dire quoi *comme ça ?*

— Fais-moé pas enrager ! Tu l'sais c'que ça veut dire. Charles sera pas comme son frère, un point c'est toute. M'en vas en faire un vrai gars, un homme, pas une lavette comme l'autre. Pis c'est à partir d'à soir que j'commence.

Voyant les poings de Marcel se refermer, indice indubitable que sa patience avait atteint sa limite, Bernadette avait quitté la chambre prestement, sans donner suite aux propos de son mari. Pour l'instant, Charles ne risquait rien, il dormait profondément. Elle s'était réfugiée à la cuisine, où Évangéline finissait de laver la vaisselle en écoutant le chapelet. Rongeant son frein, Bernadette avait attendu la fin de la dernière dizaine de *Je vous salue Marie* pour laisser éclater sa colère.

— Marcel a décidé qu'y' fallait pus se lever la nuitte pour le p'tit, avait-elle annoncé sans préambule, tout en refermant une porte d'armoire un peu fort. Imaginez-vous donc qu'y' veut pas que j'en fasse une tapette.

Évangéline était restée un long moment à fixer le noir profond de la cour, adouci seulement par les flocons qui virevoltaient de plus en plus nombreux.

— À cause d'Antoine ? avait-elle enfin répondu en rinçant la guenille qu'elle utilisait pour nettoyer le comptoir.

Sa question n'en était pas vraiment une. Néanmoins, Bernadette s'était empressée d'y répondre, trouvant là un exutoire à sa rancœur.

— Vous avez toute deviné. Voir que ç'a un rapport. D'abord, Antoine est pas une tapette ! Antoine y' est comme y' est, pis Charles, y' sera ben comme y' voudra, bâtard. Que c'est que ça va changer que j'me lève la nuitte pour y' donner une bouteille ? Maudit Marcel. Quand y' décide de quoi... C'est pas lui qui se lève, maudit verrat, c'est moé. Pis moé, ça me bâdre pas pantoute ! Après ça, quand le p'tit va s'époumoner pasqu'y' a faim, Marcel va t'être en beau maudit, pis y' va s'plaindre qu'y' dort pas assez.

Au bout d'un silence chargé d'animosité, comprenant qu'Évangéline ne répliquerait rien, Bernadette avait osé demander, mettant tout ce qu'elle pouvait avoir de persuasion dans sa voix :

— Et si vous essayiez d'y' parler à Marcel ? Petête que vous, y' vous écouterait. D'habitude, c'est c'qu'y' fait. Pasque moé, j'ai toute essayé ! J'ai parlé du docteur Langevin, pis aussi du docteur Spock. Marcel veut rien entendre.

Évangéline avait fermé les yeux en soupirant, puis, se tournant franchement vers Bernadette, elle avait mis ses poings sur ses hanches et l'avait regardée droit dans les yeux. Il lui arrivait encore de trouver que sa belle-fille exagérait, même si les angles s'étaient arrondis entre elles.

— Que c'est tu veux que j'y' dise, à Marcel ? Moé, ça me dérange pas qu'y' braille, le p'tit, rapport que j'dors dur. Je l'entends même pas. Quand Adrien pis Marcel étaient bebés, c'est mon défunt mari qui me réveillait. C'est ben pour te dire, hein ? Pis pour revenir à ton problème, laisse-lé donc faire à sa guise. J'te gage qu'y' toffera pas deux nuittes d'affilée, le beau Marcel. Pis anyway, dans mon temps, on disait qu'un bebé qui braille, c'est un bebé qui aurait des bons poumons plus tard.

Il était clair qu'Évangéline n'interviendrait pas et Bernadette n'avait pas insisté, souhaitant seulement que sa belle-mère ait raison. Quelques nuits à se faire déchirer les tympans, et Marcel comprendrait le bon sens.

Mais Marcel n'avait rien compris du tout !

Cela faisait maintenant plus de huit mois que cela durait. Une nuit sur deux, Charles protestait vigoureusement contre le régime imposé par son père. Une nuit sur deux, Marcel posait lourdement sa jambe en travers des cuisses de Bernadette quand il sentait qu'elle était sur le point de se lever. Le cœur déchiré, les larmes aux yeux, elle écoutait les cris de son bébé qui se transformaient peu à peu en sanglots, pour s'éteindre en gros hoquets, quand finalement, il finissait par se rendormir, complètement épuisé. Les nombreuses fois où elle avait insisté, repoussant à deux mains la jambe de Marcel, Bernadette en avait récolté des bleus sur les bras tellement son mari serrait fort pour l'empêcher de se lever.

Durant l'hiver, elle avait réussi à camoufler ces marques sous d'épais chandails, et au printemps, sous ses chemisiers à manches longues, mais depuis quelques jours, il faisait tellement chaud qu'elle n'avait pu résister à sortir ses chemisiers de coton léger. Les regards que Laura lui avaient alors lancés ne laissaient place à aucun doute : elle devinait ce qui se tramait la nuit dans la chambre à coucher de ses parents. Elle devait même être au courant de certaines choses depuis très longtemps. Bernadette savait que sa fille avait le sommeil léger et elle n'était plus la gamine qu'elle avait déjà été. Durant l'hiver, Laura avait poussé comme une asperge, et bien que, de toute évidence, elle n'atteindrait jamais la taille de son amie Francine, elle avait maintenant des allures de femme, même si Marcel et Évangéline s'entêtaient à la traiter en enfant.

Laura…

Chaque fois que Bernadette pensait à sa fille, une bouffée de tendresse lui gonflait le cœur. Elle serait toujours un peu son bébé, et pourtant, elle était déjà une femme.

Ce matin-là, la mauvaise humeur de Marcel avait débordé de la chambre à coucher, le suivant jusqu'à la cuisine où il venait de se brûler la langue avec son café.

— Maudit calvaire de café trop chaud ! M'en vas avoir mal à langue toute la calvaire de journée. Laisse faire les toasts, à matin. J'ai pas faim. Pis arrange-toé donc pour y' donner assez à manger à c't'enfant-là, fit-il en pointant Charles du menton, alors que le bébé, bien installé dans sa chaise haute, dégustait très sérieusement quelques rondelles de bananes. C'est pas avec des bananes pis d'la compote que tu vas y' remplir l'estomac pour qu'y' arrête de brailler la nuitte. J'en peux pus, moé, de me faire réveiller à tout bout de champ. C'est de sa faute, aussi, si chus de mauvaise humeur. On s'entend pus penser ici'dans !

Bernadette sauta sur l'occasion.

— Si tu voulais, j'pourrais petête y' donner une bouteille, la nuitte prochaine. Comme ça, y' te réveillerait pas, pis...

— Calvaire que t'es niaiseuse toé, des fois ! Une bouteille en pleine nuitte, quand y' va avoir dix mois dans pas longtemps ! Tu y penses pas, calvaire ! Pas question. J'ai assez d'une moumoune dans maison, j'en aurai pas deux. Qu'y' s'endurcisse un peu. Donnes-y' à manger dans l'sens du monde, pis y' aura pus faim la nuitte, c'est toute. J'peux toujours ben pas toute faire icitte, moé ! Astheure, je m'en vas à boucherie. Oublie pas que je reviens juste à neuf heures, à soir. C'est vendredi, pis j'ai promis à Fred de prendre sa place pour qu'y' puisse aller voir sa mère à Québec. Tu me garderas une assiettée du souper, j'vas la manger en revenant. Pis toé, ajouta-t-il en se retournant prestement, le pouce pointé en direction de Laura, aide donc ta mère, pour une fois, au lieu de passer ta calvaire de journée à t'amuser. Salut !

La porte claqua bruyamment sur Marcel, à l'instant précis où Bernadette poussait un profond soupir de soulagement. Enfin ! Il était parti.

Évangéline se pointa alors dans l'embrasure de la porte.

— Y' es-tu parti, le maudit fatiquant ?

Devant le signe affirmatif de Bernadette, Évangéline entra dans la cuisine et se dirigea vers la cuisinière pour remettre la bouilloire sur le rond. Les vociférations de son fils, qu'elle avait entendues jusque dans sa chambre, ajoutées à la touffeur de l'air qui l'avait tenue éveillée une bonne partie de la nuit, l'avaient rendue de mauvaise humeur à son tour.

— Viarge qu'y' peut être désagréable, quand y' s'y met ! T'as-tu déjà remarqué ça, Bernadette ? Y' en a qui viennent au monde détestables, pis qu'y' le restent toute leu' vie. T'as beau toute essayer pour leur améliorer le caractère, y' a rien à faire ! Marcel fait partie de c'te race de monde-là, j'cré ben. C'qui veut pas dire qu'y' a toujours tort, par exemple. Quand y' dit que Charles braille pasqu'y' a faim, petête ben qu'y' a raison. Moé avec j'pense ça. Ton docteur Spock pis ses méthodes, chus pas sûre pantoute que c'est ce qu'y' faut faire. Dans mon temps, entécas, c'est pas d'même qu'on faisait, mais toé, tu veux pas m'écouter. Ça fait qu'on est pognés pour endurer le caractère de Marcel, viarge ! Pis ça vaut pour toé avec, ajouta-t-elle en se tournant vivement vers Laura, qui se mit à rougir comme une cerise, détestant toujours autant être prise à partie par sa grand-mère. Chus restée dans ma chambre pour pas avoir à m'chamailler avec ton père, rapport qu'y' me tapait su' les nerfs, à matin, mais j'ai toute entendu pareil ! Pis su' une chose, y' a raison en viarge : à l'âge que t'es rendue, tu pourrais aider ta mère un peu plus. C'est ben beau, s'amuser, mais dans vie, y' a plein d'autres choses importantes à apprendre. Tenir maison fait partie de ces affaires-là, tu sauras.

— Ben voyons don', a' s'occupe de Charles en masse, vous pouvez pas dire le contraire, plaida aussitôt Bernadette sans laisser la chance à Laura de répondre qu'à l'école, justement, elle apprenait à tenir maison. Il y avait les cours de choses usuelles, et depuis deux ans déjà, elle suivait les apprentissages ménagers d'une fille de son âge dans le livre *Louise et sa maman*.

— T'appelles ça aider, toé, aller promener un bebé dans son carrosse ? poursuivait Évangéline sans plus tenir compte de la présence de Laura. C'est juste le fun, faire ça. C'est vraiment pas de t'ça que j'parle. Moé, j'parle d'aider pour vrai. Faire du ménage, du lavage, du manger. Dans mon temps, on perdait pas nos journées à rien faire. À neuf ans, tu sauras, je faisais déjà à manger tuseule. Pis je l'ai jamais regretté, pasque ça m'a servi durant toute ma vie.

— Peut-être ben, mais vous pensez pas, vous, qu'y' va arriver ben assez vite le temps ousqu'a' pourra pus jouer ? Ça dure pas toute la vie, l'enfance, pis si on en profite pas quand c'est qu'a' passe, ben y' est trop tard. Du manger pis du lavage, a' l'a toute la vie pour en faire, ma Laura.

— Pis moé, chus d'avis qu'y' est jamais trop de bonne heure pour apprendre les choses utiles. Je le répète : c'est ben beau jouer pis aller à l'école, mais c'est pas ça qui va laver ses planchers le jour ousqu'a' va se retrouver en ménage !

— Un plancher, c'est moins important que d'aller à l'école, quand même ! Pis des amies, pis du temps pour penser, ça aussi, c'est important.

Le ton montait. Bernadette n'aurait su dire d'où venait cette querelle ni même si ç'en était vraiment une, mais brusquement, elle retrouvait la belle-mère d'avant le voyage d'Adrien et cela lui était tout aussi désagréable que la mauvaise humeur chronique de Marcel. Pourquoi s'en prendre à elle ce matin, alors qu'il faisait si beau et que Marcel ne serait pas là de la journée ? Il semblait bien qu'Évangéline en avait lourd sur le cœur, car elle continuait de monologuer tout en beurrant ses rôties.

— Anyway, pense ben c'que tu voudras, Bernadette, après toute, Laura, c'est ta fille, mais je t'aurai prévenue. Viens pas te lamenter le jour ousqu'a' va se plaindre que tu y' as rien montré. Une femme avec des mains plein de pouces, c'est pas ben, ben utile dans une maison. Comme j'le disais t'à l'heure, moé, à neuf ans, j'faisais à manger pour mes frères, pis j'trouvais ça normal, pasque mes sœurs plus vieilles étaient pas là. A' travaillaient comme engagées chez l'notaire Boisvert. Chez nous, on a toutes commencé à donner un coup de main ben jeunes à nos parents, pis ça nous a pas faite mourir personne.

C'était la première fois que Laura entendait parler de la famille d'Évangéline. Une main immobilisée devant elle, sa rôtie arrêtée à mi-chemin entre l'assiette et sa bouche, elle ne perdait aucune des paroles de sa grand-mère. Elle n'en revenait pas d'apprendre qu'elle avait toute une famille dont elle ignorait l'existence. Elle avait toujours vaguement cru que sa grand-mère était enfant unique et qu'à l'âge vénérable où elle était arrivée, ses parents étaient décédés et que c'était pour cette raison qu'elle n'en parlait jamais.

C'est en remarquant le visage étonné de sa petite-fille qu'Évangéline comprit qu'elle avait trop parlé. Au lieu de prendre son assiette et de venir s'asseoir à la table, elle revint face à la cuisinière en bougonnant, malmenant quelques ustensiles et la bouilloire qu'elle déplaça bruyamment pour reprendre contenance. Cette famille, dont elle s'était juré de ne plus jamais parler, elle venait de la citer en exemple, malgré qu'elle l'ait reniée bien des années auparavant. Elle s'en voulut sur-le-champ, reporta cette amertume sur Bernadette. Si, au lieu de cautionner la paresse de sa fille, Bernadette l'avait soutenue, elle n'en serait pas là.

— Pis Antoine, lui, où c'est qu'y' est ? poursuivit-elle en prenant finalement sa place à la table, bien déterminée à changer le cours de la conversation, sans pour autant changer de sujet. Y' dort-tu encore ? Un autre qui fait pas grand-chose de ses dix doigts, si tu veux mon avis. À part le dessin, comme de raison.

Bernadette prit une profonde inspiration, et retrouvant le confort de ses anciennes habitudes, elle préféra ne pas répondre.

L'impatience d'Évangéline monta d'un cran.

— On sait ben, lui avec, tu vas le défendre ! Une vraie poule couveuse ! Même si tu dis rien, j'sais ben c'que tu penses, va ! Mais chus pas sûre que t'ayes raison, par exemple. Tes enfants sont juste des paresseux, si tu veux mon avis…

Ce fut la goutte qui fit déborder le vase. Depuis des mois que Bernadette avait l'impression de marcher sur une corde raide à cause de Marcel, elle n'en pouvait plus. Elle était épuisée. Elle se releva brusquement.

— Ben justement, votre avis, à matin, j'm'en serais ben passé, grommela-t-elle sans regarder Évangéline.

Bernadette se tenait à côté de la table, le visage ruisselant de larmes. Comme si elle n'en avait pas assez d'endurer les pleurs de son bébé qu'elle n'avait pas le droit de consoler, la chaleur insoutenable qui les enveloppait depuis des jours et un mari détestable qui contrôlait ses moindres faits et gestes !

Non, Bernadette n'en pouvait plus ! S'il fallait qu'en plus, la belle-mère s'en mêle, elle ne jurait plus de rien !

Alerté par les voix fortes, Charles avait cessé de manger. Son regard allait de l'une à l'autre et son petit menton tremblait, prélude à ses larmes. Profitant de ce que Marcel n'était pas là, Bernadette prit alors son fils dans ses bras et quitta la cuisine pour se réfugier dans sa chambre où elle éclata en bruyants sanglots. Elle serrait le petit Charles tout contre elle, psalmodiant inconsciemment le nom d'Adrien. Idéalisée par tous ces mois d'ennui, la présence d'Adrien lui manquait tellement !

Pendant ce temps, Laura en avait profité pour quitter la table à son tour, et sans demander la permission à qui que ce soit, elle était sortie de la maison sous les menaces d'Évangéline.

— Ma parole, t'as rien compris, toé ! Où c'est que tu t'en vas comme ça ? Y' est juste huit heures du matin, c'est pas une heure pour aller cogner chez l'monde ! Reviens icitte, Laura Lacaille. Y' a d'la vaisselle à faire, viarge, pis j'ai pas envie d'la faire tuseule ! Tu m'as-tu entendue ? Viens icitte tusuite ! Tu courras la galipote après…

Laura fit la sourde oreille. Arrivée au coin de la maison, entendant les pleurs de sa mère qui filtraient par la fenêtre grande ouverte sur la chaleur de juillet, elle fut sur le point de faire demi-tour. Elle allait s'occuper de Charles pour que sa mère puisse se reposer durant toute la matinée. Visiblement, Bernadette était très fatiguée. La perspective de retrouver sa grand-mère à la cuisine fit cependant avorter cet embryon de bonnes intentions. Suivant le trottoir d'un pas traînant, elle profita de l'abri précaire offert par une auto stationnée pour s'asseoir sur le bord de la rue. Avec un peu de chance, personne ne devrait la voir depuis la maison.

Puisqu'il était encore relativement tôt, la rue était déserte. Il n'y avait que le bruit des pas du facteur qui allait d'un escalier à l'autre, d'une porte à l'autre. Cachés dans les arbres, une bande de moineaux piaillaient avec enthousiasme. Peut-être à cause de la grande chaleur, les enfants n'avaient pas encore envahi la rue. Tant mieux, Laura n'avait envie de voir personne.

Elle profita de cette relative solitude pour renifler longuement afin de contrer des larmes qui menaçaient de déborder. Elle était comme sa mère et Antoine, elle détestait les disputes.

« Sauf celles avec Francine », pensa-t-elle spontanément.

L'ombre d'un sourire plana sur son visage.

Puis, les mots de sa grand-mère lui revinrent à l'esprit et elle se rembrunit. Comment Évangéline et son père pouvaient-ils parler à sa mère sur ce ton ? À ses yeux, il n'y avait pas plus gentil que Bernadette.

Deux grosses larmes échappèrent à son contrôle et roulèrent sur ses joues. Laura ne chercha pas à les essuyer. Elle se contenta de renifler une seconde fois. Depuis la naissance de Charles, tout allait de mal en pis à la maison. Laura poussa un soupir d'impatience. Elle se promit alors, et pas plus tard que ce matin, d'avoir une bonne discussion avec Francine. Un bébé, malgré ce que son amie en pensait, ça n'apportait pas nécessairement de la joie dans une famille. Francine s'était trompée. La seule vérité que son amie avait pu dire au sujet des bébés était qu'ils étaient gentils. Pour ça, oui, elle avait vraiment raison. Charles était adorable. Pourtant, son père ne semblait pas l'aimer. Il ne le prenait jamais dans ses bras, et dès qu'il revenait à la maison, personne n'avait le droit de le consoler s'il pleurait. En plus, il passait son temps à contredire sa mère dès qu'il était question de Charles. Combien de fois avait-elle été témoin de leurs éclats de voix quand ce n'était pas les bousculades que son père réservait à

Bernadette ? À cette pensée, ses larmes redoublèrent.

— Tu t'es fait mal ?

Laura sursauta. La voix venait de derrière elle et elle ne la reconnaissait pas. Pourtant, elle était bien certaine de connaître tout le monde dans sa rue. Elle essuya subrepticement son visage et jeta un regard à la dérobée, sans répondre. Une femme, qui devait avoir à peu près l'âge de sa mère, et qui lui ressemblait, d'ailleurs, la regardait en fronçant les sourcils. Laura faillit lui dire de s'en aller, de la laisser tranquille, mais les mots restèrent bloqués dans sa gorge. Il y avait, dans l'attitude de cette inconnue, tellement plus que de la sollicitude, qu'une certaine curiosité envahit Laura.

Qui donc était cette femme ?

Laura ne se rappelait pas l'avoir déjà vue dans le quartier. Un peu sur la défensive, elle fronça les sourcils à son tour. Curieusement, la dame aux cheveux châtains semblait terriblement triste.

— Tu t'es fait mal ? répéta la femme, en faisant un pas vers elle. Je peux t'aider, je suis médecin.

Cette fois-ci, Laura leva franchement la tête. C'était la première fois qu'elle voyait une femme médecin. Elle ne savait même pas que ça pouvait exister.

— Non, merci, murmura Laura, brusquement intimidée. J'me suis pas fait mal. Je... C'est à cause de mon p'tit frère Charles.

— Charles... C'est drôle, moi, c'est mon mari, qui s'appelle Charles. Alors, c'est ton frère qui a eu un accident ?

— Un accident ? Ben non, voyons, y' est ben que trop p'tit pour ça. Y' a pas encore dix mois.

— Alors, il est malade ?

— Non plus, répondit laconiquement Laura avant de replonger dans son silence.

Comment aurait-elle pu expliquer les misères de sa famille à une étrangère ? Elle entendit les pas de la femme qui s'approchait d'elle.

— Je peux m'asseoir ?

Sans attendre d'invitation, la jeune femme avait replié sa jupe d'une main agile, pour être plus confortable, et présentement, elle s'installait tout contre Laura, qui ne savait trop ce qu'elle devait penser de la situation.

— Je m'appelle Cécile.

Laura hésita. Le pressentiment que son père ou sa mère ne seraient pas contents de la voir parler à une inconnue lui effleura l'esprit, mais elle chassa cette sensation bien vite. Son père n'était pas là et sa mère avait d'autres chats à fouetter pour l'instant. Elle jeta tout de même un coup d'œil furtif vers sa maison, dont elle apercevait l'étage et le toit au-dessus de l'auto stationnée. Le facteur était chez elle. Il redescendait l'escalier, et tout semblait très calme. Heureusement, on n'entendait pas les pleurs jusqu'ici. Alors, levant les yeux vers l'inconnue, elle se présenta.

— Moé, je m'appelle Laura. Laura Lacaille. J'reste dans maison grise, au fond d'la rue, fit-elle en pointant l'index. C'est la maison de ma grand-mère. Pis vous ? C'est où que vous demeurez ? Me semble que j'vous ai jamais vue icitte.

Cécile dut prendre une profonde inspiration avant de pouvoir répondre. Depuis l'instant où elle avait vu cette petite fille en larmes, assise au bord de la rue, elle se sentait toute tremblante à l'intérieur. Il y a douze ans, elle avait été obligée par son père de céder à l'adoption l'enfant qu'elle venait de mettre au monde. Sa petite Juliette... Aujourd'hui, cette enfant qu'elle n'avait pas connue avait à peu près l'âge de Laura.

— C'est normal que tu ne me connaisses pas, je n'habite pas ici.

C'est tout ce que Cécile arriva à dire, la gorge nouée par l'émotion. Toutes les filles de l'âge de Laura auraient pu être la sienne. Elle n'avait aucun repère, aucun souvenir, hormis une photo prise quand sa fille avait trois ans, remise par le médecin qui avait servi d'intermédiaire pour l'adoption.

— C'est où que vous demeurez alors ?

Laura insistait, de plus en plus curieuse. Cécile se contenta d'un sourire, sachant que, si elle parlait immédiatement, elle risquait de se mettre à pleurer.

Cécile porta alors le regard devant elle, prit quelques bonnes respirations pour reprendre sur elle, en même temps qu'une certaine partie de sa vie défilait à toute allure dans son esprit.

Son long séjour chez la tante Gisèle, à Québec, pour l'éloigner de sa Beauce natale, afin de cacher sa grossesse, son passage à la crèche Saint-Vincent de Paul, où elle avait mis au monde sa petite Juliette partie en adoption le jour même, le décès de sa mère, en couches, laissant un nouveau-né fragile dont elle s'était occupé, la disparition de son fiancé Jérôme au Débarquement de Normandie, le suicide de son amie Rolande, puis quelques années plus tard, ses cours de médecine.

Cécile poussa un long soupir en tremblant. Depuis le jour où elle avait donné naissance à sa fille, les événements s'étaient bousculés et sa vie n'avait plus jamais été la même.

C'est pourquoi, quand elle avait aperçu cette gamine avec ses lourdes boucles châtain foncé, pleurant, assise au bord du trottoir, elle n'avait pu faire autrement que de venir vers elle.

Laura ressemblait tellement à l'image qu'elle se faisait de sa propre fille !

Présentement, Laura la fixait de ses grands yeux bleus qui accusaient toujours une certaine curiosité. Cécile refit un sourire et apporta les éclaircissements que la question de Laura exigeait.

— Je viens de Québec. C'est là que je vis.

— À Québec ? C'est loin en mautadine. Que c'est vous faites icitte, d'abord ? Me semble que la rue chez nous, c'est pas une rue qu'on a envie de visiter quand on est en voyage. C'est une rue bien que trop ordinaire.

La réflexion de Laura accentua le sourire de Cécile.

— Une rue, ce n'est pas juste une rue ! C'est aussi les gens qui l'habitent. Vois-tu la maison là-bas, celle qui a un escalier rouge en colimaçon ? Eh bien, c'est là que vit mon frère Gérard et sa nouvelle épouse, Marie. Je suis venue les aider à emménager.

Laura semblait songeuse et resta silencieuse un moment.

— J'aime ça c'que vous venez de dire là, murmura-t-elle enfin.

— Quoi ? Que mon frère ha...

— Non, pas ça, interrompit vivement Laura. Avant. Quand vous avez dit qu'une rue, c'est pas juste une rue, mais c'est aussi l'monde qui l'habite... C'est vrai en mautadine ! Moé, ma rue, si je l'aime, c'est beaucoup à cause de Francine pis de sa famille, qui restent près d'icitte, juste à côté du gros bloc brun.

— Tu vois !

Cécile hésita avant d'enchaîner. Elle était irrésistiblement séduite par cette Laura qui avait probablement l'âge de sa Juliette. Même si le chagrin qui l'avait attirée semblait loin maintenant, Cécile ne pouvait s'empêcher de voir les stries blanchâtres laissées par les larmes et elle se demandait ce qui avait pu causer un tel débordement d'émotions. Avait-elle le droit de lui demander ce qui n'allait pas ? Oserait-elle le faire ?

Un souvenir venu tout droit de ses jeunes années s'imposa alors à sa pensée. Elle se revit, assise sur la grosse roche plate à la croisée des rangs près de chez elle, pleurant ses chagrins d'enfant et, un peu plus tard dans sa vie, ses douleurs de femme. Cécile ébaucha un sourire tremblant, tant l'image était présente en elle. Laura lui ressemblait tellement. Ici, c'était la ville et il n'y avait pas de grosses roches plates, bien sûr. Par contre, il y avait des bords de trottoir, et c'est là que Laura avait choisi de pleurer son chagrin, tout comme elle, jadis, pleurait loin des oreilles indiscrètes. Pourtant, la jeune Cécile de l'époque aurait bien aimé que quelqu'un la console. Alors...

Cécile glissa un regard vers Laura.

— Ça va mieux ?

Cécile n'avait jamais aimé s'imposer. Par cette question, elle laissait une porte entrouverte. Laura lui semblait assez vive pour le comprendre. Si elle voulait se confier, elle saurait qu'elle le pouvait, sinon...

Laura poussa un long soupir, ramenée brutalement à la dispute du déjeuner. « Aux disputes, pensa-t-elle, accablée. Si seulement ma grand-mère en avait pas rajouté, ça aurait toujours pu aller. Mon père, chus habituée de l'voir en maudit. Mais ma grand-mère, ça faisait un bon boutte qu'était gentille. Pourquoi c'est faire qu'à matin... Pis en plus, c'est quoi c'te famille-là dont a' l'a parlé ? C'est comme mononcle Adrien ! Y' a fallu qu'y' retontisse chez nous pour que je sache que j'avais un mononcle ! »

Laura leva les yeux vers Cécile.

— Comment ça pourrait aller mieux ? demanda-t-elle sur le ton de la réflexion, reprenant les mots de Cécile. C'est pas moé qui décide dans c'te mautadine d'histoire-là ! C'est mon père, même si j'comprends pas pourquoi. D'habitude, les pères s'occupent pas des bebés comme ça ! C'est les mères, qui font ça. Pis en plus, à matin, ma grand-mère s'en est mêlée. C'est là que ma mère s'est mise à pleurer, pis moé, j'ai décidé de m'en aller. J'haïs ça, les chicanes.

— Et des chicanes, il y en a souvent à cause de ton père ? Des chicanes suffisamment grosses pour te faire pleurer ? demanda alors Cécile, aussitôt alertée par les propos de Laura.

Son travail de médecin, ses gardes à l'urgence surtout, l'avaient amenée à voir toutes sortes de choses et pas nécessairement les plus belles. C'est un peu pour cela qu'elle s'était permis d'insister.

— Ouais, si on veut, fit Laura, évasive, fixant de nouveau le sol, dont elle grattait l'asphalte avec le bout de son soulier.

Cécile respecta son silence. Elle avait l'impression que ce matin, la vie lui faisait cadeau de cette enfant à consoler, comme elle aurait pu le faire avec sa fille.

— Et toi, tu n'aimes pas cela ?

— Pantoute ! C'est plate, entendre Charles pleurer.

— Et pourquoi pleure-t-il, ton petit frère Charles ?

Laura haussa les épaules.

— J'sais-tu, moé ! Y' pleure pasque les bebés, ça pleure souvent.

— Est-ce que ton père lui fait mal ?

Laura leva la limpidité de son regard vers Cécile, qui sut tout de suite qu'elle était vraiment sincère.

— Non, quand même ! Mon père, y' est pas du genre gentil, mais y' est pas méchant non plus. Juste un peu roffe. Quand mon père, y' est pas là, ça dure jamais longtemps, les braillages de Charles. On l'prend dans nos bras, pis y' arrête tusuite. Même que c'est un bebé plutôt rieur. Mais quand mon père y' est dans maison, par exemple, y' veut pas qu'on l'prenne dans nos bras pour le consoler. Pis la nuitte, non plus. Ça fait que des fois, Charles, y' nous réveille, pis y' nous garde réveillés un bon bout de temps. Comme ça, le lendemain, mon père est de mauvaise humeur pasqu'y' a mal dormi. Pis là, y' dit que c'est d'la faute à ma mère pasqu'a' y' donne pas assez de manger. C'est là, d'habitude, que la chicane pogne.

— Et ta mère ?

— Quoi, ma mère ?

— Qu'est-ce qu'elle dit de tout ça ?

— Que c'est vous voulez qu'a' dise, ma mère ? C'est pas elle qui ronne dans maison, c'est mon père ou ben ma grand-mère. C'est sûr qu'a' l'essaye de raisonner mon père, c'est ben certain, mais quand y' veut rien entendre, y' a rien à faire avec. Y' dit qu'un gars, ça doit s'endurcir, pis qu'y' veut pas avoir une autre tapette dans maison. C'est pour ça qu'y' veut qu'on laisse brailler Charles. Pour en faire un homme, comme qu'y' dit !

— Ah oui ! Je vois...

En fait, Cécile ne voyait pas grand-chose, sinon la banalité d'une famille comme tant d'autres. Son propre père avait eu la main leste autrefois, lui aussi, et sa mère en avait eu peur, tout comme les enfants. On filait doux chez les Veilleux ! Il avait fallu qu'il perde sa femme en couches pour qu'Eugène, le père de Cécile, se décide à changer et devienne plus conciliant. En écoutant la jeune Laura lui parler, c'est une partie de son enfance que Cécile entendait raconter. Pourtant, un mot avait agacé son oreille, un mot qui n'avait jamais été prononcé chez elle.

— Pourquoi as-tu parlé d'une tapette ? Je ne sais pas si j'ai bien compris.

— Ah, ça ! C'est Antoine, mon autre p'tit frère, celui qui a huit ans. C'est pasque mon père, y' trouve qu'y' est trop sage, trop tranquille. C'est vrai, qu'Antoine, y' aime pas les sports, pis qu'y' passe son temps à lire pis à dessiner, mais j'pense pas que ça soye une raison suffisante pour dire qu'y' est une tapette, par exemple. C'est ça que ma mère a' dit, entécas, pis là-dessus, même ma grand-mère est d'accord avec elle à cause de mononcle Adrien qui aimait ça dessiner, lui avec, quand y' était p'tit, pis que c'est pas une tapette. Même qu'y' ressemble ben gros à mon père.

Laura se tut brusquement, consciente d'en avoir beaucoup dit à cette étrangère. Trop dit... C'était elle tout craché, ça !

Combien de fois avait-elle exigé de Francine qu'elle se taise, alors qu'elle-même était incapable de le faire ?

Si Laura n'avait pas eu le cœur si lourd, ce matin, elle en aurait ri.

En quelques minutes, quelques phrases à peine, elle avait l'impression d'avoir fait le tour de sa famille. Le portrait qu'elle en avait dressé était plutôt navrant. Elle ferma les yeux pour éviter de se remettre à pleurer. Pourtant, il y avait aussi de bons moments, chez elle.

Et sa mère était la plus gentille de toutes !

Laura ouvrit alors précipitamment les yeux et se tourna vers Cécile.

— Faut pas croire que ma mère est pas fine, par exemple, fit-elle avec une conviction inconditionnelle dans la voix, qui fit frémir le cœur de Cécile, en manque de ces mots d'amour prodigués seulement par les enfants. A' fait juste son possible, son gros possible, comme a' dit des fois. Avec mon père pis ma grand-mère, c'est pas facile toués jours, vous saurez. Même que...

— Laura ! Bon, enfin, te v'là ! Veux-tu ben m'dire c'que tu fais assis comme ça su' l'trottoir ? Pis c'est qui, elle ?

Absorbées par leur conversation menée à voix basse, Laura et Cécile n'avaient pas entendu les pas de Bernadette, partie à la recherche de sa fille. Elles sursautèrent toutes les deux en même temps. Cécile se leva d'un bond, son beau rêve éveillé se terminant abruptement, comme une bulle de savon qui crève sur une brindille d'herbe trop sèche. Une grosse boule de tristesse encombra sa gorge. Laura n'était pas sa fille et ne le serait jamais. Sa mère, celle qui aurait dû accueillir ses confidences, se tenait à quelques pas, la toisant d'un regard curieux. Cécile se sentit rougir, consciente qu'elle n'était rien dans la vie de cette enfant qui pourrait ressembler à sa Juliette.

— Je m'excuse, madame, c'est un peu ma faute, réussit-elle enfin à prononcer. Quand j'ai vu votre fille assise toute seule sur le bord de la rue, j'ai cru qu'elle s'était fait mal. Heureusement, ce n'était pas le cas, mais de fil en aiguille, on s'est mise à parler ensemble.

Elle crut inutile de préciser que Laura pleurait, et celle-ci lui en sut gré quand elle vit, posé sur elle, le regard de sa mère, impatient, exaspéré.

— Tu l'sais ben que t'as pas l'droit de t'en aller de même sans dire ousque tu t'en vas, maudit verrat ! s'emporta Bernadette sans tenir compte de l'intervention de Cécile. Ta grand-mère en voyait pus clair tellement était en beau maudit après toé !

Maintenant qu'elle avait retrouvé Laura, et soulagée de voir qu'elle n'avait pas eu besoin d'arpenter le quartier au grand complet pour le faire, la colère de Bernadette retomba d'un coup. Non qu'elle ait été inquiète, elle faisait suffisamment confiance à Laura pour ne pas s'en faire inutilement, mais comme Évangéline lui avait personnellement demandé d'aller la chercher et qu'il faisait particulièrement chaud, après la crise de larmes qu'elle venait d'avoir...

— Bon, ben, astheure, tu vas dire bonjour à... bonjour à la dame, pis tu vas me suivre tusuite, ordonna Bernadette, nettement plus calme. J'pense que ta grand-mère a de quoi à te dire.

Une lueur d'inquiétude traversa le regard de Laura, ce qui n'échappa nullement à Cécile, qui assistait à ce dialogue sans oser intervenir.

— Grand-mère... Était pas ben, ben de bonne humeur, grand-mère, à matin... A' veut toujours ben pas me punir pour être partie sans y' répondre ? J'sais ben que c'était pas poli, mais y' fait quand même ben que trop beau pour passer toute la sainte journée dans ma chambre !

— J'penserais pas !

Maintenant, Bernadette regardait Laura avec un sourire malicieux qui contrastait étrangement avec la teneur des propos qu'elle venait d'avoir, et le ton qu'elle avait employé quelques instants auparavant.

— Inquiète-toé pas, sa mauvaise humeur est partie en même temps que l'facteur est passé, la rassura alors Bernadette, énigmatique.

Laura était déjà debout, curieuse. Sa mère n'avait pas l'habitude de lui mentir. Si après la crise dont elle avait été témoin, Bernadette lui disait de ne plus s'en faire, c'est qu'il s'était passé quelque chose d'important chez elle.

— Ben si c'est de même, on va y aller !

Puis, se tournant vers Cécile, elle ajouta :

— Faut que j'parte. Chus contente de vous avoir connue. Vous ressemblez à ma mère, vous êtes gentille.

À ces mots, Bernadette posa les yeux sur Cécile, une évidente interrogation dans le regard. Qui donc était cette femme qui lui ressemblait étrangement ? Cécile fit alors un pas vers elle en lui tendant la main, consciente que certaines explications méritaient d'être apportées.

— Cécile Dupré, fit-elle en souriant. Mon frère Gérard vient d'emménager dans votre rue, précisa-t-elle en détournant la tête et regardant dans la direction de la maison qui abritait le logement occupé par son frère. Il habite la maison beige avec un escalier rouge, juste là.

Puis, elle revint face à la mère de Laura, dont elle ignorait toujours le nom.

— J'allais faire une course à l'épicerie quand j'ai croisé Laura.

— Ah bon !

Bernadette prit la main de Cécile avec une certaine réticence. Elle n'était pas habituée aux grandes manières et ne se fiait habituellement pas aux étrangers. Cette Cécile combinait les deux à elle seule, ce qui n'était pas pour la mettre à l'aise.

— Bernadette Lacaille, fit-elle précipitamment. La mère de Laura.

Bernadette n'aurait su dire pourquoi, mais brusquement, il lui avait semblé essentiel de bien identifier sa place dans la vie de Laura. Gentille ou pas, cette femme n'avait rien à voir avec leur vie. Sa façon de s'exprimer prouvait à elle seule qu'elle n'était pas de leur monde.

— Astheure, on va y' aller, annonça-t-elle en se détournant rapidement. J'ai assez perdu de temps comme ça. Viens, Laura. Charles va se réveiller bientôt.

Sans plus de manières, Bernadette marchait déjà vers la maison d'Évangéline. Laura dut accélérer le pas pour la rejoindre.

— Attends-moé, mautadine !

Puis, l'ayant rejointe, Laura demanda :

— Pis, la bonne nouvelle ? Tu peux-tu m'en parler ou ben y' faut absolument que ce soit grand-mère qui me la dise ? Pis c'est-tu vrai que grand-mère est revenue de bonne humeur ? C'était quoi, son idée, à matin, de me tomber dessus pasqu'a' trouve que je fais rien ? J'en fais, des choses, pour t'aider ! Pis tu l'savais-tu, toé, qu'a' l'avait des frères pis des sœurs ?

Bernadette éclata de rire. Elle avait l'air tellement heureuse que Laura se demanda si elle n'avait pas tout simplement rêvé tout ce qui s'était dit dans la cuisine à l'heure du déjeuner.

— Une chose à la fois, ma belle ! La bonne nouvelle, c'est ta grand-mère en personne qui va t'la dire. Mais mettons que j'pense que tu vas être contente, comme Antoine pis moé. Pour la famille de ta grand-mère, ouais, j'étais au courant, c'est ton père qu'y' m'en a parlé une fois. Mais ta grand-mère, elle, a' veut pas en parler. J'sais pas pantoute pourquoi a' leu' parle pus depuis des années, pis ça me r'garde pas. J'ai assez de m'occuper de mes affaires à moé, j'commencerai pas à m'en faire avec celles des autres. Pis demande-moé pas comment ça se fait qu'a' s'est échappée à matin, ça serait une verrat de bonne question, mais j'pourrais pas y répondre. Est d'même, ta grand-mère. A' monte vite, comme du lait dans un chaudron. Mais quand on apprend à la connaître, on se rend compte que c'est pas une mauvaise personne.

— Ah ouais ? C'est pasqu'est pas une mauvaise personne qu'a' nous est tombée dessus à matin ? J'avais rien faite, moé.

— Pis moé non plus ! On va dire que c'est à cause d'la chaleur qu'a' l'était comme ça, pis on en parle pus, O.K. ? Mais avant, j'veux que tu saches qu'a' s'est excusée.

À ces mots, Laura s'arrêta brusquement.

— A' s'est excusée ? T'es sûre qu'on parle d'la même grand-mère, toé là ?

Laura se voulait drôle, mais Bernadette ne le prit pas sur le même ton. Revenant sur ses pas, elle passa un bras autour des épaules de sa fille, l'entraînant avec elle vers la maison d'un pas beaucoup plus lent.

— Ouais, on parle ben d'la même grand-mère, la tienne. Évangéline Lacaille. Ça m'a pris ben du temps pour apprendre à la connaître, mais maintenant, j'peux dire que c'est une bonne personne malgré les apparences, des fois. Pis c'est juste normal que du monde qui vit dans même maison soye pas toujours d'accord. Tu viendras toujours pas m'dire que tu t'entends toujours avec Antoine ! Oh ! Écoute !

Elles arrivaient à la ruelle qui séparait la maison d'Évangéline de sa voisine. Laura leva la tête. De la fenêtre de la chambre de ses parents, elle entendait les babils de Charles qui était éveillé.

— J'aime ça quand y' jase de même, dit-elle à voix basse en levant les yeux vers Bernadette, toute souriante.

Bernadette resserra l'étreinte de son bras autour des épaules de Laura.

— Moé aussi ! J'vas me dépêcher d'aller le chercher avant qu'y' s'mette à pleurer. Pis toé, Laura, tu rentres tusuite par la porte d'la cuisine. J'pense que ta grand-mère t'attend su' la galerie.

— O.K. !

C'est au moment où elle se glissait dans l'ombre de la maison que Laura repensa à Cécile. Elle se retourna. La jeune femme n'avait pas bougé et semblait la fixer intensément. Alors, Laura leva le bras et la salua d'un geste de la main plein d'entrain, avant de tourner le coin de la maison où l'attendait Évangéline.

Quand Cécile répondit à son salut, Laura avait déjà disparu. Elle laissa retomber son bras contre son corps. La vie était injuste. Depuis trois ans qu'elle était mariée à Charles Dupré, un médecin comme elle, et Cécile n'avait toujours pas d'enfant. Elle se doutait bien que le problème venait de son mari, puisqu'elle avait donné naissance à une superbe fille en parfaite santé. Une petite Juliette qui aurait treize ans, un peu comme Laura. Mais son mari n'en savait rien. Alors, si aujourd'hui elle se retrouvait dans cette situation intenable, c'était sa faute. Elle aurait dû parler bien avant. Aujourd'hui, il était trop tard.

Deux grosses larmes coulèrent sur les joues de Cécile. Elle ne pensait pas que la douleur pourrait être à ce point intense après toutes ces années. Pourtant, il avait suffi d'une gamine en larmes et son cœur s'était réveillé avec tous ses souvenirs qu'il essayait de garder enfouis.

Le facteur arrivait à la hauteur de Cécile, le nez dans son sac. Alors, avant qu'il ne relève les yeux, elle essuya son visage du revers de la main, et plutôt que de se rendre à l'épicerie, elle remonta la rue vers chez Gérard. Tant pis pour la viande hachée, elle irait plus tard. Pour l'instant, elle avait besoin d'être écoutée et consolée, et il n'y avait peut-être, sur terre, qu'une seule personne qui pouvait le faire. C'était Gérard, son frère. Lui, il était au courant de tout.

* * *

La semaine avait été longue et remplie de labeurs sous un soleil de plomb. Sale et poussiéreux, fatigué et fourbu, Adrien prenait un moment de détente sur la galerie avant de rentrer faire sa toilette. Brandon et Mark étaient encore à l'étable et Chuck n'était toujours pas revenu d'Austin où, depuis quelque temps, il tramait quelques affaires mystérieuses avec son banquier. Il avait promis de leur en parler au souper.

Le soleil d'un orangé sans éclat chauffait encore durement, même s'il effleurait déjà le sommet de la colline au loin. Dans deux heures, tout au plus, il serait couché et c'était là, peut-être, la seule chose à laquelle Adrien ne s'était toujours pas habitué, la régularité des journées, toujours les mêmes à l'année longue. Au Québec, en juillet, la clarté du jour perdurait jusqu'à la nuit et Adrien avait toujours aimé ces journées allongées. Elles donnaient un air de vacances à chaque soirée. Ici, il ne sentait jamais cette atmosphère de fête, suscitée simplement par un soleil présent un peu plus longtemps. Pourtant, il s'était habitué à tout le reste sans la moindre difficulté. La chaleur, le soleil, l'humidité, les animaux, les longues chevauchées, les mises bas et l'abattage, les semis et les récoltes; tout ça faisait partie de sa vie, comme s'il était né ici. Il s'était surtout habitué aux Prescott, qui l'avaient accueilli comme un fils, après la guerre.

Adrien s'étira longuement, le cœur léger.

Dans quelques semaines, il ferait partie à part entière de cette famille d'adoption, car dans quelques semaines, il épouserait Maureen en grandes pompes à l'église d'Austin.

Il avait choisi, en toute connaissance de cause, de vivre ici pour le reste de sa vie et il ne le regrettait pas.

Adrien embrassa le paysage d'un long regard gourmand. Il aimait cette nature aride faite d'immenses champs brûlés au soleil, de pâturages verdoyants entretenus à la sueur de son front, de collines ondoyantes dans la chaleur qui montait de la terre et qui festonnaient l'horizon, sans jamais le restreindre, de bosquets touffus qui rivalisaient avec quelques cactus solitaires. Il aimait le travail manuel, dur, exigeant de cette entreprise agricole de grande envergure, lui qui avait été menuisier avant la guerre. En ce sens, lui écrivait régulièrement Évangéline, il ressemblait à ce père qu'il avait si peu connu et à ce frère, devenu un parfait étranger pour lui.

Au loin, une vache meugla. Une autre lui répondit aussitôt, suivie d'une troisième. C'était l'heure de la traite. Dans quelques instants, il verrait Brandon et Mark surgir de la grange, à folle allure, excitant leurs montures à grands cris, libres et joyeux. Ils seraient en route pour récupérer les bêtes et les rentrer pour la nuit. Ce soir, ils étaient de corvée, une corvée qui n'en était pas vraiment une. Demain, ce serait son tour de voir à la traite en compagnie de Joseph, l'homme engagé pour l'été qui s'ajoutait, année après année, aux employés réguliers. Quant aux animaux destinés à la boucherie, ils étaient à l'autre bout de la terre, en pâturage pour la saison. C'est là, perdu au milieu de nulle part, qu'Adrien venait de passer une bonne partie de la semaine à soigner les bêtes.

Il poussa un long soupir de fatigue entremêlée de bien-être.

Par la fenêtre ouverte, à quelques pas de lui, il entendait le bruit des chaudrons et des ustensiles que l'on manipulait à la cuisine. Ce devait être Angela, la jeune servante, puisque Maureen et Lysie, sa mère, avaient dit, en début de semaine, qu'elles accompagneraient Chuck à la ville pour un énième essayage de la robe.

Les parents Prescott voulaient faire les choses en grand pour le mariage de leur fille unique. Une grande partie des cultivateurs et des notables du canton avaient été invités, en plus d'une famille assez nombreuse qui viendrait des quatre coins du Texas. Houston, Dallas, Waco, San Antonio,

Corpus Christie... Les services d'un traiteur étaient retenus pour l'occasion et le champagne était acheté.

C'est à cause de cette fête, qui se voulait grandiose, qu'Adrien avait écrit à sa mère pour lui annoncer sa visite prochaine. Elle devait même avoir déjà reçu sa lettre. Il n'y disait pas grand-chose, ne parlant surtout pas du mariage. Il ne voulait pas qu'elle ait le temps de préparer une réponse négative à la demande qu'il lui ferait. Il comptait sur la surprise pour lui arracher la promesse de l'accompagner au Texas.

Adrien ne voulait personne d'autre comme témoin à son mariage, d'autant plus qu'il sentait le besoin d'avoir quelqu'un de sa famille auprès de lui quand il engagerait le reste de ses jours auprès de Maureen.

Pourtant, l'an dernier, à son retour de Montréal, jamais il n'aurait pu imaginer qu'il en viendrait un jour à ressentir cette espèce de sérénité qui le porterait vers l'avant, avec cette conviction profonde de faire exactement ce qu'il devait faire.

Adrien bâilla longuement et délia ses muscles avant de se caler confortablement dans l'une des nombreuses chaises en osier qui garnissaient la longue galerie.

Doucement, presque involontairement, il laissa alors remonter le souvenir de tous ces longs mois qui l'avaient mené à cette journée de juillet où il se préparait à retourner à Montréal pour la seconde fois.

Quand il avait quitté la maison familiale, en ce matin glacial de décembre, ce n'était pas tant à cause de l'ultimatum de Marcel que par peur de ce qui pourrait arriver s'il restait. Il avait beau chercher à s'en défendre, se dire que ce n'était pas encore ça, il n'en restait pas moins que Bernadette lui plaisait. Ce qui s'était passé entre eux n'aurait jamais dû arriver. Le désespoir de Bernadette, cette nuit-là, n'était que l'excuse facile à ce qu'il avait alors qualifié de faiblesse. Il n'avait pas sitôt passé les douanes que la réalité s'imposait à lui avec une virulence qu'il n'aurait pu soupçonner : Bernadette était amoureuse de lui. Ce n'était pas par dépit qu'elle s'était donnée, l'autre nuit, comme il avait cherché à s'en convaincre, c'était par amour. Une femme comme Bernadette n'agirait jamais par ressentiment, par envie de vengeance. Elle était beaucoup trop sincère et honnête pour cela.

Arrivé à New York, il avait enfin admis que, depuis un mois, il se mentait à lui-même. Le rire de petite fille de Bernadette et la limpidité de son regard aux reflets de ciel d'été, teinté d'une sorte de tristesse permanente, lui manquaient déjà douloureusement.

L'envie de la tenir tout contre lui, de lui murmurer à l'oreille qu'elle n'aurait plus jamais à craindre les paroles blessantes et les coups sournois fut si violente, qu'il faillit faire demi-tour. Il s'était alors arrêté dans un restaurant tellement il se sentait fébrile. L'évidence était criante : il était amoureux de Bernadette.

S'il avait finalement poursuivi sa route, toujours plus vers le Sud, c'était qu'il n'y avait rien d'autre à faire.

On ne tombe pas amoureux de la femme de son frère.

S'il avait continué en direction du Texas, c'était qu'il n'avait aucun autre endroit sur terre où se réfugier.

À trente-cinq ans, il n'avait rien qui lui appartienne. Ni devant ni derrière lui.

Il avait traversé les Carolines sans vraiment remarquer la pauvreté qui l'accompagnait. Le seul souvenir précis qui lui restait de ces heures à rouler sans fin était qu'il avait enlevé son manteau pour le remiser dans la malle arrière de son auto et que le geste correspondait à un besoin inné chez lui.

Il détestait l'hiver et le froid. Il avait l'impression de s'approcher de chez lui.

À la hauteur de Columbia, il avait machinalement pris la route vers Atlanta, s'enfonçant de plus en plus au cœur de l'Amérique, vers l'ouest, retrouvant et reconnaissant, plus facilement qu'il ne l'aurait cru, les accents nasillards du parler chantant des États du Sud.

Quand il avait passé les limites de la ville de Bâton-Rouge, il s'était dit que, dans moins d'une journée, il serait arrivé à la ferme de Chuck.

À cette pensée, il s'était arrêté.

Était-il prêt à tous les retrouver si vite ? Que recherchait-il vraiment en voulant retourner chez les Prescott ?

Il avait alors rebroussé chemin sur quelques milles et il était descendu encore plus vers le Sud.

Il comptait sur le charme de la Nouvelle-Orléans pour lui faire oublier qu'à Montréal, vivait une femme qu'il n'avait pas le droit d'aimer.

En arrivant dans le vieux quartier français, il avait eu la sensation de remonter dans le temps. Il se trouvait en France, à Paris, et à ses côtés, Maureen riait parce que la guerre était finie…

Maureen…

Bernadette…

Jamais il ne s'était senti aussi perdu.

Durant deux jours et deux nuits, il s'était étourdi le cœur et l'esprit au son du jazz et du blues, se noyant dans le bourbon et dormant auprès de belles inconnues.

Durant deux jours et deux nuits, il avait délibérément refusé de voir l'absurdité d'une vie qui ne menait nulle part.

Au réveil du troisième matin, il avait été malade à s'en arracher les tripes. Il avait quitté la chambre d'une jolie brune encore endormie, ne laissant qu'un peu d'argent sur la table et un petit mot excusant sa fuite.

À neuf heures du matin, le quartier français de la Nouvelle-Orléans était encore endormi. Le jazz et le blues s'étaient tus. Ils ne renaîtraient timidement qu'en fin de journée pour finalement exploser dans chacune des rues à la nuit tombée. Les commerces étaient, pour la plupart, encore fermés. Mais le peu de gens croisés avait suffi pour qu'Adrien cherche un endroit intime, à l'abri des regards.

Il s'était alors réfugié au restaurant The Court of Two Sisters, sur la rue Royale. Le restaurant ne donnait pas directement sur la rue. Il se cachait, en retrait au bout d'un long couloir sombre. Cela convenait parfaitement à Adrien.

Dans la cour intérieure, sous les magnolias qui préparaient leurs fleurs, il avait eu l'impression d'être enfin de retour chez lui.

L'endroit lui faisait penser à la galerie couverte de la maison des Prescott, et c'est à cet instant qu'il avait compris que la maison d'Évangéline ne voudrait plus jamais rien dire pour lui. Il ne s'y sentait plus chez lui.

Le fait que Bernadette y habite n'était qu'un incident de parcours.

Sous le couvert des feuilles, quelques oiseaux piaillaient. Il avait envié leur insouciance, leur liberté. Lui, il se sentait coincé de toutes parts. Il avait alors repensé à la guerre et un long frisson lui avait parcouru l'échine. Le serveur avait fait une diversion opportune en arrivant à ce moment précis. Adrien avait commandé un café.

— *No sugar, no cream*.

Le soleil frappait de biais les murs de la verrière, juste derrière lui, et il en avait senti la chaleur caressant son dos par ricochet. Il se rappelait, encore aujourd'hui, combien il avait apprécié ce petit détail, cadeau d'une belle journée de fin décembre dans la ville de la Nouvelle-Orléans.

Tout doucement, la médecine du café noir avait opéré. La nausée l'avait quitté et lentement, son esprit était sorti des brumes où il était englué depuis son réveil en catastrophe, alors qu'il s'était précipité à la salle de bain. Il avait commandé un second café.

— *With cream, please.*

Il se sentait de mieux en mieux. L'appétit remplaçait les crampes à l'estomac et ses idées se faisaient de plus en plus cohérentes.

Quand le garçon était revenu avec le second café et un petit pot de crème, il avait alors commandé un copieux repas, un déjeuner comme seuls les Américains savent les faire, même ici dans le Sud, où les fèves noires remplacent souvent les pommes de terres.

Refried beans...

Tous les matins, il y en avait sur la table des Prescott, et au fil du temps, il s'était mis à les apprécier.

Adrien avait dévoré tout ce qu'on avait placé devant lui. Rassasié, il avait pris sa tasse de café refroidi entre ses deux mains, et s'accotant sur le dossier de sa chaise, il s'était obligé à regarder sa vie sans complaisance. À ce moment-là, il avait senti qu'il était à un tournant important. Les décisions qu'il prendrait auraient une incidence définitive sur toutes ces années, qui l'amèneraient jusqu'à la vieillesse.

Il avait alors fermé les yeux. Le soleil, maintenant assez haut dans le ciel, arrivait jusqu'à lui. Il avait levé la tête et offrant son front à la chaleur qu'il avait toujours aimée, il avait laissé remonter l'image de Bernadette. Froidement, essayant de faire abstraction des émotions qui le portaient depuis quelques semaines.

Il avait clairement entendu son rire qui sonnait à ses oreilles et le regard d'azur de la jeune femme avait plongé jusque dans son âme.

Bernadette…

Jamais, non jamais, il ne pourrait faire abstraction de ses sentiments quand il penserait à elle désormais. Elle vivrait en lui. Elle serait toujours une parcelle de sa vie, comme la guerre en était un fragment, même si elle était terminée depuis longtemps. Il y a parfois, dans une vie, certaines personnes, certains événements qui vous marquent à jamais. Bernadette serait de ces gens-là.

Mais au-delà de cette certitude, au-delà de la sincérité de ses sentiments, il y avait la banalité d'une vie au quotidien.

Que pouvait-il faire ?

Qu'avait-il envie de faire ?

Adrien avait repoussé son café froid et appuyant ses coudes sur la nappe blanche, le regard perdu devant lui, au pied d'un magnolia ; il avait essayé de répondre aux questions qu'il s'était lui-même posées.

Dans le fond, il ne pouvait faire autre chose que ce qu'il faisait présentement. Il avait agi d'instinct et c'était ce qu'il devait faire. Être resté à Montréal n'aurait rien changé au fait que Bernadette était mariée à son frère.

Adrien avait inspiré profondément, souriant inconsciemment au va-et-vient de deux petits oiseaux qui chapardaient quelques miettes de pain sur le sol dallé, avant de remonter à tire-d'aile jusque dans les branches du magnolia.

Cette idylle entre Bernadette et lui était vouée à l'échec, et ce, avant même d'avoir commencé.

En fait, elle était née en grande partie à cause de l'attitude de Marcel. Si Bernadette avait été heureuse avec son mari, tout aurait été différent.

Il ne pouvait même pas intervenir auprès de Marcel sans risquer d'envenimer les choses. Bernadette le savait quand elle l'avait exhorté de ne pas s'immiscer dans leur vie. S'il était resté plus longtemps chez sa mère, c'était ce qui risquait d'arriver, et cela aurait pu être catastrophique, tant pour les enfants que pour Bernadette.

De toute façon, pour être honnête jusqu'au bout, il n'avait jamais eu l'intention de retourner vivre à Montréal. Quelques semaines, voire quelques jours, avaient suffi à l'en convaincre. Plonger dans ce qui avait été son univers pendant de nombreuses années lui avait été agréable, nécessaire même, il ne le niait pas, et cela avait été attirant, comme lorsqu'on découvre un nouveau pays, un autre mode de vie. Une fois l'attrait des premiers temps passé, l'envie de rentrer chez soi finit toujours par réapparaître.

Et maintenant, chez lui, c'était au Texas. Il aimait la campagne et la vie qu'on y menait, tandis que Bernadette ne jurait plus que par la ville.

Alors, même si Bernadette avait été une femme libre, elle n'aurait pas voulu l'accompagner à la campagne. Et malgré cela, quoi qu'ils aient pu décider, elle n'aurait pu le suivre chez les Prescott. S'il voulait retourner vivre chez eux, c'était en homme libre de toutes attaches qu'il pouvait le faire. Pas autrement.

Et qu'avait-il d'autre dans la vie que cette place qu'on lui avait si généreusement offerte à son retour de la guerre ? Charles et Élizabeth Prescott, que tous appelaient affectueusement Chuck et Lysie, l'aimaient et le respectaient comme un fils. Ils le lui avaient souvent dit dans les premiers temps où il vivait avec eux. Ils le lui avaient répété, la veille de son départ pour Montréal.

Adrien ne faisait donc que ce que la vie avait réservé pour

lui. Il retournait là où il y avait une place pour lui.

C'était au moment où il avait quitté le restaurant qu'Adrien avait vraiment pris conscience de la beauté du quartier où il se trouvait.

Le charme de la vieille France, enjolivée des dentelles de l'Espagne.

Adrien avait regardé tout autour de lui et se laissant guider par la banale envie de toujours aller un peu plus loin, il s'était mis à arpenter les rues du quartier français.

Ces balcons de fer forgé, ces portes de couleurs vives, ces parcs ombragés et fleuris, toute l'histoire de la ville racontée par les plaques de rues en porcelaine datant d'une autre époque, et fixées sur le mur des maisons, à la croisée des intersections.

Il avait alors acheté un très beau masque pour Maureen, un carré de dentelle pour Lysie, et une grosse bouteille de bourbon pour les hommes de la famille Prescott. Puis, il avait repris la route.

Quand il était arrivé à Smithville, le ciel était de cet orangé qui annonce la fin du jour. Sans consulter sa montre, Adrien avait su qu'il était aux alentours de sept heures. Les réflexes apparus grâce à la longue accoutumance des choses lui étaient revenus instinctivement.

La famille était à table quand il était entré dans la maison.

Maureen avait poussé un cri de joie et s'était précipitée vers lui, se jetant à son cou. C'est à l'instant où il avait refermé les bras sur la taille fine de la jeune femme et que son visage avait effleuré ses cheveux courts et bouclés, parce que Maureen était aussi grande que lui, c'est vraiment à cet instant qu'Adrien avait compris qu'il s'était ennuyé d'elle.

Peut-on aimer deux femmes à la fois ?

Churck et Lysie s'étaient longuement regardés avant de

se tourner vers lui. Puis, Chuck s'était levé de table et lui avait tendu la main en souriant.

— *Welcome back, Adrian*.

Adrian...

Personne, chez les Prescott, non, personne n'avait jamais su prononcer son nom correctement. Ici, il s'appelait Adrian.

Le reste avait coulé de source.

Quand il avait appris quelques mois plus tard que Bernadette était enceinte, il en avait conclu qu'il s'était peut-être imaginé des choses. Il y avait eu tellement de non-dits entre eux. Que des regards, des attitudes, des intentions. Après tout, sa belle-sœur menait peut-être la vie qu'elle avait choisie. À quelques semaines de là, à Pâques, Maureen et lui s'étaient fiancés. Si le mariage n'avait pas eu lieu la même année, c'était tout simplement que Chuck avait eu une attaque cardiaque. Aujourd'hui, il était parfaitement remis, et à la fin du mois d'août, Adrien et Maureen allaient enfin se marier.

Et dans deux ou trois semaines, selon le travail qu'il y aurait à la ferme, Adrien reprendrait la route vers le nord pour y chercher Évangéline.

Il était prêt.

La perspective de revoir Bernadette ne l'effrayait plus.

CHAPITRE 7

Si un jour la vie t'arrache à moi
Si tu meurs que tu sois loin de moi
Peu m'importe si tu m'aimes
Car moi je mourrais aussi

Hymne à l'amour (MARGUERITE MONNOT / ÉDITH PIAF)
PAR ÉDITH PIAF, 1950

Le 12 et le 17 août 1956

Évangéline, Bernadette, Laura et Antoine attendaient la venue d'Adrien avec impatience. Chacun pour des raisons qui lui étaient propres, bien évidemment, mais personne n'y portait vraiment attention.

Seul Marcel avait clairement laissé entendre son point de vue, en ce soir de juillet, où sa mère lui avait parlé de la venue prochaine de son frère.

Alors que toute la famille était installée autour de la table pour le souper, il avait viré écarlate dans la seconde.

Son frère n'avait-il pas compris le message, lors de son dernier voyage ? Il n'avait peut-être pas été assez clair ? Lequel cas...

Marcel avait assené un coup de poing sur la table.

— Maudit crisse !

Évangéline avait aussitôt levé la tête, délaissant momentanément sa soupe aux légumes du jardin. La première de l'année, la meilleure, avec des petites fèves, de minuscules carottes et une grosse poignée de ciboulette.

— Que c'est ça, ces manières-là ? J'ai toujours toléré ton parler, Marcel, mais là, tu charries. Tu viendras pas sacrer de même dans ma maison, viarge !

Marcel l'avait défiée d'un regard noir.

— Maudit crisse !

Le claquement de la porte avait ébranlé la maison.

Le repas, en l'absence de Marcel, avait donc été joyeux, ce soir-là, détendu. Chacun y était allé de ses explications, de ses spéculations. Si la lettre venait d'arriver, Adrien devait déjà être en route.

— À moins qu'y' prenne un peu plus de temps pour nous laisser le loisir de toute ben préparer pour le recevoir !

Mais où donc coucherait Laura ? Dans le salon ?

— Si Adrien y' est pour rester aussi longtemps que la dernière fois, Laura pourra pas dormir dans l'salon toute c'te temps-là, voyons donc !

— Pis Charles est supposé s'en aller dans chambre à Antoine samedi prochain. Si c'est pas maudit ! Me semble que Marcel avait dit qu'y' avait hâte que le p'tit dorme pus avec vous autres.

Bernadette et Évangéline avaient échangé un regard malicieux. Dès qu'il était question d'Adrien, les relations étaient toujours très bonnes entre elles.

— Tant pis, avait tranché Bernadette. Charles va rester avec Marcel pis moé pour un boutte encore, pis Laura va retourner dans chambre à Antoine. L'important, c'est qu'Adrien se sente à l'aise icitte. Après toute, y' est chez eux, lui avec. Marcel aura juste à s'y faire. C'est toute.

À quoi, Évangéline avait répondu qu'elle était parfaitement d'accord.

Quant à Marcel, il avait passé la soirée chez Phil à se demander ce qu'il pourrait bien faire quand Adrien serait arrivé. Passer ses soirées avec ses *chums*, à la taverne, y prendre ses repas pour éviter de croiser son frère ou rester à la maison pour surveiller Charles, comme il en avait pris l'habitude depuis quelque temps ?

Un terrible dilemme !

— Maudit calvaire. Voir que j'avais besoin de lui à maison. Ça va ben, là ! Bernadette file doux, les enfants sont pas trop tannants, la mère est presque de bonne humeur, pis Charles s'en vient un vrai p'tit homme, à part les nuittes où y' braille encore un peu. Pourquoi c'est faire qu'Adrien revient m'achaler de même ?

Personne, parmi ses amis, n'avait eu de réponse satisfaisante à cette question.

Loin de se préoccuper des élucubrations de Marcel, au lendemain de la fameuse lettre, Bernadette avait entrepris un ménage digne du temps des fêtes, le cœur battant la chamade, chaque fois que la porte d'en avant s'ouvrait à l'improviste.

Ne pas avoir de date précise était à tout le moins irritant !

Comment s'habiller, comment se coiffer, quoi préparer pour souper…

N'y tenant plus, quelques jours plus tard, Bernadette avait demandé à Laura de garder Charles pour l'après-midi.

— Y' serait temps que j'me fasse couper les cheveux ! avait-elle décrété en se mirant dans le miroir du corridor. Tu trouves pas ? Ça fait depuis que Charles est né que chus pas allée su' la coiffeuse.

Bernadette minaudait devant le miroir, remontait ses cheveux d'une main, faisant glisser quelques mèches de l'autre.

— Me semble que j'mérite ben ça, avait-elle conclu un peu vivement, consciente que ce manège ne lui ressemblait pas tellement.

Elle était partie en coup de vent.

Bernadette avait passé une heure à consulter les revues de Janine Coiffure, une demi-heure à surveiller ladite Janine qui jouait du ciseau sur sa tête et une dernière heure sous le séchoir, des bigoudis enfoncés dans le crâne pour, finalement, se passer la tête à l'eau dès son arrivée à la maison parce que Laura avait éclaté de rire en la voyant.

— Que c'est ça ? Tu te ressembles pus, moman ! On dirait que t'es plusse vieille, comme ça !

Une semaine, deux, trois...

Le temps passait, et toujours pas d'Adrien. Bernadette en était à son troisième époussetage complet de la maison et à son deuxième changement de draps dans le lit de Laura au cas où.

— M'en vas y' écrire, moé. Tu parles d'une idée de pas dire à quelle date y' compte arriver ! On est pas à l'hôtel, icitte, viarge !

Fin juillet, début d'août...

— Ben là, y' exagère. Pis en plusse, y' a même pas répondu à ma lettre. À moins qu'a' soye perdue dans l'bureau de poste. Ça arrive...

Marcel avait levé les yeux au ciel sans dire un mot, question de ne pas envenimer la situation. N'empêche qu'Évangéline ne changerait jamais. Elle aurait toujours des excuses pour son cher Adrien !

Et les jours passaient, toujours sans nouvelles ! À tel point que Marcel en avait conclu que son frère avait changé d'avis et qu'il ne viendrait pas.

Ce soir-là, Marcel était parti à la taverne, décontracté. Samedi, en avant-midi, il prendrait le temps d'installer Charles dans la chambre d'Antoine. Ça suffisait, les folies, il était évident qu'Adrien brillerait par son absence.

Depuis quelque temps, Marcel allait plus régulièrement à la taverne, question de relâcher la vapeur un peu, comme il disait. Habituellement, il attendait que le bébé soit au lit avant de partir de chez lui, mais pas ce soir. Il faisait trop chaud. Dès le souper terminé, il avait quitté la maison sans dire où il allait. Il en avait assez d'entendre parler d'Adrien. D'autant plus qu'avec Charles qui couchait toujours dans sa chambre, Bernadette continuait d'avoir le gros bout du bâton et s'entêtait à refuser ses avances. Dès lors, il n'y avait plus aucun intérêt, pour lui, de rester à la maison. Mais qu'on se le tienne pour dit : samedi, au réveil, il s'occuperait de transférer le lit de Charles. Tout allait rentrer dans l'ordre et il ferait comprendre à tout un chacun qu'il était grand temps de passer à autre chose.

— Maudit calvaire ! Ça parle rien que de ça dans cabane ! Adrien, Adrien... Si y' peut finir par arriver que j'puisse y' dire de repartir ! À moins qu'y' vienne pas pantoute. C'qui serait encore mieux, si tu veux mon avis !

Il faisait une chaleur torride depuis trois jours. Les fenêtres de la taverne étaient grandes ouvertes sur la nuit qui commençait à tomber. Les gens se promenaient sur le trottoir à pas lents, désinvoltes, transformant un simple mercredi soir en une soirée de vacances. Levant le bras, Marcel fit signe à Philippe, toujours fidèle au poste derrière son comptoir.

— Phil ! C'est ma tournée, lança-t-il en montrant la table

d'un large geste circulaire. Pis amène donc une couple de sacs de peanuts en même temps. Bernadette a fait une salade pour souper ! Une salade ! C'est bon pour les lapins. J'meurs de faim !

C'est au moment où il s'étirait pour plonger la main dans la poche de son pantalon que Marcel l'aperçut. Il interrompit son geste.

— Maudit calvaire ! Y' est là. Regarde, Bertrand, regarde au coin d'la rue. Chus sûr que c'est Adrien. Y' a juste lui pour rouler dans un char de fif de même. Sacrament que c'est laitte un char bleu pâle ! Calvaire de calvaire. Va falloir que j'rentre tusuite.

Marcel avait déjà les deux mains à plat devant lui et il était en train de se relever après avoir lancé l'argent des bières commandées sur la table, entre les bouteilles vides et les verres sales qui jonchaient le bois égratigné.

— Y' a pas l'feu, Marcel. Prends quand même le temps de boire ta bière. Ton frère s'envolera pas. Chus sûr qu'y' va t'être encore là quand tu vas avoir fini.

Bertrand était peut-être le seul à pouvoir faire entendre raison à Marcel. Ils se connaissaient depuis l'enfance et ils avaient fait les quatre cents coups ensemble. Aux yeux de Marcel, cela lui donnait certains droits. Mais surtout, si Marcel acceptait les avis de Bertrand aussi facilement, c'était probablement parce qu'il l'enviait. À trente-trois ans, il était toujours célibataire et il tenait à sa chère liberté comme à la prunelle de ses yeux.

— Inquiète-toé pas ! Adrien, y' va t'attendre, fit ce dernier, goguenard, voyant que Marcel hésitait.

Marcel se laissa retomber sur sa chaise en soupirant.

— C'est ben ça l'pire, admit-il sur un ton fataliste. T'as ben raison, Bertrand. M'en vas y' voir la face ben assez d'même. J'vois pas pourquoi j'y' courrais après. J'espère juste qu'y' a pas l'intention de rester trop longtemps. Ça m'use les nerfs de l'voir le matin quand j'bois mon café. Pis quand j'ai les nerfs en boule, ça prend pas grand-chose pour me choquer. Après, y' disent toutes que j'ai mauvais caractère, maudit calvaire. C'est toujours ben pas d'ma faute si chus pas patient ! Chus comme la mère.

Marcel attrapa la bouteille et le verre que Phil avait déposés devant lui et se mit à verser la bière du geste d'un expert. Malheureusement, contrairement aux deux autres qu'il avait déjà bues, celle-ci eut un curieux goût amer. Marcel soupira à fendre l'âme. Maudit Adrien ! Malgré cela, il décida d'aller jusqu'au fond du verre et accepta la tournée que Bertrand lui offrit quelques minutes plus tard.

Pendant ce temps, même si Adrien se doutait bien que Marcel ne serait pas content de le voir, ce n'était pas à lui qu'il pensait lorsqu'il stationna l'auto devant la maison de sa mère. C'était à Bernadette. Comme si le décor avait de l'importance dans l'évolution des sentiments, au fur et à mesure qu'il remontait vers le nord, des émotions déjà vécues resurgissaient en lui. Lentement, imperceptiblement, d'un virage à un autre, d'un paysage à un autre, le visage de Bernadette s'était substitué à celui de Maureen pour finalement triompher.

Une vieille blague de marin ayant une femme dans chaque port lui était revenue à l'esprit et il s'était détesté.

Mais quelle sorte d'homme était-il donc ?

Il fut soulagé quand il constata que sa mère semblait seule à la maison. Il comprenait qu'il aurait besoin de ce temps en tête-à-tête pour reprendre pied dans la réalité d'ici. À Montréal, c'était Bernadette qui occupait ses pensées. Il allait devoir s'y faire sans que rien ne paraisse. Elle avait sa vie et lui la sienne. Après tout, il était ici pour annoncer son mariage imminent à Maureen Prescott et demander à Évangéline de le suivre jusqu'au Texas pour être son témoin, tandis que Bernadette avait un nouveau fils à lui présenter.

Il entra sans frapper et se dirigea vers la seule pièce éclairée, le salon.

— Enfin, te v'là !

Visiblement, Évangéline oscillait entre l'exaspération d'avoir attendu si longtemps et le plaisir de voir Adrien. Ce dernier ne lui laissa pas le temps de choisir, traversa le salon en deux enjambées et prit sa mère dans ses bras. Même s'il avait décidé de vivre loin d'ici, revoir Évangéline amènerait toujours un certain bouleversement en lui.

— M'man !

Il la fit tourner dans ses bras.

— Grand fou ! Veux-tu ben me r'mettre su' l'plancher. Tu m'étourdis !

Adrien acquiesça à la demande d'Évangéline en regardant autour de lui.

— Toute seule ? demanda-t-il pour être bien certain que la maison était vide.

— Ouais… Y' faisait trop beau. Bernadette est partie prendre une marche avec le p'tit dans l'carrosse, pis les deux grands sont partis jouer dans cour d'école.

Adrien était heureux d'entendre parler de ces enfants qu'il avait bien aimé côtoyer. C'était même en partie à cause d'eux qu'à son tour, il voulait fonder une famille. Laura et Antoine lui avaient manqué.

— Antoine joue dehors ?

— Ben oui ! Même que c'est lui qui a demandé à sa sœur d'y aller avec. Faut croire qu'y' faisait trop chaud pour rester ici'dans ! À ben y penser, c'est pas la première fois que ça arrive depuis un boutte. Même qu'Antoine est de plus en plus souvent avec sa sœur. J'sais pas l'yable pourquoi, par exemple.

— Et vous ?

— Quoi, moé ?

— Pourquoi n'êtes-vous pas dehors à vous promener ? Si je me souviens bien, vous avez toujours aimé marcher dans la rue quand il fait beau comme ce soir.

Évangéline planta son regard dans celui de son fils.

— Imagine-toé donc qu'y' a quèqu'un qui avait annoncé sa visite. Comme de raison, quand d'la visite s'en vient, j'ai coutume de l'attendre. Ça fait même plusse qu'un mois que j'attends comme un coton su' la galerie ou ben perchée à la fenêtre.

Tout en parlant, Évangéline avait repris sa place dans le fauteuil qu'elle avait tiré jusqu'à la fenêtre. Au bout de la rue, elle crut apercevoir Laura qui marchait avec cette grande échasse de Francine Gariépy. Évangéline fit une grimace d'impatience. Les Gariépy, maudite engeance ! À quelques pas derrière, Antoine semblait suivre en traînant de la patte. C'est alors qu'un vent d'inquiétude balaya l'impatience dans le regard d'Évangéline. Cet enfant-là était de plus en plus renfermé. Le temps de se dire qu'elle profiterait de la présence d'Adrien pour lui demander d'y voir et Évangéline revenait à son fils aîné.

— Je m'excuse, était-il en train de dire. C'est vrai que j'aurais dû donner une date. Mais avec le travail sur une ferme, on ne se libère pas toujours quand on veut. Mais vous avez raison, j'aurais pu appeler.

— J'te l'fais pas dire... Bon, astheure que les choses plates sont dites, tire-toé une chaise pour t'assire. J'aimerais ça qu'on aye le temps d'jaser un peu avant que les autres s'amènent.

— Moi aussi, m'man. Moi aussi !

En prononçant ces derniers mots, Adrien avait rougi comme un gamin. Évangéline fronça les sourcils.

— T'as ben un drôle d'air, toé là. T'as toujours ben pas faite une bêtise ? On dirait un p'tit gars qui vient de voler une gomme su' Perrette, pis qui sait pas trop comment me l'annoncer.

Adrien ne put s'empêcher de rire. L'air suspicieux de sa mère et sa supposition farfelue détendaient l'atmosphère.

— Non, j'ai pas volé de gomme su' Perrette, fit-il moqueur en imitant la voix rocailleuse d'Évangéline. J'ai passé l'âge ! Par contre, si le mariage est une bêtise, alors oui, je vais faire une bêtise.

— Que c'est que t'essayes de dire ?

— Tout simplement que je me marie à la fin du mois.

Adrien s'attendait à une réaction spontanée. Évangéline avait toujours une opinion sur tout et ne se gênait surtout pas pour l'exprimer. Pourtant, cette fois-ci, elle ne répliqua rien. Reculant les fesses dans son fauteuil, elle s'appuya contre le dossier et continua de fixer son fils sans dire un seul mot. Puis, au bout d'un long silence qu'Adrien se garda bien d'interrompre, elle demanda :

— Avec ta Maureen ?

— Vous devez bien vous en douter, non ?

— Petête, ouais... Comme ça, tu reviendras pus jamais vivre par icitte, ajouta-t-elle, songeuse. Pasque si j'comprends ben, c'est ça aussi que t'es t'en train d'me dire, hein, mon gars ?

— Si vous voulez.

Évangéline claqua la langue contre son palais, impatiente.

— C'est pas une réponse, ça, si vous voulez ! Si vous voulez, si vous voulez ! Viarge, est-ce que c'est vraiment ça que j'veux, moé ? Non, mon p'tit gars, c'est pas c'que j'aurais souhaité. Dans l'meilleur des mondes, c'est pas ça pantoute que j'aurais voulu.

— D'accord. Je m'excuse. Mais vous avez raison, c'est ça que ça veut dire. En mariant Maureen, c'est évident que je m'installe au Texas pour de bon. Plus question pour moi de venir vivre de nouveau à Montréal.

— Bon ! Ça c'est une réponse qui a de l'allure. C'est clair. Pis si tu veux l'fond de ma pensée, c'est mieux de même.

Adrien était déboussolé, n'arrivant pas à suivre la logique de la pensée de sa mère. Elle voulait ou elle ne voulait pas l'avoir près d'elle à Montréal ? Il hésita, mais à peine, avant de demander :

— Vous pensez que c'est mieux ? À cause de Marcel ?

Évangéline haussa les épaules.

— Pas vraiment, mais petëte un peu.

Après cette réponse sibylline, Évangéline se redressa pour venir s'appuyer contre le rebord de la fenêtre. Si elle faisait abstraction de la tristesse ressentie parce que son aîné ne reviendrait jamais vivre auprès d'elle, l'annonce de ce mariage était une bonne nouvelle. Même si elle n'avait jamais été une farouche partisane du mariage pour ses deux fils, il était temps que son Adrien se case. Le faire ici à Montréal aurait été l'idéal en d'autres circonstances. Mais compte tenu des événements, Adrien était mieux de rester au loin. Évangéline soupira discrètement, déçue. Puis, elle redressa les épaules. Elle n'en était pas à une déception près dans sa vie.

— Oh ! Regarde ! J'pense que c'est Bernadette qui revient avec le bebé.

Elle pointait le doigt vers l'extrémité de la rue où le lampadaire commençait à dessiner un halo jaunâtre sur l'asphalte.

Adrien regarda dans cette direction, le cœur battant un peu plus vite. Une silhouette avançait lentement en poussant un landau.

— Comment s'appelle-t-il, déjà, ce bébé ?

— Charles. Charles Lacaille. Ça sonne ben, non ? C'est Marcel tuseul qui a trouvé ça quand j'y' ai dit que c'était un garçon.

Adrien resta silencieux un moment.

— J'avais oublié qu'il s'appelait Charles ; pourtant, vous me l'aviez écrit, j'en suis certain, reprit-il. C'est drôle, c'est le nom de mon beau-père. Mais là-bas, au Texas, tout le monde l'appelle Chuck.

— Ah ouais ? Chuck... C'est un drôle de nom. Ça fait... ça fait anglais, apprécia prudemment Évangéline. De moé à toé, j'aime mieux Charles, par exemple. J'sais ben que c'est un vieux nom, mais ça sonne ben quand même.

Évangéline se leva en repoussant le fauteuil derrière elle.

— Astheure, m'en vas aller aider Bernadette à rentrer le bebé. Dans l'radio, y' disent qu'y' va mouiller c'te nuitte. Va falloir rentrer le carrosse dans shed.

— J'peux y aller, si vous voulez. Après, j'aurais autre chose à vous dire.

— Toé, tu restes assis là, l'intima Évangéline, de la voix et de la main, avant de se diriger vers l'autre bout de la pièce. C'est Bernadette qui va venir te voir. Moé, j'vas donner un bain au p'tit. Ça va l'aider à dormir. Profites-en donc pour annoncer ton mariage à ta belle-sœur.

Évangéline parlait par-dessus son épaule tout en marchant. Arrivée à la porte du salon, elle se retourna.

— J'pense que c'est à toé de faire ça, Adrien. Si tu t'es donné la peine de venir jusqu'icitte pour nous parler de ton mariage, tu vas te donner la peine de faire les choses comme a' doivent être faites.

— Pourquoi dites-vous ça, m'man ?

Évangéline fouilla le regard de son fils jusqu'à l'âme.

— C'est toé qui me demandes ça, Adrien ?

Pour la seconde fois en quelques minutes, Adrien se sentit rougir.

— Faudrait pas me prendre pour une imbécile, poursuivait Évangéline sans tenir compte de l'évident embarras de son fils. J'ai beau vieillir, j'ai encore les yeux clairs. C'est toé qui vas parler à Bernadette, pis personne d'autre. Pis tu vas faire ça tusuite avant qu'y' soye trop tard. Pour l'autre affaire, y' sera toujours temps d'y voir demain matin. Pour astheure, j'ai de quoi ruminer une bonne partie d'la nuitte, inquiète-toé pas !

Ce n'est qu'une fois rendue dans le couloir qu'elle ajouta :

— Quand le p'tit Charles sera couché, on s'installera dans cuisine. J'ai fait d'la limonade t'à l'heure. Tu nous raconteras c'qui se passe de beau dans ton Texas. Bernadette pis moé, on aime ben ça quand tu nous parles de ton nouveau chez-vous. En attendant, j'vas y' dire que tu l'espères dans l'salon.

Adrien s'était souvent demandé ce qu'il ressentirait à l'instant où il reverrait Bernadette. Il ne pensait pas, cependant, que cela serait à ce point bouleversant. Non pas tant à cause des souvenirs qu'il y avait entre eux. Ils étaient là, oui, et personne ne pourrait jamais rien y changer. Ils porteraient toujours en eux cette nostalgie qui fait débattre le cœur. Mais cette espèce de regret devant l'évocation de ce qui aurait pu exister était autrement plus fort, plus envahissant.

Bernadette était aussi jolie que dans ses souvenirs. Son

regard, toujours aussi lumineux, aussi perçant malgré son inaltérable mélancolie.

— Bonsoir, Adrien. T'as faite un bon voyage ?

Adrien fut incapable de soutenir son regard. C'est en détournant la tête et en s'approchant de la fenêtre qu'il lui répondit.

— Oui, très bon. Merci.

Après une longue inspiration, il revint face à Bernadette qui se tenait toujours dans l'embrasure de la porte.

— Et toi, ici, ça va ?

Elle ouvrit tout grand les bras, comme si tout ce qu'elle avait à dire se résumait à cette pièce, à cet appartement.

— Comme tu vois.

Puis, précipitamment, elle annonça :

— Les enfants ont ben grandi.

Pour Bernadette, parler des enfants lui permettait de se dominer, de surmonter la gêne, de maîtriser l'envie qu'elle avait de se jeter dans ses bras.

— J'ai hâte de les voir. Ils m'ont manqué, tu sais.

— Eux autres avec, y' ont hâte de t'voir.

Puis, à brûle-pourpoint, avant de ne plus être capable de parler à cause de l'émotion, Bernadette ajouta, d'un ton qu'elle voulait désinvolte :

— Le pick-up a pas ben gros dérougi depuis que t'es parti, tu sais. C'est un beau cadeau que tu y' as faite là, à ma Laura.

Ils étaient maintenant tous les deux debout, face à face, à quelques pas l'un de l'autre. Adrien n'entendait que les battements de son cœur soutenant les paroles de Bernadette. Il avait oublié que s'il était ici, c'était pour annoncer son mariage prochain. Il dut faire un effort pour réussir à lui répondre sur ce même ton de désinvolture forcée.

— Tant mieux. C'est pour ça que je l'avais donné, pour faire plaisir à Laura. Et Antoine, lui ? Ça va ? Il dessine toujours ?

— Ouais… Même qu'y' suit des cours, astheure. Monsieur Romain, son professeur, y' dit qu'y' a beaucoup de talent. Chus ben fière de lui.

— J'aimerais voir ce qu'il fait.

— C'est sûr qu'y' va toute te montrer ça. L'autre jour, y' a même dessiné la locomotive de son train. C'est beau en verrat !

— J'ai hâte de voir, répéta Adrien.

Un silence embarrassant tissa une toile d'inconfort entre eux. Puis, d'une voix très douce, celle dont Bernadette avait tant rêvée dans les instants de douleur et de révolte, Adrien demanda :

— Et toi, Bernadette ? Comment ça va avec Marcel ?

La question était tellement directe que Bernadette en resta sans voix. Elle se sentait toute tremblante. Depuis qu'elle savait qu'Adrien allait venir, elle avait imaginé cette scène des dizaines de fois.

Pourquoi était-il revenu, sinon pour elle ?

Comme dans ses rêves les plus fous, elle aurait voulu avoir l'audace de lui proposer d'aller ailleurs, n'importe où pourvu qu'ils soient seuls. Ce qu'elle avait à lui dire ne tolérait aucune oreille indiscrète. Ni celle d'Évangéline ni celles des enfants. Encore moins celle de Marcel. Elle aurait voulu se blottir dans ses bras et lui confier qu'elle n'était pas heureuse avec Marcel. Elle aurait voulu lui déclarer, avec fierté, qu'il avait un fils qui s'appelait Charles. Elle aurait voulu lui demander de l'emmener loin, très loin d'ici avec les enfants.

Fuir avec lui les grossièretés, les coups, les insultes, les gestes répugnants.

Malheureusement, ils n'étaient pas seuls. De la salle de bain lui parvenait la voix d'Évangéline qui faisait rire le petit. Dans moins d'une heure, Laura et Antoine seraient de retour et Marcel aussi, probablement.

Et surtout, oh ! oui, surtout, les mots qui coulaient si librement dans ses rêves éveillés n'étaient plus que brume insaisissable. Elle détourna la tête.

— Tu sais, Marcel sera toujours Marcel, réussit-elle à articuler dans un filet de voix. Des jours, ça va. Pis d'autres, ça va pas pantoute. Mais j'me suis habituée. Tant qu'y' s'en prend pas aux p'tits...

Ces quelques mots suffirent à faire sortir Adrien de l'espèce d'engourdissement qui le tenait prisonnier. En quelques pas, il était aux côtés de Bernadette, prenait ses mains dans les siennes, plongeait son regard dans le sien. Bernadette comprit alors qu'elle ne s'était pas trompée. Un homme comme Adrien n'aurait pu coucher avec elle sans amour.

Le regard entre eux s'éternisait. Ce regard particulier, empreint de passion et de tristesse, qui disait tout sans les mots. Peut-être bien, après tout, que Bernadette allait lui parler de Charles. Et lui donner la pile de lettres qu'elle lui avait écrites sans jamais les envoyer. Adrien avait le droit de savoir.

Puis le regard d'Adrien ne fut plus que tristesse et Bernadette devina qu'elle allait souffrir.

— Je suis venu chercher ma mère, avoua-t-il enfin, mettant un terme aux espoirs insensés de Bernadette.

Après tout, Adrien n'était pas venu pour elle.

— J'ai besoin d'elle au Texas, poursuivait Adrien. Je me marie à la fin du mois. Avec Maureen.

Comme s'il avait besoin de le préciser !

Bernadette retira doucement ses mains et recula d'un pas. À la place du cœur, un bloc de glace. Un long frisson secoua ses épaules. Pourtant, elle n'en voulait pas à Adrien. Il était normal que lui aussi ait sa vie. Une femme, une famille... Non, Bernadette n'arrivait pas à lui en vouloir. Elle était juste triste devant l'absurdité des choses, l'absurdité de la vie. Immensément triste.

— Félicitations.

Bernadette parlait d'une voix rauque, étouffée. Adrien tenta de reprendre sa main.

— Bernadette ! S'il te plaît !

Bernadette se déroba, recula d'un pas, leva les deux mains devant son visage dans un geste de protection.

— Non, Adrien, non. Y' a rien d'autre à dire. Pas un mot de plusse. On le savait depuis l'début. T'as ta vie, pis moé, j'ai la mienne. Un point, c'est toute. J'comprends pas qu'on aye pu penser autrement. Faut juste que tu me donnes un peu de temps. Petête même qu'un jour, j'vas être capable d'être heureuse pour toé. Mais pas à soir.

Puis, après une lente inspiration.

— Astheure, j'vas aller voir mon fils.

Bernadette se dirigeait déjà vers la porte. Au moment de la passer, elle s'arrêta une fraction de seconde et sans se retourner, elle précisa :

— Y' est beau notre deuxième fils, à Marcel pis moé. Y' s'appelle Charles. Si tu viens dans chambre de bain avec moé pis ta mère, tu vas voir que j'ai raison, c'est vraiment un beau p'tit garçon.

Elle sortit ensuite du salon la tête haute.

Elle avait sa vie, et désormais, Adrien aurait la sienne. Que veulent dire les sentiments quand le destin se ligue contre soi ? Adrien repartirait vers sa destinée et Bernadette continuerait la sienne, ici. Finalement, c'était beaucoup mieux ainsi !

* * *

Laura s'était laissé tomber sur le banc de la balançoire, face à Francine, en soupirant bruyamment. Puis, elle éternua deux fois en regardant autour d'elle, exaspérée. La cour des Gariépy était toujours aussi poussiéreuse. Quelques plants de tomates poussaient laborieusement contre la galerie, et les jouets de Serge, chaudière et pelle, tricycle, ballon et arc d'indien traînaient un peu partout.

— Ça y est ! Sont partis ! lança-t-elle en reportant les yeux sur Francine, découragée du désordre qui régnait chez son amie, mais soulagée d'être enfin avec elle.

Parlant ainsi, Laura faisait allusion à son oncle et à sa grand-mère.

— À matin, ben de bonne heure, précisa-t-elle, presque souriante.

— Pis ? On dirait que ça te fait rien, c'te fois-citte, de voir partir ton mononcle. T'as l'air fatigué, mais t'as pas l'air triste.

— Non, c'est vrai. Petête que c'est pasque j'ai grandi ou ben pasque c'était pas pareil que l'autre fois. Pis faut dire qu'y' est pas resté longtemps. Quatre jours, c'est pas assez long pour s'habituer de l'voir là.

— Comment ça, pas pareil ? demanda Francine, toujours aussi curieuse.

— J'sais pas. On avait toute hâte de l'voir arriver, pis quand y' a été là, pouf ! le fun y' était parti. J'pense que ç'a été plusse le fun de l'attendre que de l'voir. Entécas, ma mère, elle, était pas de bonne humeur comme y' a deux ans, j'te dis rien que ça. C'est vrai qu'avec Charles qui fouille partout, ses journées sont ben occupées, pis est plusse fatiguée. Mais me semble qu'a' l'aurait pu faire un effort, maudite marde. Y' reste pas à porte, mononcle Adrien. Pis en plusse, y' va se marier. Ben non ! Était pas de bonne humeur pareil ! C'est rare que ça arrive, mais quand ça arrive, tasse-toé de là, faut pas se retrouver dans ses jambes ! Ça fait que j'me suis occupée de Charles plusse que d'habitude. C'est pour ça qu'on s'est presque pas vues, toé pis moé, ces derniers jours. Faut dire avec que ma grand-mère non plus était pas ben, ben de service. Était tellement énarvée de partir au Texas que c'en était plate. Était pus endurable. J'pense qu'a' l'a faite pis défaite sa valise trois fois, juste hier soir. Mononcle qui pensait qu'a' voudrait pas y aller, ben y' s'était trompé en mautadine.

— A' l'aurait été ben mal venue de pas accepter ça, un voyage de même, analysa sérieusement Francine. On rit pus ! Au Texas, sainte bénite ! C'est presque l'boutte du monde.

Après un instant de réflexion, où une carte de l'Amérique s'imprima dans son esprit, Francine, perdue dans ses pensées, demanda à Laura d'une voix évasive :

— Coudon, toé, a' revient comment, ta grand-mère ? C'est loin en saudit, le Texas. C'est-tu ton mononcle qui va la ramener ?

— Non. A' revient en train, y' paraît. Ça avec, m'as te dire que ça l'énarve pas mal. A' l'a assez peur de pas débarquer à bonne place, pis de jamais revenir dans sa maison à Montréal !

À ces mots, Laura esquissa un sourire fripon.

— Ça serait pas trop de valeur si a' débarquait pas à bonne place... Ben non, reprit-elle aussitôt devant l'air scandalisé de son amie qui, sans avoir d'attachement particulier pour une femme qui refusait encore et toujours de la rencontrer, avait néanmoins de bonnes valeurs familiales, j'fais des blagues. Est pas si pire que ça, ma grand-mère. Depuis le premier voyage de mononcle, son caractère s'est amélioré. Pis depuis la naissance de Charles, est plusse parlable. Non, c'est mon frère qui est rendu pas parlable.

— Comment ça, ton frère ? Pis duquel tu parles ? Antoine ou ben Charles ?

— T'es drôle, toé, des fois ! J'parle d'Antoine, ben sûr, rapport que Charles, y' parle pas encore.

Francine détestait quand Laura lui parlait sur ce ton de condescendance empruntée. Elle ne put s'empêcher de lancer, à titre de vengeance :

— Si j'ai dit ça, c'est juste à cause d'Antoine. Lui non plus, y' parle pas ben, ben. Y' est bizarre, ton frère, si tu veux savoir.

Les mots avaient dépassé la pensée de Francine. Elle s'attendait à ce que Laura lui tombe dessus à bras raccourcis, au lieu de quoi, elle l'approuva d'un vigoureux hochement de la tête.

— T'as raison. Plusse ça va, pis moins je l'comprends, mon frère. Tu l'savais, hein, que j'ai dormi dans sa chambre pendant que mononcle était là ? Ben, imagine-toé donc que l'autre soir, je l'ai entendu qui pleurait.

Depuis le temps que Francine était sa confidente, Laura n'avait plus aucun scrupule à dévoiler ce que sa mère aurait sûrement appelé un secret de famille.

— Ben là, j'te suis pas, laissa tomber Francine, soulagée. Pleurer, c'est pas bizarre. Moé avec, des fois, ça m'arrive. Pis chus sûre que toé avec, tu pleures, des fois.

— C'est pas ça que j'veux dire. Laisse-moé finir. Y' pleurait, oui, mais y' parlait aussi, pis y' disait : maudit dessin, maudit dessin, maudit dessin… Tu crois-tu ça, Francine ?

Depuis qu'y' est tout p'tit qu'y' dessine tout l'temps, pis on dirait qu'y' aime même pas ça. C'est ça, qui est bizarre.

— Bonté divine ! M'as dire comme toé... Tu y' as-tu demandé, après, pourquoi y' disait ça ?

— Non. Chus sûre qu'y' pensait que j'dormais. Tu l'sais comme moé : y' a des affaires, des fois, qu'on a pas envie de parler avec personne. C'te soir-là, ça ressemblait pas mal à ça. Même quand y' a montré ses dessins à mononcle Adrien, y' était pas comme d'habitude. On aurait dit qu'y' était pas fier de lui. Pourtant, sont beaux en mautadine, ses dessins. Pis tu l'sais comment qu'y' est, depuis le début de l'été ? Y' passe son temps à me coller.

— À nous coller, tu veux dire !

Laura soupira longuement en levant les yeux au ciel.

— À nous coller, si tu veux. Mais ça change pas le fait que la visite de mononcle Adrien a pas été aussi l'fun que l'autre fois. Pas pantoute. La seule affaire qui était pareille, c'est mon père. Y' était aussi de mauvaise humeur que d'habitude quand son frère est là. Une chance qu'y' se sont pas battus, par exemple. Ça, j'avais pas aimé ça pantoute !

— J'te comprends. Des chicanes, c'est plate... Sauf avec Bébert, ajouta Francine, toute souriante.

— Toé pis Bébert... Me semble que ça fait longtemps que je l'ai vu, lui. Que c'est qu'y' fait depuis l'début de l'été ?

— Y' travaille au garage à Jos Morin. Pompiste. C'est pas mal payant, y' paraît, pis ça fait ben l'affaire de mon père. Comme ça, Bébert peut y' payer une p'tite pension. Tu sais comment c'est, chez nous ! L'argent, c'est ben important.

— En parlant d'argent...

Laura regarda autour d'elle. Ne voyant personne aux fenêtres, elle se pencha vers Francine, appuya ses deux coudes sur ses cuisses et murmura :

— T'avais raison quand tu disais que mononcle Adrien était riche.

Francine haussa les épaules, dépitée. À voir la mise en scène de Laura, elle s'attendait au secret du siècle.

— Pourquoi tu parles de même ? C'était ben évident que ton mononcle Adrien était riche. Chus sûre que tout l'monde su' la rue l'a remarqué.

— Pas sûre, moé ! Anyway... C'que j'veux dire, c'est que l'autre matin, j'ai entendu mes parents qui se chicanaient.

— À propos de l'argent de ton mononcle ?

Francine avait les yeux brillants d'expectative.

— Pas vraiment. Vas-tu m'laisser finir, maudite marde ! Chaque fois que j'veux dire de quoi, tu passes ton temps à m'interrompre.

— O.K. ! J'dis pus rien.

— L'autre matin, j'ai entendu ma mère qui disait à mon père qu'y' faudrait ben donner un cadeau pour les noces d'Adrien. Peux-tu juste un peu t'imaginer de quoi avait l'air la réponse de mon père ? J'peux même pas répéter les mots qu'y' a dit, pasque y' a pas de confession avant le début de l'école, pis que j'irais direct en enfer si je mourais. Sauf que quand mon père a eu fini de descendre toués saints du ciel, ma mère y' a dit que de toute évidence, son frère allait faire partie d'une famille très riche. C'est exactement les mots qu'a' l'a dits, *très riche*. Pis avant que mon père recommence à sacrer, a' l'a rajouté que dans vie, on savait jamais c'qui pouvait arriver. Fallait ben réfléchir avant de faire de quoi. Pis a' l'a fini en disant qu'y' serait petête ben content, un jour, d'avoir donné un cadeau pour le mariage de son frère. Que ça pourrait servir, un jour, d'avoir eu des bonnes manières.

— Pis que c'est que ton père a répondu à ça ?

— Rien... Ou ben, j'ai pas entendu. Mais y' était d'accord, pasqu'à matin, juste avant que mononcle s'en aille, ma mère y' a donné une grosse boîte ben emballée en disant qu'y' fallait l'ouvrir avec Maureen. Ça, c'est la fiancée à mononcle.

— Une grosse boîte ? Grosse comment ? Que c'est qu'y' avait dedans ?

— J'sais-tu, moé !

— Tu l'as pas demandé ?

Francine n'en revenait pas du peu de curiosité de Laura.

— Ben non ! Ça m'intéresse pas de savoir c'est quoi mes parents ont donné pour le mariage de mononcle Adrien.

— T'es ben drôle, Laura Lacaille !

— Pis toé, t'es juste une écornifleuse, Francine Gariépy. Ça fait qu'on est quittes, O.K., là ?

Vexée, Francine jeta un regard noir à son amie. Ce que Laura prit avec un grain de sel, car elle n'avait pas fini. Il lui restait autre chose à dire à Francine. Quelque chose qui allait ramener sa bonne humeur instantanément.

— Pis c'est pas tout. Mononcle m'a donné un cadeau.

Laura regardait Francine avec un petit air prétentieux, un petit air à faire damner un saint. Et comme Francine n'était pas la plus angélique…

— Tu fais par exprès ou quoi ! C'est quoi, le cadeau ?

— Un record d'un nouveau chanteur qui reste proche de chez mononcle. À Memphis. C'est au Tennesse. Mononcle m'a dit que par chez eux, toutes les filles sont folles de c'te gars-là. Pis c'est vrai qu'y' est beau en mautadine. Y' s'appelle Elvis.

— Tu parles d'un drôle de nom ! Y' est où ton record ?

— Y' est chez nous, c't'affaire.

— Pourquoi tu m'en parles, d'abord, si j'peux pas l'écouter ? T'aurais dû amener ton pick-up comme tu fais d'habitude. C'est pas ben fin, c'que tu fais là !

— Tu vas l'écouter, mon record d'Elvis.

— Quand ça ? Où ça ?

Francine ouvrait les bras, comme pour montrer qu'elle n'avait pas ce qu'il fallait pour écouter de la musique.

— T'es ben plate, Laura Lacaille, de m'faire ça ! Tu l'sais ben que j'ai pas de pick-up, moé.

— Je l'sais. Mais si tu penses comme faut, tu vas comprendre.

— Comprendre quoi ? Envoye, aboutis, sainte bénite.

— Comme ma grand-mère est pas là, ma mère t'invite à venir chez nous, lança Laura, triomphante. Te rends-tu compte, Francine ? Tu vas pouvoir venir chez nous, pis même dîner avec nous autres ! Pis ma grand-mère, a' revient juste dans trois semaines. J'pense que ça va être la fin des vacances la plus l'fun de toute ma vie ! Envoye, viens-t'en. On va demander à ta mère si tu peux venir chez nous. J'ai assez hâte de te montrer ma chambre !

TROISIÈME PARTIE

Quand l'enfance est déjà derrière soi…

CHAPITRE 8

La mer
Qu'on voit danser le long des golfes clairs
A des reflets d'argent
La mer
Des reflets changeants
Sous la pluie

La mer (CHARLES TRENET / ALBERT LASRY)
PAR CHARLES TRENET, 1947

Le 10 octobre 1956

Évangéline était revenue transformée.

En compagnie de Marcel, Bernadette était allée la chercher à la gare Windsor par un beau mardi matin. Début septembre, le fond de l'air avait fraîchi et quelques arbres commençaient à se parer d'or et d'ambre.

Charles avait fait ses premiers pas quelques jours auparavant et Marcel en était très fier. Il avait hâte de le montrer à sa mère. Pour une fois, il avait pris congé sans se faire supplier.

Quand Bernadette avait vu descendre Évangéline du train, s'arrêtant sur la seconde marche, cherchant à droite et à gauche, visiblement désorientée et craintive, elle avait éprouvé une bonne bouffée de tendresse pour cette dame entre deux âges à l'air bougonneur, rébarbatif.

« La belle-mère est enfin de retour chez nous », avait-elle alors pensé, affectueusement, en serrant Charles dans ses bras.

À peine quelques années auparavant, jamais elle n'aurait pu imaginer ressentir un tel attachement pour cette femme.

Durant les trois dernières semaines, elle avait trouvé la maison grande, même si Marcel, lui, était heureux d'être seul maître à bord.

— T'avais raison, Bernadette, avait-il souligné à plusieurs reprises. La vie serait ben plusse facile sans la mère. Mais que c'est tu veux ? J'peux toujours ben pas la laisser tomber de même. La pauvre vieille, a' survivrait pas ben, ben longtemps sans nous autres.

Bernadette avait laissé dire.

Durant cette même période, Marcel était allé moins souvent à la taverne, et c'était peut-être là le seul avantage que Bernadette avait vu à l'absence d'Évangéline. Pour le reste, rien n'avait changé.

Les ordres et les remarques de Marcel, qui se prenait pour Dieu le Père, les coups sournois, les exigences particulières quand ils se retrouvaient seuls dans leur chambre à coucher...

Bernadette se serait bien passée de toutes ces choses qui faisaient d'une grande partie de sa vie un isoloir de silence et de crainte. Elle avait beau essayer de toutes ses forces, prétendre que ce que Marcel pensait ou disait ne la touchait plus, ce n'était pas vrai. Dès qu'il haussait le ton, dès qu'il approchait d'elle avec son regard brillant de convoitise ou de colère, elle sentait que tout son être se recroquevillait à l'intérieur de son ventre, comme si elle avait voulu disparaître pour de bon. Elle tenait le coup pour les enfants, s'accrochait à chacun des moments normaux de leur vie, se répétant que ça pourrait être pire.

C'est pourquoi, ce matin-là, à la gare Windsor, elle était toute souriante. Évangéline revenue, certaines choses devraient rentrer dans l'ordre. Elle, au moins, pouvait tenir tête à Marcel sans risquer les remontrances ou les coups perfides.

Son fils bien calé contre sa hanche, Bernadette avait levé le bras pour attirer l'attention de sa belle-mère.

— Évangéline ! On est là !

Un grand sourire avait éclairé les traits ingrats d'Évangéline, à l'instant où elle l'avait aperçue.

— Bernadette ! Enfin ! J'vous vois ! J'arrive !

Malgré la fatigue, Évangéline avait revêtu ses plus beaux atours. On ne descend pas d'un train tous les jours ! Chapeau à voilette, gants et souliers en cuir verni à talons hauts. Ses vêtements chics, comme elle disait, qu'elle gardait précieusement dans une boîte, sur la tablette de son garde-robe, pour les événements d'importance.

Marchant maladroitement, elle tentait de se frayer un chemin dans la foule quand Marcel, enlevant Charles à sa mère, s'était précipité vers elle, bousculant quelques personnes au passage.

— Regarde, la mère !

Plantant son fils debout au milieu des passants, il l'avait poussé dans le dos.

— Envoye, ti-gars, vas-y ! Montre à grand-mère c'que tu sais faire.

Apeuré par toutes ces jambes qui passaient au bout de son nez, l'enfant n'avait pas bougé d'un poil. Tournant les yeux vers sa mère, son petit menton s'était mis à trembler. Pendant ce temps, Évangéline était arrivée à leur hauteur.

— T'as-tu perdu la tête, Marcel Lacaille ? Voir qu'on plante un bebé tuseul à travers le monde. Redonne-moé ça à sa mère, c'te p'tit-là, pis tusuite.

Marcel avait jeté un regard mauvais à sa mère.

— J'voulais juste vous montrer qu'y' savait marcher, avait-il maugréé en rendant brusquement le petit Charles à Bernadette.

Évangéline avait haussé les épaules, l'air découragé.

— À t'voir aller, j'l'avais deviné, imagine-toé donc ! On verra toute ça à maison. Astheure, va quérir ma valise en face du dernier wagon. Est brune en cuir de crocodile. A' l'a une étiquette avec mon nom dessus. C'est madame Prescott qui me l'a donnée, pasque ma vieille en carton bouilli, a' l'a pas tenu le coup ! Envoye, que c'est que t'attends ? Chus ben fatiguée.

Puis, se tournant vers Bernadette, elle avait recouvré son sourire.

— Viarge que c'est loin, le Texas ! Mais c'est beau à sa manière. C'est... comment dire ? C'est différent. Ouais, ben différent. M'en vas toute te raconter ça rendu à maison. Pour l'instant, j'ai juste envie de retrouver mes chaussons, pis ma vieille veste de laine. Si Marcel peut arriver, on va retourner chez nous.

Ils n'étaient pas sitôt entrés dans l'appartement que Marcel appelait sa mère dans le salon.

— V'nez voir. Charles pis moé, on vous attend.

Évangéline était venue le rejoindre en traînant les pieds.

— Y' a pas à dire, chus ben mieux dans mes vieux chaussons que dans mes souliers propres ! Pis que c'est que tu veux me montrer ?

— Regardez, la mère !

Titubant de fatigue, Charles avait fait néanmoins quelques pas.

— Avez-vous vu comment qu'y' est fort ? Y' a pas encore un an, maudit calvaire ! Ça, la mère, c'est un vrai gars. Vous allez voir ! Un jour, y' va jouer au hockey.

Évangéline avait jeté un regard moqueur sur Marcel.

— Ah ouais ? Un vrai gars pasqu'y' marche ? Ça t'en prend pas beaucoup. J'te ferais remarquer qu'Antoine avec, y' a marché. Pis si j'me rappelle ben, y' aime pas ça, le hockey. Voyons donc, Marcel, arrête de voir des joueurs de hockey partout ! Charles, y' fera ben c'est quoi qu'y' aura envie d'faire quand y' sera plusse grand. Pour l'instant, ton vrai gars, y' a l'air pas mal fatiqué.

Vexé par le manque d'intérêt de sa mère pour les prouesses de son fils, et surtout par ses propos railleurs, Marcel avait tourné les talons.

— Bernadette ! avait-il alors crié, faisant sursauter sa mère et pleurnicher Charles. Viens t'occuper de ton gars. Y' pue la marde ! Pis ça l'air qu'y' serait fatiqué.

Il avait quitté la pièce sans s'occuper de la valise de sa mère, qu'il devait déposer sur son lit. Il voyait rouge ! Évangéline n'était pas aussitôt arrivée qu'elle trouvait le moyen de le ridiculiser. Les nerfs à fleur de peau, il avait même profité de ce qu'il croisait Bernadette dans le corridor pour la bousculer.

— Grouille-toé donc quand j't'appelle. Faut que j'parte pour le travail, j'ai assez perdu de temps comme ça.

Puis, arrivé à la cuisine, il avait ajouté, toujours en criant :

— À soir, j'ai envie de manger du steak en tranche. T'enverras Laura ou ben Antoine le chercher. M'en vas leu' préparer un paquet. Pis tu m'feras des patates jaunes pour aller avec. Comme l'autre soir. Je reviens pour six heures. Salut.

— Hé ! Pis ma valise, elle ? T'étais pas supposé la mettre sur mon litte ? R'viens icitte, Marcel Lacaille !

Du salon, Évangéline avait interpellé son fils sur le même ton, en criant.

Le claquement de la porte avait été la réponse de Marcel.

— Maudit air bête !

— Laissez !

Bernadette avait rejoint Évangéline au salon, tout en se frottant machinalement l'épaule gauche.

— J'vas m'occuper du p'tit, pis après, m'en vas aller vous la mettre su' vot' litte, la valise. C'est pas ben grave.

Campée au milieu du salon, un petit Charles au visage barbouillé de larmes et cramponné au bord de sa jupe, Évangéline regardait Bernadette en fronçant les sourcils.

— Veux-tu ben m'dire depuis quand c'est lui qui décide c'qu'on va manger ?

— Depuis que vous êtes partie ! J'pense qu'y' a aimé ça jouer au p'tit boss.

— Ah ouais ? Ben m'as y' en faire, moé, du steak en tranche. Si j'ai envie de manger du steak haché, ben, c'est du steak haché qu'on va manger. Pis monsieur veut des patates jaunes en plusse. Viarge, ça prend du rôti, pour faire des patates jaunes. Y' a aura juste à les manger blanches, ses maudites patates.

À ces mots, Bernadette éclata de rire.

— J'me suis ennuyée de vous, la belle-mère. Ça fait du bien d'vous avoir là, tout près. Astheure, j'serai pus tuseule à m'choquer après Marcel. Assisez-vous donc un peu pour vous reposer. J'm'occupe de Charles, pis tusuite après, j'vous mets votre valise dans votre chambre. Pendant que vous allez la vider, moé, j'm'en vas y' en faire des patates jaunes. J'ai juste à faire rôtir un oignon, pis à rajouter d'l'eau dans l'chaudron avant de mettre les patates. C'est pas ben compliqué, pis ça y' ferme la trappe. Après, pendant que le p'tit va faire sa sieste, on va s'installer su' la galerie, pis vous allez me raconter votre voyage. J'ai ben hâte que vous m'disiez comment c'était là-bas. Pis comme qu'a' l'était la robe d'la mariée.

C'est ainsi que depuis le retour d'Évangéline, tous les après-midi, durant la sieste de Charles, les deux femmes s'installaient pour parler du Texas, sur la galerie quand il faisait beau ou dans la cuisine devant une tasse de thé quand il pleuvait. Évangéline ne tarissait pas d'éloges au sujet des Prescott.

— Des gens dépareillés ! Pis la maison, toé ! Comme dans les vues, viarge ! J'pensais jamais que ça pouvait exister dans vraie vie, des maisons de même. Tiens, a' ressemble à celle qu'on a vue ensemble dans l'film. Tu sais, l'film avec Clark Gable pis Vivien Leigh ?

— *Autant en emporte le vent ?*

— En plein ça. Ben la maison des Prescott, a' ressemble ben gros à ça. Avec des plafonds ben hauts, un foyer dans l'salon, pis un grand escalier. Y' a pas à dire, mon Adrien y' est tombé su' une bonne famille.

— Pis la campagne, là-bas, ça ressemble-tu à celle d'icitte ?

— Pantoute. Icitte, dans l'Nord, on est habitués à voir des montagnes. On dirait que les fermes sont coincées entre deux montagnes. Pis nos champs sont en pente plus souvent qu'autrement... Ben là-bas, des montagnes, y' en a pas. Juste des p'tites collines de rien pantoute. Pis les terres sont ben plusse grandes. Adrien me disait que pour aller au pâturage du bétail de boucherie, ça y' prenait trois heures à cheval. Tu te rends-tu compte, Bernadette ? Trois heures, viarge ! C'est quasiment aussi loin que d'aller à Trois-Rivières.

Souvent, Évangéline semblait se recueillir. Elle se taisait

brusquement, portait les yeux sur le bout de la rue, hochait la tête. Puis, tout aussi brusquement, elle se remettait à parler.

— C'est ben pour dire…

— Quoi ?

— Ben, les différences qui peut y avoir d'un pays à un autre. J'aurais jamais cru. Icitte, quand on pense à un fermier, on voit un colon su' sa terre. Comme chez ton père. C'est pas pour critiquer, mais chez tes parents, c'est pas la grosse richesse. Quand t'es arrivée en ville, y' avait encore des bécosses dans l'fond d'la cour, chez ton père. Tandis que là-bas, les fermes, c'est quasiment des industries. Avec des engagés pour faire l'ouvrage, toé ! C'est pas des maudites farces ! Quand Adrien me parlait d'la ferme des Prescott, à son premier voyage, j'pensais jamais que c'était ça. Dans ma tête, j'voyais une ferme comme par icitte, pis j'comprenais pas pourquoi c'est faire qu'y' préférait une vie d'misère là-bas à celle qu'y' aurait pu avoir icitte en ville. Astheure, j'comprends un peu plusse. La vie, là-bas, c'est comme vivre dans une vue. Ouais, comme dans les vues…

— J'aurais ben aimé ça, voir ça, moé avec.

— Oh ! C'est ben beau, mais moé, j'en voudrais pas de c'te vie-là.

— Ben voyons donc !

— J'te l'dis, Bernadette. Trop, c'est comme pas assez. Pis là-bas, c'est plusse que trop ! Ça doit être pasque mon gars a connu les vieux pays pis leu' grandes manières qu'y' a été capable de s'habituer à c'te sorte de monde-là. J'vois pas d'autre chose. Moé, avoir une bonne qui joue dans mes affaires, j'haïrais ça ! Déjà que j'ai eu d'la misère à m'accoutumer à toé. Pis j'dis pas ça pour être méchante. C'est juste que l'monde qu'y' travaille pas comme moé, ça m'énarve.

C'est toute. Dans l'fond, c'est petête juste une bonne affaire que mon autre bru, a' demeure pas proche d'icitte.

Sur ces mots, Évangéline tapotait le bras de Bernadette.

— J'en ai une, bru, pis est dépareillée. J'en ai pas besoin d'une autre. Pis leu' paysage, y' peuvent ben l'garder pour eux autres. Moé, un pays ousqu'y a juste un été qui dure tout le temps, j'aimerais pas ça. C'est beau de voir les saisons changer. Là-bas, c'est vert pis chaud tout l'temps. Pas de couleurs dans les arbres à l'automne, pas de neige l'hiver, pas de sirop d'étable au printemps. Moé, un été qui finit jamais par finir, j'trouverais ça plate. Pis y' fait ben que trop chaud, viarge ! La sueur nous coule dans face à journée longue ! Non, c'est pas un pays pour moé, le Texas. J'aime mieux vivre par icitte. Y' a rien qui vaut ma rue avec ses passants pis ses histoires. Quand tu regardes devant toé, ça bouge, ça vit ! Là bas, quand tu regardes devant toé, c'est juste des plantes qui suivent le vent. Ça vient long en viarge, regarder dehors quand c'est qu'y' a rien d'autre à voir que des foins pis des cactus. Ben long !

Souvent, quand Évangéline s'élançait dans de longues diatribes comme celle-ci, Bernadette fermait les yeux, s'imaginant des paysages écrasés sous la chaleur, comme elle en avait vus dans certains films de cow-boy avec John Wayne. Invariablement, la silhouette d'Adrien se glissait dans le paysage, ce qui faisait tout son charme. Alors, sans le dire à Évangéline, elle s'inventait une maison bien à elle, comme celle dans le film *Autant en emporte le vent*. Elle portait de jolies robes et attendait l'arrivée d'Adrien en admirant ses vastes champs. Pour elle, rien n'était plus plaisant que cette attente devant de longs foins se balançant au vent chaud du Texas. Tant pis pour l'automne et ses couleurs, l'hiver et sa neige, puisque Adrien n'aimait pas ces saisons.

Quand Évangéline recommençait à parler, Bernadette sursautait, le cœur battant la chamade, comme si sa belle-mère avait pu lire ses pensées. Tant bien que mal, elle essayait de se mettre au diapason du discours parfois échevelé d'Évangéline.

— Mais avoir un p'tit peu plusse d'argent, des fois, ça ferait pas de tort.

Bernadette ouvrait les yeux tout grand, un peu perdue, l'esprit vagabondant encore dans les vastes prairies.

— Mais de quoi vous parlez, vous là ?

— Ben d'l'argent des Prescott, c't'affaire ! C'est clair comme le nez au beau milieu d'la face qu'y' sont riches à craquer, ces gens-là. Pis c'est rien, ça. Adrien m'a dit qu'y' sont supposés faire de la pré... de la por... Entécas, y' sont supposé creuser la terre pour voir si y' aurait pas du pétrole sous leu' champs. J'savais pas que ça poussait dans les champs, le pétrole. Mais si y' en a, Adrien m'a dit qu'y' seraient ben riches. C'est pour ça que j'dis que là-dessus, j'les envie.

— Pis que c'est ça changerait pour nous autres, avoir plusse d'argent ? On est ben. On manque de rien.

— Que c'est ça changerait...

Évangéline fermait les yeux à demi.

— C'est vrai qu'on manque de rien. Mais me semble que ça doit être ben l'fun de pouvoir acheter toute c'qu'on veut drette quand on le veut.

— J'pense pas, moé, que c'est si l'fun que ça. J'aime mieux désirer quèque chose. Prendre le temps de le vouloir ben comme faut. D'la manière que vous parlez des Prescott, c'est pas mêlant, on dirait qu'y' ont toute !

— C'est sûr, qu'y' ont toute. Y' ont même une télévision, viarge ! Tu sais, l'espèce de boîte à images qui marche comme des vues. Ça, ma p'tite fille, ça, c'est quèque chose que j'aimerais avoir. Pis avoir assez d'argent pour me le payer drette-là !

À son tour, Évangéline se permettait de rêver, oubliant de parler.

Et elle remettait ça pour les enfants, le soir, au souper.

Évangéline parlait du Texas, d'Adrien, de ce qu'ils mangeaient, des chevaux, du bétail. À l'entendre détailler la vie sur la ferme, Bernadette se disait que ce monde de la campagne ne lui était pas étranger. Elle pensait alors à cette famille dont Évangéline ne parlait jamais. Laura et Antoine, eux, écoutaient leur grand-mère religieusement, sans l'interrompre. Antoine, surtout. Il se voyait, chevauchant dans les champs immenses aux côtés de son oncle.

Hue ! Hue !

Il aurait tellement voulu vivre là-bas, avec Adrien.

Quand il avait su que sa grand-mère l'accompagnerait jusqu'au Texas, il s'était torturé l'esprit pour trouver une raison qui aurait pu faire en sorte qu'il les accompagne. Il s'était convaincu qu'une fois rendu là-bas, il aurait pu persuader son oncle assez facilement de le garder avec lui. Sur une ferme immense comme celle-là, il y aurait sûrement du travail pour un petit garçon rempli de bonne volonté. Malgré ce que son père pensait de lui, Antoine n'avait jamais eu peur de travailler !

Malheureusement, il n'avait rien trouvé de valable pour justifier son départ. C'est pourquoi, quand Adrien et sa grand-mère avaient quitté la maison, un matin, à l'aube, il avait fait semblant de dormir.

S'il avait été présent, il se serait mis à pleurer de déception, de dépit, et si son père l'avait appris, il l'aurait encore traité de tapette ! Il ne savait pas exactement ce que ce mot voulait dire, mais son père y mettait tellement de mépris en le prononçant qu'il savait que ce n'était pas une bonne chose.

N'empêche qu'il buvait les paroles de sa grand-mère, chaque fois qu'elle parlait de son voyage. Et quand il s'enhardissait à poser des questions, elle était très patiente avec lui, ce qui était nouveau.

— Pis comment vous faisiez pour parler avec eux autres ? Me semble que vous avez déjà dit que vous compreniez pas ça, l'anglais ?

— Adrien traduisait ! Ou ben, quand y' était pas là, on se faisait des signes ! Madame Prescott, a' trouvait ça ben drôle ! Imagine-toé ça, Antoine ! Chus tuseule avec madame Prescott, pis c'te soir-là, j'avais envie de leu' faire à souper, rapport que j'trouvais ça un peu long, rien faire de mes journées. Pis j'avais envie de leu' dire merci pour la visite que j'faisais chez eux ! Mais j'savais pas ousqu'y' étaient ses affaires. Ça fait que, quand j'y' ai demandé de m'passer la farine...

Et ces soirs-là, quand sa grand-mère lui expliquait la vie qu'elle avait menée au Texas, exagérant les choses, embellissant le quotidien, Antoine se mettait à rire et à la questionner. Alors, le lendemain, Évangéline reparlait du Texas et d'Adrien, juste pour le plaisir de l'entendre rire.

Cela faisait des mois qu'Antoine n'avait pas ri de si bon cœur.

* * *

Adrien par-ci, Adrien par-là ! Texas le matin, Texas le soir ! Prescott au déjeuner, Prescott au souper !

Marcel n'en pouvait plus.

À croire qu'après les Prescott et leur Texas, il n'y avait plus rien d'intéressant en ce bas monde.

Et Adrien, bien entendu, en ressortait grandi aux yeux de sa mère, comme s'il y était pour quelque chose ! Il n'y avait qu'à entendre Évangéline en parler et en reparler pour le comprendre.

— Tu devrais voir comment c'est qu'Adrien est beau quand y' monte à cheval ! On dirait qu'y' a faite ça toute sa vie ! Pis leu' maison, toé ! Y' faudrait que tu voyes ça, Marcel ! J'te jure qu'y' faut le voir pour le croire. J'te l'dis : c'est comme dans les vues. J'ai toujours été ben fière de ma maison, pis je l'suis encore, c'est pas ça que j'dis ! Mais ç'a rien à voir avec une maison comme celle des Prescott. Pis c'est dans c'te maison-là, toé, qu'Adrien pis sa Maureen vont continuer à vivre, même si y' sont mariés. Imagine-toé ça, Marcel...

Et Évangéline repartait dans ses interminables descriptions que Marcel écoutait d'une oreille distraite. Lui, il n'imaginait rien du tout. Pourquoi essayer de se figurer quelque chose qu'il ne verrait jamais ? N'empêche que d'entendre parler d'Adrien tous les jours ne faisait qu'ajouter à son éternelle jalousie.

Sa mère finirait-elle par comprendre, un beau jour, qu'à sa manière, Marcel était tout aussi méritant qu'Adrien ? Ne voyait-il pas à l'entretien de la maison sans rechigner depuis des années ? En plus de s'occuper des plaintes des locataires, de récolter les loyers pour les remettre à sa mère et de voir à ce que sa famille ne manque de rien. Que pouvait-il faire de plus pour que sa mère consente enfin à l'apprécier, lui ? Ne serait-ce qu'un mot d'encouragement, qu'un petit merci à l'occasion. Mais il n'y avait jamais rien d'autre que des demandes répétées, des remarques désobligeantes sur son mauvais caractère.

— Pas de quoi me l'améliorer, le caractère, maugréait-il, quand il fuyait la maison en claquant la porte. À force de toujours me chialer après, a' va finir par me l'empirer, maudit calvaire !

Manifestement, aux yeux d'Évangéline, il n'y avait que son cher Adrien qui ait réussi dans la vie. Du moins, c'était ce que Marcel s'entêtait à croire.

Depuis un mois que sa mère était de retour et Marcel avait atteint les limites de ce qu'il pouvait endurer sans devenir mauvais. C'était devenu une obsession : que faire de plus pour que sa mère s'aperçoive enfin que lui aussi, il avait réussi ?

L'idée lui vint quand il passa sur Sainte-Catherine, en ce midi pluvieux d'octobre. Comme il lui arrivait régulièrement de le faire, il avait profité de son heure de dîner pour se balader en auto. Il disait que ça l'aidait à se détendre avant d'entreprendre l'après-midi.

Quand il la vit, il sut immédiatement qu'il avait enfin trouvé.

Depuis un mois que sa mère en parlait, qu'elle la voyait comme le signe indiscutable de la réussite.

Aucun doute, après ça, Évangéline réviserait ses positions face à Marcel.

Il passa l'après-midi à faire des calculs sur un coin de la table à dépecer, dans le réfrigérateur de la boucherie, pendant que Fred s'occupait du comptoir.

Au bout de deux heures, il contemplait sa feuille de calculs avec un sourire victorieux sur les lèvres.

Ça passait serré, mais ça passerait ! Même avec les mensualités de l'auto qu'il continuait de verser.

En rognant sur l'allocation qu'il donnait chaque semaine à Bernadette, il y arriverait. De toute façon, il lui en donnait trop. Quand on a suffisamment d'argent pour permettre à ses enfants d'aller manger un *sundae* ou des frites Chez Albert, c'est qu'on reçoit trop. Laura et Antoine mangeraient Chez Albert le jour où ils auraient un salaire, comme lui avait fait, un point c'est tout.

Marcel ne se rappelait pas que sa mère lui ait donné le moindre sou pour s'acheter des friandises.

Puis, quand il eut tout vérifié une dernière fois, il demanda à monsieur Perrette la permission de quitter avant l'heure.

— C'est pour une commission ben importante.

Deux heures plus tard, il tournait le coin de la rue chez lui, une immense boîte dans la malle de l'auto, entrouverte et retenue par une corde. À la place du passager, Bertrand, son ami, qu'il avait pris en passant devant chez lui.

— J'ai besoin de toé, rapport que c'est ben pesant. Mais tusuite après, tu t'en vas chez Phil, pis tu m'attends. M'en vas aller te rejoindre. À soir, on fête !

— Que c'est qu'on fête ?

— Le début de ma nouvelle vie, Bertrand ! C'est à soir que toute va changer, je l'sens. Ça mérite ben une p'tite bière avec mon meilleur chum.

Marcel avait refusé d'en dire plus.

Quand il entra chez lui, Évangéline était au salon à écouter la radio. Ça n'aurait pu tomber mieux. Bertrand et lui déposèrent la boîte au milieu de la pièce et Bertrand fila comme Marcel le lui avait demandé.

— Veux-tu ben m'dire ? C'est quoi c't'affaire-là ?

Évangéline le regardait d'un air suspicieux.

— Ça, la mère, c'est pour toutes nous autres ! Y' a pas juste au Texas que l'monde sait vivre. Regardez-moé ça !

Retirant le canif qu'il portait toujours dans la poche de son pantalon, Marcel commença à couper les attaches de la boîte. Des pans de carton tombèrent les uns après les autres sous le regard éberlué d'Évangéline. Marcel s'était redressé et il regardait sa mère avec un large sourire, vraiment fier de lui. Évangéline n'aurait plus le choix. Elle allait finir par admettre que son fils n'était pas un deux de pique !

— Mais t'es-tu tombé su' la tête, Maucice Lacaille ?

— Pantoute. Y' a pas juste les Prescott à avoir une télévision, astheure. Nous autres avec, on en a une ! Une RCA Victor. Le vendeur m'a dit que c'était la meilleure. J'ai pris la plus grosse qu'y' avait dans l'magasin.

— Ben justement…

Évangéline était déjà debout. Lentement, elle fit le tour du meuble, l'air à demi convaincu.

— Est ben que trop grosse, Marcel, jugea-t-elle après quelques instants. Ç'a pas une miette d'allure. A' va déparer mon salon sans bon sens.

Marcel commençait à déchanter. Il aurait dû s'y attendre. Avec sa mère, il y avait toujours quelque chose qui n'allait pas.

— Comment ça, déparer l'salon ? C'est un beau meuble toute en bois verni. Ça coûte les yeux d'la tête, c't'affaire-là !

— Pis ça ? L'bois est pas pareil à celui du Chesterfield.

— Le bois est pas pareil ? Ben voyons donc !

Marcel commençait à avoir chaud. Lui qui pensait ne recevoir que des félicitations, n'avoir droit qu'à des cris de joie…

— Que c'est ça peut faire que l'bois soye pas pareil, maudit calvaire ? C'est une télévision pareille, non ?

Évangéline ne répondit pas. Elle continuait de tourner en rond autour du meuble. La tentation de se réjouir était grande. Si Marcel avait pu se contenter de quelque chose de plus petit…

— Popa ?

Alerté par les éclats de voix, Antoine se tenait dans l'embrasure de la porte. Il n'avait d'yeux que pour la télévision. Marcel, qui ne l'avait pas entendu arriver, se tourna brusquement vers lui. Comme chaque fois qu'il regardait son fils, il eut un moment de déception. Comment un enfant aussi chétif pouvait-il être son fils ? Son impatience monta d'un cran.

— Que c'est tu veux, toé ? Tu vois pas que chus ben occupé ?

— J'veux rien de spécial... C'est-tu une télévision ?

Du doigt, il pointait le lourd meuble en bois.

— Que c'est tu penses que c'est, à ton avis ? Un frigidaire ? fit Marcel, de plus en plus agressif. Ouais, c'est une télévision. Mais ça l'air que ça fait pas encore.

Antoine n'écoutait plus son père. C'était la première fois qu'il voyait une télévision pour vrai. Sa grand-mère en avait longuement parlé, bien sûr, et il était allé au cinéma une fois avec sa mère et Laura. Il y avait aussi Ti-Paul, à l'école, qui racontait que sa tante en avait une et qu'il l'avait regardée, une fois. Il disait que ça ressemblait aux vues, mais en plus petit. Les connaissances d'Antoine, en cette matière, n'allaient pas beaucoup plus loin.

Malgré cela, il doutait grandement de ce qu'il avait entendu à droite et à gauche.

Comment des images pouvaient-elles voyager dans des fils ? Le son à la rigueur, ça pouvait aller, parce que le son, on ne le voyait pas. Dans son esprit d'enfant, cela semblait logique. Mais des images...

Le gros meuble le fascinait avec son écran tout noir qui, par magie, pourrait s'animer. Il leva la tête et regarda les fils électriques qui pendaient aux poteaux de la rue. Il fronça les sourcils.

— T'es sûr que ça marche ?

Marcel, dans un ultime et louable effort pour en arriver à une entente avec sa mère, était à déplacer un fauteuil pour faire de la place. Antoine le regardait intensément, attendant visiblement une réponse. Marcel se redressa, tandis qu'Évangéline continuait d'évaluer la situation, toujours pas certaine que ce monstre de meuble allait pouvoir entrer harmonieusement dans son salon, mais de plus en plus tentée d'y trouver une place. Peut-être que si l'on poussait l'étagère et qu'on…

Pendant ce temps, la discussion se poursuivait entre Antoine et Marcel, au grand dam de ce dernier, qui n'avait pas de temps à perdre à écouter les élucubrations d'un enfant de huit ans.

— T'es ben fatiquant, toé ! Tu vois pas que chus occupé ? C'est sûr que ça marche. Le vendeur me l'aurait pas vendue, sinon.

— Mais comment ça marche ? s'entêta Antoine, dont le regard allait de la télévision aux fils électriques qu'il apercevait par la fenêtre, puis de nouveau au téléviseur.

Marcel soupira. Antoine commençait sérieusement à l'embêter. Il n'avait pas la moindre idée de ce qui permettait à des images de voyager pour arriver jusqu'à l'appareil.

Dans les airs, dans les fils ?

Pour ne pas perdre la face devant son fils, d'autant plus qu'Évangéline était là, il lui renvoya la balle.

— Tu sais pas ça, toé ? fit-il, narquois. Que c'est qu'y' te montrent à l'école, d'abord ? Juste des niaiseries de filles ? À moins que tu passes ton temps à dessiner, pis que t'écoutes pas c'est quoi ton professeur dit ? Envoye, file dans ta chambre, tu m'déranges. Faut que j'trouve une place pour la télévision. Une place qui va faire l'affaire de ta grand-mère, pasque là, y' a pas grand-chose qui va à son goût.

Habituellement, Antoine ne tenait jamais tête à son père. Au contraire, il l'évitait. Mais en ce moment, devant la possibilité de regarder la télévision, il se permit d'insister.

— J'veux juste voir. J'te dérangerai pas, promis.

— J't'ai dit d'aller dans ta chambre, maudit calvaire !

Le ton employé par Marcel était agressif. Il maintenait sa colère difficilement. Pendant ce temps, Évangéline avait repris sa place et continuait de fixer l'appareil en faisant la moue. Marcel fit un pas vers Antoine, menaçant.

— Ça va-tu te prendre une volée pour que tu comprennes ? J'ai dit : scrame ! Va dans ta chambre, maudit calvaire. Ta face de tapette, je l'ai assez vue.

— Marcel !

La voix rocailleuse d'Évangéline arrêta le geste de son fils en plein élan. Il avançait vers Antoine, la main levée, quand il s'arrêta net et se tourna vers elle.

— Que c'est qu'y' a encore ?

Évangéline le regardait fixement, sévère, et brusquement, Marcel eut l'impression de revenir à ses jeunes années. Comment se faisait-il que tout ce qu'il essayait de faire pour plaire à sa mère finisse invariablement par tourner en eau de boudin ? Il baissa lentement le bras, non sans jeter un regard rancunier vers Antoine. C'était sa faute, aussi. S'il était resté dans sa chambre, ils n'en seraient pas là à se chamailler pour des niaiseries, quand une belle télévision neuve attendait d'être branchée.

— Que c'est qu'y' a encore ? répéta-t-il en revenant à sa mère.

— Tu parles d'une façon de parler au monde ! J'haïs ça quand tu traites Antoine de tapette. Ton propre fils, viarge !

— Bon, une autre affaire ! Vous venez de l'dire : Antoine c'est mon gars. J'l'appellerai ben comme j'veux.

— Ben pas devant moé. Antoine, c'est un bon p'tit gars. Pis c'est normal qu'y' aye envie d'être icitte avec nous autres quand c'est que tu viens d'acheter une télévision. Y a des affaires, de même, qu'on dirait que tu comprends pas.

Marcel écumait de rage, de déception. D'un cadeau qu'il était fier d'offrir, sa mère en faisait un sujet de réprimandes.

— Ça arrive-tu, des fois, que j'fasse quèque chose de correct dans c'te calvaire de maison-là ?

— Ouais... Ça arrive même souvent.

— Ben pourquoi vous l'dites jamais que vous êtes contente, d'abord ?

Évangéline parut réfléchir longuement à la question. Antoine était figé sur place, ne sachant s'il devait filer dans sa chambre comme le demandait son père ou rester dans le salon, comme il semblait bien que sa grand-mère le voulait.

Évangéline haussa les épaules dans un geste d'indifférence.

— Pourquoi je l'dirais quand chus contente ? J'ai jamais sauté au plafond, pis tu l'sais. Tu fais c'que t'as à faire, c'est toute. Tu m'disais-tu merci, toé, quand t'avais de quoi manger dans ton assiette ? Non, hein ? C'était normal que j'voye à toé, pis j'attendais pas des mercis pour travailler. C'est pareil.

Voyant que Marcel ne répondait rien, Évangéline reprit.

— C'est pas c'que tu fais qui va pas, Marcel, c'est ta manière d'être. C'est comme pour ça, fit-elle en pointant la télévision du doigt. J'était en train d'essayer d'y' trouver une place, pasque j'étais contente, figure-toé donc, pis toé, t'es venu toute gâcher mon plaisir en te chicanant avec Antoine, comme un p'tit gars ! Des fois, t'as pas plusse de jarnigoine qu'un enfant de cinq ans.

— C'est toute c'que vous avez à dire ?

— Ouais.

— Pis comme ça, j'vous gâche vot' plaisir ?

— On dirait ben. Si c'est d'même avant qu'a' soye allumée, la maudite télévision, c'est quoi que ça va t'être après ? J'aime autant pas y penser.

Marcel n'en voyait plus clair, toujours aussi convaincu que, si la situation avait dégénéré à ce point, c'était à cause d'Antoine. Bandant ses muscles, il prit le meuble à bras le corps et fit quelques pas vers la porte.

— Inquiétez-vous pas, la mère, fit-il en haletant, m'en vas vous régler ça tusuite, c'te problème-là. La télévision, a' s'en va dans ma chambre.

Marcel était déjà dans le corridor.

— Comme ça, réussit-il à articuler malgré l'effort, vot' salon sera pas déparé, pis y' aura pas d'chicane. Défense d'y' toucher. C'est moé qui la paye, c'est moé qui va décider c'est quoi qu'on écoute, pis quand qu'on l'écoute.

L'orgueil et la colère lui donnèrent l'énergie pour se rendre jusqu'à sa chambre. Il déposa la télévision devant la fenêtre, là où quelques mois plus tôt dormait le petit Charles. Sans prendre le temps de reprendre son souffle, Marcel revenait au salon.

— Pis que j'voye personne y' toucher, maudit calvaire.

Tout en parlant, il menaçait sa mère et Antoine d'un index vindicatif.

— C'te télévision-là, est à moé. À moé tuseul. C'est moé qui travaille pour la payer, c'est moé qui décide c'qu'on fait avec.

Empoignant son manteau qu'il avait laissé sur une chaise en entrant avec Bertrand, Marcel quitta la pièce. Deux secondes plus tard, on entendait la porte d'entrée qui se refermait violemment. Antoine éclata aussitôt en sanglots. Alors, se relevant lentement, tout en soupirant, Évangéline s'approcha de son petit-fils et lui tapota maladroitement les cheveux.

— Faut pas t'en faire avec ça, Antoine. Ton père, y' a toujours été ben soupe au lait. Y' va finir par en revenir, pis la télévision, a' va se retrouver dans l'salon. Y' est d'même, ton père. C'est là la plus grosse différence entre mes deux gars. Adrien, y' est toujours de bonne humeur, pis Marcel, lui, ben y' est venu au monde en maudit.

Antoine renifla ses dernières larmes. Il n'avait peut-être pas eu la chance d'aller au Texas, mais sa grand-mère, elle, y était allée, et depuis son retour, elle n'était plus la même.

— Astheure, tu vas aller chercher ta mère dans cuisine, poursuivait Évangéline. A' l'a rien vu aller, rapport qu'est en train de préparer l'souper. Dis-y' de venir me voir. On va toujours ben savoir de quoi ça l'air c'te machine-là quand c'est allumé.

Antoine leva un regard apeuré.

— Mais popa a dit que...

— Laisse faire ton père. Tu sais garder un secret ?

— Ben... J'pense que oui.

— Ben moé avec chus capable de garder ça, un secret. Pis j'sais que ta mère, c'est pas une placoteuse. Laura est pas là, pis Charles, lui, ben y' est trop p'tit. Ça fait que, on s'en va voir la télévision, mon Antoine. Si personne y' dit à ton père, y' l'saura pas !

Antoine fit un large sourire à sa grand-mère. Il ne savait pas ce qui avait bien pu se passer au Texas pour qu'elle revienne ainsi, mais ça n'avait aucune espèce d'importance.

L'important pour lui, c'était que, pour une fois, il se sentait bien dans sa peau et heureux d'être chez lui.

Il osa croire que cela durerait indéfiniment. Finalement, il avait raison : la télévision avait un petit quelque chose de magique.

— Moman, lança-t-il en tournant les talons. Viens vite ! Grand-mère a quèque chose à te dire. Vite ! C'est ben important !

CHAPITRE 9

Les yeux battus, la mine triste
Et les joues blêmes
Tu ne dors plus
Tu n'es plus que l'ombre de toi-même
Seul dans la rue tu rôdes
Comme une âme en peine…
Si tu as trop de tourments
Ne les garde pas pour toi
Va les dire à ta maman
Les mamans c'est fait pour ça…
Bambino, bambino

Bambino (NICOLAS SALERNO / FANCIULLI / J.LARUE)
CHANTÉ PAR LUIS MARIANO, 1957

Neuf mois plus tard, le 4 juillet 1957

Quand Cécile s'éveilla, ce matin-là, il y eut un instant de flottement et elle se demanda où elle était. Il lui semblait qu'elle aurait dû se réjouir, mais elle ne savait plus trop pourquoi. Elle s'étira, se roula en boule sous les couvertures, déterminée à prolonger d'une bonne heure de sommeil supplémentaire une nuit qui lui semblait avoir été beaucoup trop courte.

La mémoire lui revint sans crier gare, à l'instant où elle refermait les yeux.

Elle était à l'hôtel avec Charles, son mari. Au Ritz Carlton de Montréal.

Hier, en fin de journée, en arrivant de Québec, elle avait passé un long moment chez son frère Gérard à regarder dormir le petit Daniel, son neveu.

Hier, de retour à leur chambre d'hôtel, avant de s'endormir, Charles lui avait parlé d'adoption…

Le cœur de Cécile se mit à battre la chamade et un grand sourire affleura aussitôt sur ses lèvres.

Elle était bel et bien éveillée et ce n'était plus un rêve.

Charles, son mari Charles Dupré, qui avait toujours laissé entendre que la venue d'un bébé n'était pas essentielle à son bonheur, ce même Charles avait proposé, hier soir, d'adopter un petit bébé. Cela faisait des années que Cécile espérait que son mari accepte l'adoption comme solution, puisque ensemble, ils n'arrivaient pas à avoir d'enfants.

Maintenant, Cécile revoyait clairement toute la soirée d'hier.

Le souvenir des heures qui avaient suivi la suggestion de Charles lui fit monter le rouge aux joues. Se soulevant sur un coude, Cécile regarda son mari endormi, le cœur rempli de tendresse pour lui. Puis, elle se tourna lentement, tout doucement pour reprendre sa pose en chien de fusil, un bras sous l'oreiller.

Par les tentures entrouvertes, Cécile vit que le ciel était toujours aussi gris, mais il ne pleuvait plus. Elle inspira profondément, referma les paupières dans l'espoir de se rendormir.

Impossible ! Son esprit vagabondait comme un chevreau en liberté.

Il y avait cet enfant qu'ils iraient chercher. Il y avait toute une partie de sa jeunesse qui revenait la hanter. L'espace d'un battement de cœur, elle eut l'impression d'être infidèle au souvenir de sa petite Juliette. L'instant d'après, elle regretta ce mouvement des sentiments. L'amour qui dormait, latent au fond de son cœur, était bien assez fort pour deux enfants.

Sachant qu'elle n'arriverait pas à se rendormir, Cécile se leva délicatement, sans faire de bruit et se dirigea vers la salle de bain sur la pointe des pieds. Un brin de toilette et elle irait à la réception de l'hôtel pour commander un petit déjeuner à être servi dans la chambre. Elle ne voulait pas utiliser le téléphone par crainte de réveiller son mari qui dormait encore à poings fermés.

Ensuite, si Charles était d'accord, ils iraient chez Gérard pour annoncer la bonne nouvelle à son frère et à sa jeune épouse, Marie.

Quand Charles et Cécile sortirent enfin de l'hôtel, vers l'heure du midi, une échancrure du ciel laissait couler un rayon lumineux qui ourlait le bord des nuages d'une promesse de beau temps. L'air était plus doux, les moineaux piaillaient à cœur joie dans les arbres bordant la rue Sherbrooke. Au déjeuner, ce matin, Charles avait parlé sans arrêt de cet enfant qui se joindrait bientôt à leur famille. Cécile avait facilement compris que son enthousiasme n'était pas feint, même s'il avait pris du temps à se manifester.

Glissant une main sous le bras de Charles, Cécile accorda sa démarche à la sienne, et faisant les cent pas devant l'hôtel, ils attendirent que le chasseur leur apporte enfin leur auto. Il tardait à Cécile de voir Gérard.

Fidèle à lui-même, ce dernier avait poussé un cri tonitruant en apprenant l'heureuse nouvelle. Il s'était levé de table en bousculant sa chaise et avait soulevé Cécile pour la faire tournoyer dans ses bras.

— Un bébé ? Vous allez avoir un bébé ?

Cécile riait à gorge déployée, comme une petite fille heureuse. Quand Gérard l'avait enfin déposée sur le prélart de la cuisine, Cécile avait longuement regardé son frère sans dire un mot, les mains sur ses épaules.

Dans ce regard silencieux, que seul Gérard pouvait comprendre, c'est tout le passé de Cécile qui venait enfin de se réconcilier avec le présent.

— On va adopter un bébé, rectifia Cécile en reprenant son souffle.

Elle avait toujours aimé que les choses soient claires. Elle répéta :

— Ce que j'ai dit tout à l'heure, c'est qu'on va adop...

— C'est ben c'que j'viens de dire, coupa vivement Gérard. Vous allez avoir un bébé ! Adopté ou pas, un bébé reste un bébé, non ? Bonyeu que chus content, moé là ! Hein, Marie, que c'est une saprée bonne nouvelle ? fit-il en se retournant enfin vers sa jeune épouse. Ça va faire un p'tit cousin à notre Daniel.

— Ou une petite cousine.

— C'est pareil ! Faut fêter ça !

Gérard ne tenait pas en place. À croire que c'était Marie et lui qui allaient avoir un autre enfant !

— Faut fêter ça ! répéta-t-il.

— J'y avais pensé !

Depuis qu'ils étaient arrivés, c'était la première fois que la voix de Charles se faisait entendre. Tous les regards convergèrent vers lui en même temps. Assis à un bout de la table de la cuisine, Charles était tout souriant. Pour la seconde fois en quelques heures à peine, Cécile remarqua à quel point son mari semblait détendu quand il était ici en compagnie de Gérard. Pourtant, les deux hommes étaient aux antipodes l'un de l'autre, tant par leur caractère que par leur éducation. Le fait de voir son homme aussi rayonnant ajouta à la plénitude que Cécile ressentait depuis son réveil. Tirant une chaise, elle vint s'asseoir tout contre Charles.

— Alors ? demanda-t-elle tout en caressant son bras. À quoi as-tu pensé pour célébrer la venue prochaine d'un autre bébé dans la famille ?

Charles fit durer le suspense, regardant Gérard, Marie et Cécile à tour de rôle. Dans sa chaise haute, le petit Daniel continuait de manger consciencieusement les miettes de son biscuit sans se préoccuper des adultes.

— Ce soir, on va manger tous ensemble à l'hôtel ! J'ai fait la réservation pendant que tu prenais ta douche. Pour sept heures, annonça enfin Charles.

— Oh !

Cette fois-ci, c'est Marie qui venait de prendre la parole. Après avoir jeté un regard déçu à Gérard et un autre à la dérobée sur son fils, elle se tourna vers Charles.

— C'était vraiment gentil de votre part, Charles, d'avoir pensé à ça, mais moé, j'pourrai pas y aller.

— Mais pourquoi ? C'est moi qui régale, ne crains rien, précisa Charles, se méprenant sur le sens du refus de sa jeune belle-sœur.

— C'est pas ça ! C'est juste que Daniel est ben que trop p'tit pour aller dans un restaurant. Pis en plusse, lui, à sept heures, y' va se coucher.

Ce fut au tour de Charles d'avoir l'air désolé.

— Je n'avais pas pensé à ça, fit-il mi-figue mi-raisin,

visiblement désappointé. Je crois que je n'ai pas encore la fibre paternelle bien développée.

Puis, se tournant vers Cécile.

— Je m'excuse. Je pensais bien faire.

Mais Cécile ne le regardait plus. Elle continuait de caresser machinalement son bras, du bout des doigts, à peine un effleurement, tout en fixant Daniel. Elle leva finalement les yeux vers Marie.

— As-tu déjà fait garder Daniel ?

— Garder ? Par qui c'est que je pourrais le faire garder ? Pis pour quoi faire ? Je l'emmène avec moé quand j'ai besoin de sortir. C'est pas ben, ben compliqué.

Cécile ne tint pas compte de la réponse de sa belle-sœur. Les paupières à demi fermées, elle semblait réfléchir intensément. Son visage s'éclaira d'un seul coup.

— Ça y est ! Je me souviens... Laura ! Connais-tu la petite Laura qui habite au bout de la rue ?

— Laura ? Laura Lacaille ? Bien sûr que j'la connais. J'connais même sa mère, Bernadette. C'est arrivé une couple de fois qu'on promène nos bébés ensemble. A' l'allait chez Perrette, l'épicerie au coin d'la rue, comme moé, la première fois que je l'ai rencontrée. On a jasé. C'est son mari, Marcel, qui est le boucher de chez Perrette. Y' connaît ben son affaire parce que sa viande est toujours ben bonne, ben tendre.

— Et si on demandait à Laura de venir garder Daniel ?

— Laura ? Garder Daniel ?

Marie semblait tomber des nues. D'un naturel timide, elle s'était néanmoins redressée sur sa chaise et regardait Cécile droit dans les yeux.

— Pis comment ça se fait que tu connais Laura ? demanda-t-elle avec une pointe de suspicion dans la voix.

— Comme ça... Moi aussi, c'est en marchant dans la rue

que je l'ai croisée. L'an dernier, quand je suis venue vous aider à déménager, lui expliqua Cécile sans donner plus de détail. Elle m'a semblé plutôt gentille et suffisamment sérieuse. Alors ? Mon idée de faire garder Daniel... Qu'est-ce que tu en penses ?

Marie se tourna spontanément vers Gérard, sans répondre. Même si elle n'allait pratiquement jamais au restaurant et que l'invitation était tentante, Marie n'était pas du tout certaine d'avoir envie de faire garder son bébé.

— Que c'est que t'en penses, toé, Gérard ?

Gérard semblait hésitant. L'idée de confier son fils à une étrangère ne lui souriait pas plus qu'à Marie. Mais en même temps, il savait que c'était une journée importante pour sa sœur. Il leva les yeux vers elle. Il y avait tellement d'attente dans le regard de Cécile que Gérard revint face à Marie.

— Cette Bernadette... La connais-tu comme faut ?

Marie hésita à peine.

— Je dirais que oui. A' l'a l'air d'une ben bonne maman. Est toujours ben patiente avec son p'tit, entécas. Faut dire aussi que son bébé est pas ben, ben tannant. Y' sourit tout l'temps !

Gérard était à demi convaincu.

— Et cette Laura ? Est-tu assez vieille pour garder un bébé ?

Cette fois-ci, Marie n'hésita pas le moins du monde.

— Ça, c'est sûr ! C'est elle qui promène le plus souvent son p'tit frère. Pis a' l'a l'air de savoir quoi faire avec. Jamais j'croirais que Bernadette confierait son p'tit à sa fille si était pas sûre d'elle.

À ces mots, Gérard haussa les épaules, rassuré.

— Pourquoi c'est faire que t'hésites, alors ? Faut une première fois à toute, non ?

— J'sais ben…

Marie était de plus en plus tentée de se joindre à Cécile et à Charles. Après tout, Daniel n'était plus un nourrisson.

— Par exemple, murmura-t-elle, redevenue elle-même et intimidée d'imposer sa vision des choses, j'aimerais mieux qu'on aille souper plusse de bonne heure. Vers six heures. Comme ça, on reviendrait pas trop tard. Me semble que ça serait mieux. Pis faut que Laura accepte. Si elle, a' peut pas v'nir, moé, j'reste ici avec Daniel.

— Alors, il ne reste plus qu'à demander à Laura si elle veut venir ce soir. Je m'en occupe tout de suite.

Cécile était déjà debout.

— Je ne tiens pas en place ! Il faut que je bouge. Laura m'avait montré sa maison. Je devrais la retrouver sans me tromper.

Marie s'était levée, elle aussi, et elle avait son fils dans ses bras, se sentant déjà coupable de le laisser pour quelques heures.

— Si j'ai ben compris, les Lacaille restent au deuxième, spécifia-t-elle, voyant que Cécile s'apprêtait à partir. C'est la maison grise au boutte d'la rue, la grosse maison avec un arbre sur le bord du trottoir. Pis demande donc à Laura si a' pourrait arriver vers quatre heures et demie. J'aimerais ça avoir le temps de toute ben y' montrer comme faut avant de partir. C'est la première fois que j'vas laisser Daniel. Ça m'énerve un peu !

Cécile accueillit la demande de Marie avec un grand sourire.

— C'est comme tu veux, Marie ! Je suis tellement heureuse que vous acceptiez de venir avec nous, Gérard et toi ! Je vais tout de suite chez Laura ; et toi, Charles, fit-elle revenant à son mari, appelle à l'hôtel pour faire changer la réservation. Je reviens dans quelques minutes.

Arrivée sur le trottoir, Cécile s'arrêta un instant pour respirer profondément. Elle se sentait fébrile et excitée comme une gamine à la veille du réveillon. Tout se bousculait, tout allait un peu trop vite pour elle. Habituellement, Cécile aimait avoir le temps de laisser ses émotions prendre leur place à leur rythme, tout doucement.

La sensation de culpabilité envers sa fille, qu'elle avait fait adopter à la naissance, revint la hanter. Durant une brève, mais intense seconde, elle en voulut à la vie d'utiliser à d'autres fins l'amour mis en réserve pour elle.

Puis, elle se dit que si tous les parents potentiels agissaient comme elle, les orphelinats seraient encore plus remplis qu'ils ne l'étaient.

Si tous les parents pensaient comme elle venait de le faire, sa fille, sa petite Juliette, aurait passé sa vie dans un orphelinat.

Cette pensée fut suffisante pour lui redonner son bel enthousiasme. Depuis la naissance de sa fille, Cécile osait croire qu'elle se trouvait dans une bonne famille, entourée d'amour.

Tournant sur sa gauche, elle se dirigea vers la grosse maison grise au bout de la rue. Celle dont Laura avait dit qu'elle appartenait à sa grand-mère.

Le soleil brillait maintenant de tous ses feux et quelques enfants avaient envahi la rue pour jouer au ballon. Cécile eut le réflexe de se demander si elle préférait avoir un garçon ou une fille.

Ce fut Bernadette, la mère de Laura, qui lui ouvrit la porte. Curieusement, cette fois-ci, Cécile ne se sentit nullement intimidée devant elle.

— Bonjour… Je ne sais trop si vous me reconnaissez…

Cécile Dupré. Nous nous sommes rencontrées l'an dernier dans la rue.

Bernadette l'avait très bien reconnue et elle était justement à se demander ce que cette étrangère faisait chez elle. Son accueil fut plutôt frais.

— Ouais, j'vous reconnais. Ça m'dit pas c'que vous faites-là, par exemple.

— C'est pour Laura.

Bernadette fronça les sourcils.

— Comment, Laura ? Ma fille aurait-tu faite quèque chose de pas correct ?

Puis, sans attendre de réponse, Bernadette se retourna.

— Laura ! Viens donc icitte une menute. Y' a la dame que t'as vue su' la rue, l'autre jour, qui est icitte. A'voudrait te parler.

— En fait, je suis ici pour Marie, ma jeune belle-sœur, expliquait Cécile à l'instant où Laura se pointait le bout du nez dans l'embrasure de la porte de la cuisine. Bonjour, Laura… Te souviens-tu de moi ?

— Ouais…

Tout comme sa mère, Laura se demandait ce que Cécile faisait chez elle.

— Ouais, j'me souviens de vous. Madame Veilleux, a' me parle de vous, des fois, quand j'la rencontre su' la rue.

— C'est justement pour elle si je suis ici. On aurait besoin de quelqu'un pour garder le petit Daniel, ce soir. Marie a donc pensé à toi.

La réticence de Bernadette avait fondu au fur et à mesure que Cécile parlait. Elle connaissait assez bien cette Marie dont elle parlait, et à quelques reprises, elles avaient jasé ensemble tout en promenant leurs bébés. Bernadette regarda Laura qui s'était approchée de l'entrée. En fait,

Bernadette était plutôt flattée qu'on ait pensé à sa fille pour garder Daniel.

— Pis Laura ? Que c'est tu penses de ça ? Moé, j'ai rien contre. Si tu veux y aller, c'est à toé de décider.

— Ben, si toé t'es pas contre, moman, j'pense que j'aimerais ça.

Cécile était radieuse. Elle avait l'impression d'être en train de vivre une des plus belles journées de sa vie.

— Marie aimerait que tu arrives vers quatre heures et demie, reprit-elle en s'adressant à Laura. Tu comprends, c'est la première fois qu'elle fait garder Daniel et elle est inquiète. Elle veut être bien certaine de tout te montrer avant de partir.

Bernadette, qui n'aimait pas le ton que Cécile employait quand elle parlait à sa fille, se glissa dans la conversation.

— Pis à quelle heure est-ce que ma Laura va me revenir ?

Elle avait insisté lourdement sur le *ma*.

— Le temps de souper, fit Cécile, qui n'avait pas remarqué le timbre particulier de l'intervention de Bernadette. La réservation est pour six heures.

Malgré tout, Bernadette était impressionnée d'entendre Cécile parler. Décidément, cette femme n'appartenait pas à son monde. Jamais de toute sa vie, Bernadette n'avait réservé pour manger dans un restaurant. L'idée de faire une réservation pour manger un *sundae* chez Albert la fit sourire.

— Comptez su' ma fille. A' va t'être là à l'heure. Pis dites à Marie de pas s'inquiéter. Ma Laura est ben fine avec les p'tits. Pis est habituée. Le samedi, quand j'vas su' Steinberg avec son père pis sa grand-mère, c'est elle qui garde mon Charles, pis a' fait ben ça.

Tout en parlant, Bernadette avait redressé les épaules, fière d'avoir réussi à glisser dans la conversation qu'elle faisait son épicerie chez Steinberg et non chez Perrette au coin de la rue, comme la plupart de ses amies du quartier.

Quelques mots encore et Cécile repartit. Bernadette la regarda descendre l'escalier en se disant que malgré son langage compliqué et ses beaux vêtements, cette femme avait l'air gentil.

— Curieux qu'a' soye la belle-sœur à Marie Veilleux, par exemple. Ben curieux. C'est comme pour Adrien, qui est le frère à Marcel. Si y' se ressemblaient pas tant que ça, personne pourrait croire que c'est deux frères, murmura-t-elle en refermant la porte doucement.

Puis, tout en revenant vers la cuisine, elle lança :

— Faudrait que tu penses à faire un brin de toilette avant d'aller là, Laura. J'ai l'impression que c'te femme-là, c'te Cécile-là, c'est une dame du grand monde. Faudrait pas qu'a' pense qu'on sait pas vivre.

— Faut-tu que j'mette mon chapeau de paille pis mes gants en dentelle ? répliqua Laura, moqueuse. Pour changer une couche, ça serait pas ben, ben pratique, par exemple !

Bernadette pouffa de rire, imaginant sa fille toilettée comme une dame, en train de changer la couche d'un bébé.

— Fais pas ta smat, Laura Lacaille ! Tu sais ben c'que j'veux dire quand j'te demande de faire ta toilette.

— Ben sûr ! Inquiète-toé pas, moman.

C'est à cet instant que Laura se rappela qu'elle avait promis à Antoine d'aller le chercher à son cours de dessin. Elle grimaça. Elle détestait ne pas tenir une promesse, mais en même temps, elle s'était engagée à être chez Marie Veilleux à quatre heures et demie. Impossible de faire les deux en même temps.

— Tant pis, murmura-t-elle en entrant dans sa chambre. Antoine aura juste à revenir tuseul comme d'habitude, pis je m'excuserai à soir. C'est pas de ma faute, si j'vas garder le p'tit Daniel.

Ouvrant la porte de son garde-robe, elle se mit à faire l'inventaire de ses pantalons et de ses jupes. Elle comprenait très bien ce que sa mère voulait dire en parlant de faire un brin de toilette.

Quant à Bernadette, elle essayait d'imaginer Cécile en train de changer un bébé et elle n'y arrivait pas. L'image s'était imposée à elle au moment où elle entrait dans la cuisine afin de préparer le repas.

— Faut croire qu'y' en a qui sont pas faites pour ça, dit-elle à voix basse, prenant un chaudron à témoin. Si j'ai toute ben compris, c'te femme-là, a' l'a pas de p'tit. Astheure, les patates ! J'ai promis un pâté chinois à Antoine pour souper.

* * *

Dès que l'horloge de la salle à manger sonna la demie de trois heures, Antoine commença à se sentir anxieux. Dans une heure, le cours de dessin serait terminé. Dans quarante-cinq minutes, Laura avait juré de venir le chercher et c'est ce qui l'inquiétait. Laura tiendrait-elle sa promesse ? C'était la solution qu'il avait trouvé pour ne plus se retrouver avec monsieur Romain quand le cours finissait. Il arrivait trop souvent que son professeur prépare une collation et Antoine détestait cela.

Laura avait bougonné, bien entendu, ne comprenant pas pourquoi son frère insistait à ce point pour qu'elle vienne le chercher, mais il avait tout de même réussi à lui arracher la promesse qu'elle serait là.

— Que c'est ça, encore ? T'es pus capable de traverser la rue tuseul, Antoine ?

— Ben non, c'est pas ça... C'est juste que c'est pesant de traîner mes choses de dessin, pis que j'ai mal au bras quand ça fait deux heures que j'dessine. Envoye, Laura ! Dis oui, s'il vous plaît !

— J'sais pas c'que t'as, depuis un boutte... Une vraie sangsue ! Un samedi en plusse ! J'sais pas c'que j'vas faire, moé, samedi après-midi !

Les yeux d'Antoine brillaient de larmes retenues. Laura soupira. Son frère était vraiment bizarre depuis quelque temps.

— O.K., m'as y aller, concéda-t-elle.

Antoine renifla, essuya son visage.

— Promis ?

— Maudite marde, Antoine ! On dirait que t'es plusse bebé que Charles, des fois ! Ben oui, promis.

C'est pourquoi, malgré l'aiguille de l'horloge qui avançait inexorablement vers les quatre heures, Antoine arriva à dompter le tremblement de ses mains. Habituellement, Laura tenait ses promesses, ce qui fait qu'aujourd'hui, il serait parti avant la fin du cours. Tant pis pour monsieur Romain qu'il entendait sortir verres et assiettes à la cuisine. Ses biscuits au sucre et son lait au chocolat, il pourrait les garder pour lui. Antoine n'en voulait plus.

Plus jamais.

Pourtant, la première fois que monsieur Romain lui avait apporté un verre de lait avec du Quick, Antoine n'en revenait de sa bonne fortune. Cela faisait des mois qu'il réclamait à sa mère d'en acheter parce qu'il y avait goûté chez Ti-Paul et qu'il avait trouvé cela très bon. Malheureusement, celle-ci lui opposait une fin de non-recevoir, chaque fois qu'il revenait à la charge.

— T'es-tu malade, Antoine Lacaille ? C'est ben que trop

cher. Si tu veux du lait, prends-lé blanc ou ben passe-toé-z'en ! Du lait au chocolat ! Non mais...

Ce premier verre de lait au chocolat, il l'avait bu l'été dernier, les yeux mi-clos, savourant sa chance et le bon goût du chocolat en même temps. Il était dans cette même salle à manger, car monsieur Romain avait convaincu sa mère qu'Antoine devait continuer ses cours durant l'été.

— Un talent comme le sien ! Même le directeur de l'école est d'accord avec moi. Antoine est particulièrement doué. C'est important qu'il poursuive ses cours, même durant les vacances. Je n'habite pas très loin. Il n'aura qu'à venir chez moi. Le samedi après-midi me conviendrait tout à fait. Mon épouse fait ses courses et ne revient que pour le souper, nous serons tranquilles.

— Mais je n'ai pas les moyens de vous...

— Il me semble que cette question était déjà réglée... Je l'attends donc chez moi le second samedi de juillet, à mon retour de voyage. Tenez, voici mon adresse.

Le billet où était inscrite l'adresse de monsieur Romain était déjà préparé et il l'avait sorti de sa poche de pantalon comme un prestidigitateur sort un lapin du chapeau. Antoine, qui accompagnait sa mère, en avait été mal à l'aise sans vraiment savoir pourquoi. Peut-être à cause du regard de monsieur Romain. Il ressemblait étrangement à certains regards de son père.

C'est ainsi que les cours de dessin qu'il aimait bien étaient passés de l'école à la salle à manger de chez monsieur Romain. Antoine, de prime abord, n'y voyait aucun inconvénient, bien au contraire, puisqu'en prime, il y avait un verre de Quick à l'occasion.

C'est à partir du mois d'août qu'il s'était mis à détester le lait au chocolat. Quand il entendait monsieur Romain préparer une collation, c'était plus fort que lui, il se mettait à trembler comme une feuille au vent d'automne et la précision de ses dessins s'en ressentait.

Parce que les jours où monsieur Romain préparait une collation, le cours de dessin durait un tout petit peu plus longtemps qu'à l'ordinaire. Pas beaucoup plus. Juste assez pour qu'Antoine reparte les joues en feu et le regard troublé par les larmes qu'il se dépêchait d'essuyer pour que personne ne le sache.

S'il fallait que monsieur Romain apprenne qu'Antoine avait parlé de ce qu'il appelait leur petit secret... Antoine préférait ne pas penser à ce qui pourrait arriver. Et puis, s'il n'y avait plus de cours de dessin, sa mère serait tellement déçue ! Alors, Antoine continuait d'y aller, semaine après semaine, détestant de plus en plus monsieur Romain, détestant de plus en plus dessiner avec talent, comme le lui disaient tous ceux qui voyaient ses dessins.

La visite d'Adrien avait été comme une éclaircie dans un ciel d'orage et Antoine s'était pris à rêver qu'il s'en irait avec lui, loin d'ici. Mais finalement, Adrien était reparti sans lui et Antoine n'avait rien dit. Il avait tellement peur qu'on déclare que tout était de sa faute, comme pour le hockey qu'il n'aimait pas.

Maintenant, depuis le mois de mai, il y avait des collations chaque samedi et madame Romain n'était jamais revenue plus tôt de ses courses, comme Antoine l'espérait si souvent, si désespérément. En fait, il n'avait jamais rencontré madame Romain. À croire qu'elle n'existait pas.

Pourtant, aujourd'hui, ses mains ne tremblaient pas et son dessin était particulièrement bien réussi, parce qu'aujourd'hui, il n'avait pas peur. Dans cinq minutes, Laura allait arriver et Antoine pourrait repartir avec elle. Laura dirait tout simplement qu'elle passait par là et qu'elle avait eu envie de venir chercher son frère. C'était l'entente qu'ils avaient prise.

Pour les quelques semaines à venir, Antoine avait déjà prévu toute une provision d'excuses valables pour que Laura vienne le chercher.

— Alors, Antoine ? Ce dessin ? Il est fini ? Regarde, j'ai une collation pour toi.

Monsieur Romain entrait dans la pièce en portant une assiette et un verre de lait au chocolat. Antoine sursauta et leva vivement les yeux vers la lourde horloge en bois qui se tenait dans un coin de la pièce. Son cœur fit un bond à contrecoup. Quatre heures vingt et Laura n'était pas là.

Monsieur Romain venait de déposer le verre devant Antoine et la simple vue du *breuvage* chocolaté lui chavira l'estomac. Il eut un gros haut-le-cœur et les larmes lui montèrent aux yeux.

Pourquoi est-ce que Laura n'était pas là ? Pourtant, elle avait promis !

Comme tous les samedis, monsieur Romain avait posé ses mains sur les épaules d'Antoine et regardait son dessin. Antoine, lui, ne regardait plus rien. Il avait fermé les yeux et les garderait ainsi jusqu'à l'instant où monsieur Romain lui ordonnerait de les ouvrir. Les longs doigts osseux de son professeur enserraient ses épaules comme les serres d'un vautour. Il sentait les ongles lui entrer dans la peau à travers le fin coton de sa chemisette. Puis, les pouces de monsieur Romain commencèrent à lui masser les épaules et le cou, à l'instant précis où Antoine se mit à prier pour que Laura n'arrive pas. Il était trop tard. S'il fallait qu'elle arrive maintenant, monsieur Romain serait très fâché. Il sentait son souffle court qui frôlait sa nuque.

— Maintenant, bois ton lait, mon bel Antoine ! Tu l'as bien mérité. Tu as vraiment bien travaillé aujourd'hui. Ton dessin est très précis. Je te l'avais dit que tu finirais par y arriver et que tes mains ne trembleraient plus. Allez ! Prends ton verre de lait au chocolat. C'est pour toi que je l'ai préparé. Qu'est-ce que tu attends, Antoine ? Ouvre les yeux et prends ton verre.

Antoine ouvrit précipitamment les yeux et prit le verre à deux mains pour ne rien renverser. Tandis qu'il buvait, les mains de monsieur Romain descendirent le long de son dos.

— N'est-ce pas, que ça fait du bien, un bon massage, quand on a travaillé fort ? Je te sens tout tendu, mon pauvre enfant.

Les mains de monsieur Romain empoignèrent les fesses d'Antoine comme pour les soupeser, puis elles remontèrent lentement jusqu'à sa taille, cherchant à se faufiler dans son pantalon.

— Petit polisson !

Monsieur Romain lui donna une petite tape sur les fesses.

— Tu as resserré ta ceinture. Allez ! Détache-moi ça, ce pantalon-là, vilain garnement ! Il faut que je puisse glisser ma main. Rien ne vaut un massage donné directement sur la peau. Je le sais, que tu aimes ça, je le sens dans le creux de ma main. N'est-ce pas, Antoine, que tu aimes ça ?

Sans répondre, maladroitement, Antoine arriva à détacher le bouton de son pantalon qui lui retomba sur les chevilles, l'emprisonnant à la merci de monsieur Romain.

Antoine referma les yeux.

Il savait que c'était mal, très mal, ce que monsieur Romain faisait. Il n'y avait qu'à voir les grosses bajoues du curé Ferland trembler d'indignation quand il parlait du péché d'impureté.

C'était tellement mal, que jamais il n'avait osé en parler à la confession. Antoine préférait, et de loin, les perspectives d'une éternité dans les flammes de l'enfer à l'humiliation de raconter ce qui se passait le samedi après-midi chez son professeur de dessin.

De toute façon, qui voudrait le croire ? Monsieur Romain était le professeur que tous les élèves préféraient.

Quand les doigts de monsieur Romain se refermèrent sur son sexe, Antoine eut un long frisson. Il avait toujours un long frisson à ce moment-là.

Parce qu'au-delà de la honte et de la peur, de la colère et de la gêne, quand la main de monsieur Romain se refermait sur son pénis, il y avait aussi une forme de plaisir indescriptible qu'Antoine ne comprenait pas. Un plaisir qui n'aurait jamais dû exister, puisque c'était mal, ce qu'il faisait.

C'est ce que son père devait vouloir dire quand il le traitait de tapette sur un ton méprisant.

Antoine Lacaille n'était qu'une tapette insignifiante et tout était de sa faute.

C'est à cette pensée que deux grosses larmes brisèrent la barrière de ses paupières closes et roulèrent sur ses joues, tandis que dans son dos, le souffle de monsieur Romain s'accélérait.

Antoine retint un soupir de soulagement.

Dans cinq minutes, tout serait fini et il pourrait s'en aller…

À suivre…

Tome 2
1957 —

NOTE DE L'AUTEUR

J'aime que vous aimiez les longues sagas, cela me permet de rester en contact avec des personnages auxquels je me suis attachée. Et laissez-moi vous dire que j'étais particulièrement heureuse de retrouver Cécile dans une période de sa vie où nous ne l'avions pas tellement connue. C'est ce que j'appelle la magie de l'écriture, celle qui nous donne ce pouvoir de remonter dans le temps, de retrouver des gens jadis rencontrés, de voir les destinées s'enchevêtrer... Curieux, comme la vie peut parfois nous réserver de belles surprises !

Dans le fond, nous vivons sur une bien petite planète.

Quand j'ai fait la connaissance de Laura, j'avoue que je ne savais pas trop où elle allait m'emmener. Des familles comme la sienne, il y en a tant et tant ! Les Marcel, les Évangéline, les Bernadette, les Adrien sont légion, le monde en est rempli ! Chez Laura, donc, pas question d'alcoolisme comme chez Raymond[3] et Blanche ou de grossesse illégitime

3 Louise Tremblay-D'Essiambre, *Les sœurs Deblois*, Laval, Guy Saint-Jean Éditeur, 2003-2005, 4 tomes.

comme chez Cécile[4] ou encore d'inceste comme chez Rolande. Non, il n'y a rien de tout cela chez les Lacaille. On y mène une vie ordinaire, comme dans la plupart des familles. Un peu de rudesse, beaucoup d'indifférence et une bonne dose de résignation. Malgré tout, quand Laura m'a prise par la main, j'ai suivi sans hésiter cette petite fille de dix ans qui semblait si déterminée. C'est peut-être cette détermination, justement, qui m'attirait chez elle.

C'est alors que j'ai rencontré tous ceux qui faisaient partie de sa vie. À peine quelques jours à les côtoyer et j'ai compris. L'histoire que Laura voulait me raconter était importante. J'ai aussi compris à quel point cette gamine était généreuse, car pour l'instant, elle n'est qu'un témoin des événements qui touchent sa famille. Pour elle, tout va quand même assez bien, avouons-le ! Sans vivre dans l'abondance, elle ne manque de rien et elle a la chance d'avoir une mère affectueuse. Mais à travers son regard, par le biais de ses réflexions et de ses remarques, je me suis enfoncée dans une forêt touffue. Une forêt d'émotions, de non-dits, d'espoirs et de déceptions, et c'est ainsi que, sans trop m'en rendre compte, je me suis retrouvée au centre de cette exubérance qu'on appelle la vie. Celle de Laura, de Bernadette, de Francine, de Cécile, bien sûr, mais aussi au cœur de la mienne, comme de la vôtre. Quand on se donne la peine de s'y attarder, on constate rapidement qu'au bout du compte, le destin des uns recoupe celui des autres et qu'ils finissent tous par se ressembler un peu. Seriez-vous d'accord pour dire que la quête ultime, celle que tous entreprennent dès que la conscience s'éveille, c'est d'être heureux ? Qu'importent les métiers, les richesses ou l'envi-

4 Louise Tremblay-D'Essiambre, *Les années du silence*, Laval, Guy Saint-Jean Éditeur, 1995-2002, 6 tomes.

ronnement, au-delà des frontières et des classes sociales, le but d'une existence, c'est d'être heureux. Les Lacaille n'y échappent pas. Pas plus que vous ou moi, d'ailleurs !

Je me suis donc laissée prendre au jeu et j'ai décidé de faire un bout de chemin en compagnie de Laura. Sous le vernis des apparences, sous le masque du quotidien, j'ai découvert l'univers fascinant des sentiments à l'état brut. Ceux qu'on a vécus, ce que l'on ressent à l'instant même et aussi ce qu'on espère dans le secret de son cœur. Comme l'a si bien écrit Claude Léveillée dans sa très belle chanson Frédéric : *la vie les a avalés comme elle avale tout le monde* et le quotidien s'est occupé du reste. Oui, en apparence, c'est à cela que ressemble la vie des Lacaille, mais c'est uniquement quand on se contente de rester à la surface des choses qu'on a cette impression de banalité désolante. Si l'on ose plonger au-delà des apparences, c'est un tout autre monde qui se dévoile à nous. Il suffit de gratter un peu pour mettre à nu l'univers vertigineux de l'âme, ce monde secret sillonné de nombreux chemins inextricables, entrecoupés d'ombres et enrichis d'éblouissements. Il suffit d'un soupçon de bonne volonté pour découvrir que derrière les façades se cachent la grandeur et la noblesse des cœurs, la complexité et la débauche des intelligences, les vices et les vertus de l'âme.

C'est ce que j'ai appris en suivant Laura : il ne faut jamais se contenter de la surface des choses. Tout comme Laura le fait de façon naturelle et spontanée, il faut creuser, s'interroger, essayer de comprendre. Il faut tenter de voir la situation avec le regard de l'autre avant de poser un jugement. C'est ce que je me suis répété quand je me suis retrouvée en compagnie de Marcel ou d'Évangéline. Ça ne permet peut-être pas de tout accepter, mais ça peut faire la lumière sur certains comportements.

Voilà pourquoi j'ai encore et toujours envie de suivre Laura dans sa quête d'identité et de bonheur, d'autant plus qu'elle arrive à un âge où bientôt, l'univers lui semblera à refaire, où les ambitions n'auront aucune limite. J'ai hâte de voir ce qu'elle fera de cette liberté qui deviendra sienne dans quelques années.

Et il y a le petit Antoine...

Ne serait-ce que pour lui, jamais je n'aurais pu abandonner la famille Lacaille à l'endroit et au moment où le premier livre se termine.

Cet enfant interpelle tout ce que la maternité a fait naître de beau, de bon et de généreux en moi.

Ce qu'il vit est horrible. Quelqu'un est en train de lui voler son enfance et son innocence. Quelle sorte d'homme pourra-t-il devenir plus tard ? D'autant plus qu'il semble bien que son père l'ait déjà abandonné depuis longtemps.

Y aura-t-il quelqu'un pour venir à son secours ? Car c'est bien de secours dont il a besoin, l'essence de sa vie est en danger.

Je vais donc vous quitter ici, j'ai plus important à faire. Un petit garçon a besoin de quelqu'un pour venir à sa rescousse. Peut-être qu'ensemble, vous et moi, allons parvenir à influencer le destin. À force de bonne volonté, peut-être... Et de mots !